중등 수능 독해

미니 단어장

KB039430

점선을 따라 자르세요

중등 수능 독해

영어 독해 1 Level 기본

미니 단어장

visang

memo

중등

수능 독해

영어 독해

Level 1

미니 단어장

UNIT 01

문장의 주인은 나야 나!

- ☐ creator 창조인, 크리에이터
- ☐ content 내용, 콘텐츠
- ☐ entertaining 유쾌한, 재미있는
- ☐ topic 화제, 토픽
- ☐ household 가정의
- ☐ common 흔한
- ☐ make up 이루다, 구성하다
- ☐ amount 양
- ☐ obviously 확실히
- ☐ habit 습관
- ☐ achieve 이루다, 성취하다
- ☐ goal 목표
- ☐ well-being 건강, 행복
- ☐ regular 정기적인, 규칙적인
- ☐ faithful 충실한
- ☐ harm 해치다, 상처를 입히다
- ☐ saying 속담, 격언
- ☐ comfortable 편안한
- ☐ make sure 확인하다, 확신하다
- ☐ daylight 햇빛; 낮, 주간

- ☐ have ~ in common ~을 공통적으로 지니다
- ☐ doubt 의심, 의문
- ☐ appealing 매력적인, 흥미로운
- ☐ present 주다, 나타내다
- ☐ meet 충족시키다
- ☐ cover up 숨기다
- ☐ play down ~을 깎아내리다
- ☐ aspect 측면
- ☐ rely on ~에 의지하다
- ☐ original 원본
- ☐ saint 성인, 성자
- ☐ prayer 기도
- ☐ regret 후회하다
- ☐ comics (신문 · 잡지 등의) 만화란
- ☐ worthwhile 가치가 있는
- ☐ wisdom 지혜
- ☐ nature 본질, 본성
- ☐ routine 통상적 순서, 일과
- ☐ post 게시하다
- ☐ spirit 정신, 활기

UNIT 15

단서로 짐작하라!

- □ frequency 진동수, 주파수
- □ intense 강렬한
- □ rustle 바스락거리다
- □ steady 꾸준한
- □ heartbeat 심장 박동
- □ honk 경적을 울리다
- □ bark 짖다
- □ stimulate 자극하다
- □ even 차분한
- □ relax 긴장을 풀다, 진정하다
- □ boost 북돋우다
- □ therapy 심리 치료
- □ make the team 팀에 들어가다
- □ positive 긍정적인
- □ fuel 연료
- □ quality 품질
- □ appearance 외양, (겉)모습
- □ delightful 정말 기분 좋은
- □ experience 경험
- □ advertise 광고하다

- □ design 설계하다, 계획하다
- □ darkness 어둠
- □ gather 모으다, 수집하다
- □ weigh (무게가) 나가다
- □ brain 뇌, 두뇌
- □ wildlife 야생
- □ on behalf of ~을 대신하여
- □ work on ~을 수행하다
- □ project 과제, 프로젝트
- □ jobless 실업의, 일이 없는
- □ invite 초대하다
- □ presentation 발표, 프레젠테이션
- □ auditorium 강당
- □ introduce 소개하다
- □ a variety of 다양한
- □ develop 개발하다
- □ honor 영예, 명예
- □ attend 참석하다
- □ event 행사, 이벤트
- □ look forward to ~을 기대하다

UNIT 02
문장은 내가 움직이는 대로! 1

□ stay	머물다, 지내다
□ special	특별한
□ giraffe	기린
□ a number of	많은
□ endangered	멸종 위기의
□ visit	방문하다
□ poke	쑥 내밀다
□ restaurant	식당
□ share	나누다, 공유하다
□ thread	실
□ glue	풀; 붙이다
□ through	~을 관통하여
□ center	중앙
□ tie	묶다
□ connect	연결하다
□ narrow	좁은
□ teenager	십 대, 청소년
□ concentrate	집중하다
□ happen	일어나다, 발생하다
□ suffer	겪다

□ carpenter	목수
□ retire	은퇴하다
□ boss	고용주, 사장
□ leisurely	느긋한, 여유 있는
□ paycheck	봉급, 임금
□ effort	노력
□ lifelong	일생의, 생애의
□ career	경력, 이력, 생애
□ hand	건네주다
□ manufacturer	제조업자, 생산자
□ distributor	배급 업체
□ impression	인상
□ promising	가망 있는, 유망한
□ executive	임원
□ firmly	굳게, 단단히
□ bow	머리를 숙이다, 허리를 굽히다
□ informal	비공식적인
□ setting	상황, 배경
□ essential	기본적인
□ inappropriate	부적절한

UNIT 14

글의 흐름을 파악하라!

- □ excuse 변명
- □ fine 벌금, 연체료
- □ exception 예외
- □ funeral 장례식
- □ regulation 규정
- □ octopus 문어
- □ amazing 놀라운, 굉장한
- □ shape 모양, 형태
- □ squeeze (물건을) 밀어 넣다
- □ backyard 뒤뜰
- □ light bulb 전구
- □ theory 이론
- □ suspect 의심하다
- □ path 길
- □ confused 당황한, 혼란한
- □ attract 끌다, 유혹하다
- □ ancient 고대의
- □ direction 방향
- □ native 원주민의, 토착민의
- □ elderly 연로한, 나이가 지긋한

- □ damage 손상, 피해
- □ pain 고통, 통증
- □ wrist 손목
- □ bend 구부리다
- □ activity 활동
- □ parent 부모
- □ result 결과
- □ survey 설문 조사
- □ travel 여행하다
- □ enjoy 즐기다
- □ entertainment 오락
- □ prefer 선호하다
- □ conversation 대화
- □ similar 비슷한
- □ hobby 취미
- □ point 가리키다
- □ drive 운전하다
- □ roll down 내리다
- □ grateful 감사하는
- □ lucky 행운의

UNIT 03

문장은 내가 움직이는 대로! 2

- □ mistake 실수
- □ embarrassed 창피한
- □ fault 잘못
- □ mean 의미하다, 뜻하다
- □ failure 실패자, 실패
- □ perfect 완벽한
- □ protect 보호하다
- □ change 바꾸다
- □ fur 털
- □ disappear 사라지다
- □ surroundings 주위, 환경
- □ completely 완전히
- □ confuse 혼란스럽게 하다
- □ look for ~을 찾다
- □ tasty 맛있는
- □ according to ~에 따르면
- □ art 예술
- □ expert 전문가
- □ artist 예술가
- □ draw 그리다
- □ ultimately 궁극적으로, 결국
- □ beneficial 유익한, 이로운
- □ numerous 많은
- □ blood pressure 혈압
- □ relieve 완화하다
- □ energize 활력을 주다
- □ childhood 어린 시절
- □ sound 건강한, 건전한
- □ around the clock 24시간 내내, 밤낮으로
- □ worth 가치가 있는
- □ confidently 자신 있게
- □ merit 장점
- □ fairy tale 동화
- □ conflict 갈등
- □ permanently 영원히, 영구히
- □ settle 해결하다
- □ horror 공포
- □ play 연극, 희곡
- □ marriage 결혼
- □ force (어쩔 수 없이) ~하게 하다

UNIT 13 글을 꼼꼼히 읽어라!

- □ penguin 펭귄
- □ South Pole 남극
- □ lay 낳다
- □ hunt 사냥하다
- □ return 돌아오다
- □ skinny 깡마른, 비쩍 여윈
- □ emergency 비상, 응급 상황
- □ first-aid kit 구급상자
- □ ambulance 구급차
- □ great-grandmother 증조할머니
- □ on fire 불타는
- □ get out 나가다
- □ neighbor 이웃
- □ pet 애완동물
- □ straight 곧장
- □ adopt 입양하다
- □ abandon 버리다
- □ wish 소망하다
- □ process 과정
- □ get to know 알아 가다

- □ paint 색칠하다
- □ natural 타고난, 천부적인
- □ talented 재능이 있는
- □ master 명인
- □ influence ~에 영향을 미치다
- □ produce 만들어 내다, 제작하다
- □ fame 명성
- □ fever 열병, 열
- □ search for ~을 찾다
- □ wild 야생의
- □ farm 농사짓다; 농업
- □ build 짓다, 건축하다
- □ village 마을
- □ river 강
- □ move around 돌아다니다
- □ international 국제적인
- □ tourism 관광
- □ spend 쓰다, 소비하다
- □ billion 10억
- □ country 나라, 국가

UNIT 04

움직임엔 상대가 필요하지!

- □ during ~ 동안
- □ remember 기억하다
- □ chemical 화학 물질
- □ promote 추진하다, 증진하다
- □ memory 기억, 기억력
- □ wake up 깨다; 깨우다
- □ adventure 모험
- □ explore 탐험하다
- □ woods 숲
- □ welcome 환영받는
- □ fee 비용; 참가비
- □ include ~을 포함하다
- □ treasure hunt 보물찾기
- □ receive ~을 받다
- □ registration 등록
- □ relationship 관계
- □ co-worker 동료, 협업자
- □ be good at ~을 잘하다
- □ care about ~을 신경 쓰다
- □ achievement 성취
- □ germ 병균, 세균
- □ ordinary 평범한
- □ occupation 직업
- □ perform 행하다, 공연하다
- □ frequently 자주, 빈번히
- □ tend to ~하는 경향이 있다
- □ overcome 극복하다, 이기다
- □ shyness 수줍음, 겁 많음
- □ remind *A* of *B* A에게 B를 연상시키다
- □ at a time 한번에
- □ expression 표현
- □ do the laundry 세탁하다
- □ feel like -ing ~하고 싶다
- □ matter 중요하다
- □ partner 짝, 파트너
- □ dishonor 불명예, 모욕
- □ sunset 해넘이, 일몰
- □ shine 빛나다, 반짝이다
- □ scale 눈금, 저울
- □ amusement park 놀이공원

UNIT 12

글의 주제문을 찾아라!

- □ integration 통합
- □ have a hard time -ing ~하는 데 어려움을 겪다
- □ option 옵션, 선택권
- □ look into 조사하다, 살펴보다
- □ improve 개선하다, 향상시키다
- □ remove 제거하다, 치우다
- □ cheap 값이 싼
- □ trendy 최신 유행의
- □ environment 환경
- □ unsafe 불안전한
- □ harmful 해로운
- □ salary 봉급, 월급
- □ fountain 분수
- □ complete 완성하다, 완료하다
- □ emperor 황제
- □ body 시신
- □ forever 영원히
- □ uniform 유니폼, 제복
- □ emergency room 응급실
- □ protect *A* from *B* B로부터 A를 보호하다

- □ bottle 젖병
- □ feed 젖을 먹이다, 음식을 주다
- □ frustrated 실망한
- □ turn away 고개를 돌리다
- □ turn around (반대쪽으로) 방향을 바꾸다
- □ be clueless about ~에 대해 아무것도 모르다
- □ notice ~을 알아채다; ~에 주의하다
- □ at last 마침내
- □ fulfill 완료하다, 성취하다
- □ eventually 드디어, 결국
- □ astronaut 우주 비행사
- □ board (탈것에) 올라타다
- □ space shuttle 우주선
- □ mission 임무, 사명
- □ specialist 전문가
- □ historic 역사적인
- □ flight 비행
- □ professor 교수
- □ degree 학위
- □ medical 의학의

UNIT 05 문장의 의미를 보충해 주지!

- □ nervous 신경성의
- □ laughter 웃음; (큰) 웃음소리
- □ respond 반응하다, 대응하다
- □ relaxed 편안한, 긴장이 풀린
- □ situation 상황, 입장, 상태
- □ painting 그림, 페인팅
- □ few 거의 없는, 소수의
- □ available 쓸 만한, 유용한
- □ have trouble -ing ~하는 데 어려움을 겪다
- □ advance 앞으로 나아가다, 발전하다
- □ gentle 점잖은, 부드러운
- □ create 만들다, 창조하다
- □ pour 붓다, 따르다
- □ canvas 캔버스
- □ technique 기술, 테크닉
- □ become known as ~으로 알려지다
- □ generation 세대
- □ abstract 추상적인
- □ finally 결국, 드디어
- □ turn 순번, 차례

- □ stair 계단
- □ workout 운동
- □ sidewalk 보도, 인도
- □ lane 차선
- □ inconvenient 불편한
- □ modern 현대의
- □ public 공공의
- □ facility 시설
- □ movement 운동, 동향, 움직임
- □ resident 거주자
- □ culture 문화
- □ popularity 인기
- □ membership 회원 수
- □ go beyond ~을 넘어서다
- □ vehicle 차량
- □ replace 대체하다
- □ have an impact on ~에 영향을 미치다
- □ driverless 운전사가 필요 없는
- □ license 면허증, 자격증
- □ operate 작동하다

UNIT 11

주제를 알아야 요지가 보인다!

- □ bitter 쓴
- □ background 배경의
- □ pollution 오염, 공해
- □ serious 심각한
- □ stomach 위장
- □ edible 먹을 수 있는
- □ make friends 친구를 사귀다
- □ heat 뜨겁게 만들다
- □ temperature 온도
- □ freeze 얼다
- □ exist 존재하다
- □ turn *A* into *B* A를 B로 바꾸다
- □ necessary 필요한
- □ vitamin 비타민
- □ bone 뼈
- □ apart from ~을 제외하고
- □ electric 전기의
- □ candle 양초, 촛불
- □ source 원천, 근원
- □ advise 조언하다

- □ give a speech 연설하다
- □ come out 밖으로 나오다
- □ prepare 준비하다, 대비하다
- □ follow 따라오다, 따르다
- □ audience 관객, 청중
- □ judge (각종 경연 대회의) 심사 위원
- □ crowd 군중, 대중
- □ bored 지루한
- □ jealous 질투하는, 시기하는
- □ mayor 시장, 군수
- □ overweight 비만의
- □ nearby 근처의, 인근의
- □ allow 허용하다, 인정하다
- □ owner 소유자, 주인
- □ addition 부가, 첨가
- □ consideration 고려, 이해, 배려
- □ chef 요리사, 주방장
- □ challenge 도전
- □ participant 참가자, 참여자
- □ beforehand 미리, 사전에

UNIT 06 어제의 나와 오늘의 나와 내일의 내가!

- □ scientist 과학자
- □ outer 외부의, 바깥쪽의
- □ planet 행성
- □ solar 태양의
- □ launch 발사하다
- □ spacecraft 우주선
- □ alien 외계인
- □ greeting 인사말
- □ earthquake 지진
- □ occur 발생하다, 일어나다
- □ ocean 해양, 바다
- □ wave 파도
- □ horrible 무시무시한, 끔찍한
- □ strike 강타하다, 덮치다
- □ coast 해안
- □ sweep away ~을 휩쓸다, 완전히 없애다
- □ contest 공모전. 대회
- □ celebrate 기리다, 축하하다
- □ island 섬
- □ hold 주최하다, 열다

- □ examine 조사하다, 검사하다
- □ tooth decay 충치
- □ observation 관찰, 감시
- □ contain ~이 들어 있다
- □ grain 곡물, 낟알
- □ mineral 미네랄
- □ greet 인사하다, 환영하다
- □ flight attendant (비행기) 승무원
- □ amazed 놀란
- □ treatment 대우, 처우
- □ mark 기록하다, 표시하다
- □ CEO 최고 경영자(= Chief Executive Officer)
- □ catalogue 목록, 카탈로그
- □ fine 질 높은, 좋은
- □ luxury 호화로운, 고급스러운
- □ acquire 얻다, 획득하다
- □ customer 손님, 고객
- □ courageous 용감한
- □ loyal 충성스러운
- □ temporary 일시적인, 임시의

UNIT 10

비교해 보니 내가 최고지!

□ sleepy	졸린, 졸음이 오는
□ focus on	~에 집중하다
□ choice	선택
□ take a rest	쉬다, 휴식하다
□ list	명단에 올리다
□ grow up	자라다, 성장하다
□ average	평균의
□ custom clothing	맞춤복
□ height	키
□ reach	닿다, 도달하다
□ collection	수집, 모음
□ ecosystem	생태계
□ habitat	서식지, 거주지
□ natural resource	천연자원
□ tiny	아주 작은
□ seed	씨앗
□ scatter	뿌리다
□ nest	둥지, 보금자리
□ well-known	잘 알려진, 유명한
□ dentist	치과 의사

□ annually	매년
□ including	~을 포함하여
□ view	경치, 전망
□ visitor	방문객
□ entry	참가
□ winning	우승한, 이긴
□ display	전시
□ distraction	집중을 방해하는 것
□ instant	즉각적인
□ multi-task	한꺼번에 여러 일을 처리하다
□ at once	동시에
□ honest	솔직한
□ break	휴식
□ pastime	취미, 소일거리
□ urban	도시의
□ attraction	매력
□ gather	모이다
□ lively	생기 있는
□ empty	텅 빈
□ offer	주다, 제공하다

UNIT 07 한 것보다 받는 게 더 중요할 때!

- ☐ dragon　용
- ☐ lizard　도마뱀
- ☐ model *A* after *B*　B를 본떠서 A를 만들다
- ☐ rhinoceros　코뿔소
- ☐ resemble　닮다, 유사하다
- ☐ spit　내뿜다, 내뱉다
- ☐ elementary　초급의
- ☐ object　물건, 사물
- ☐ realize　깨닫다
- ☐ defeat　패배시키다, 물리치다
- ☐ battle　전투
- ☐ shelter　피신, 피난
- ☐ cave　동굴
- ☐ enemy　적
- ☐ spider　거미
- ☐ climb　올라가다
- ☐ bravely　용감하게
- ☐ collect　모으다
- ☐ soldier　군사
- ☐ fight　싸우다

- ☐ rest　나머지
- ☐ first language　모국어
- ☐ write down　적어 놓다, 기록하다
- ☐ calculation　계산
- ☐ determine　결정하다, 확정하다
- ☐ ingredient　재료, 성분
- ☐ subject　과목
- ☐ recipe　조리법, 요리법
- ☐ dozen　다스, 12개
- ☐ awful　끔찍한, 지독한
- ☐ as a result　결과적으로
- ☐ state　주; 국가, 나라
- ☐ championship　선수권 대회
- ☐ exhausted　기진맥진한, 진이 다 빠진
- ☐ afterward　후에, 나중에
- ☐ gently　부드럽게, 약하게
- ☐ ahead of　~ 앞에, ~보다 앞선
- ☐ deserve　~을 받을 만하다
- ☐ hometown　고향
- ☐ in honor of　~에게 경의를 표하며

UNIT

09 문장과 문장을 이어 주는 것은 나!

- □ own 자신의
- □ difference 차이, 다름
- □ recognize 알아보다, 인식하다
- □ stranger 낯선 사람
- □ treat 대접, 취급
- □ ignore 무시하다
- □ look like ~처럼 보이다
- □ at one time 한때; 동시에
- □ engineering 공학, 공학 기술
- □ expensive 비싼, 돈이 많이 드는
- □ millionaire 백만장자, 굉장한 부호
- □ name after ~의 이름을 따다
- □ sink 가라앉다, 빠지다
- □ expect 예상하다, 기대하다
- □ slide 미끄러지다
- □ empire 제국
- □ universe 우주, 은하계
- □ isolated 외딴, 고립된
- □ family name 성(性)
- □ fisherman 어부, 낚시꾼

- □ regain 되찾다
- □ kingdom 왕국
- □ communicate 전하다; 소통하다
- □ enroll 입학시키다, 등록하다
- □ decide 결정하다
- □ require 필요로 하다
- □ depend on ~에 의존하다, 달려 있다
- □ textbook 교과서
- □ salesperson 판매인
- □ employee 직원
- □ fellow 동료의
- □ involve 연관시키다, 포함하다
- □ hundreds of 수백의
- □ based on ~에 근거하여
- □ trap 가두다
- □ certain 특정한
- □ go through 겪다
- □ fear 공포, 두려움
- □ let go of ~을 놓다
- □ thief 도둑

UNIT 08

문장은 꾸미기 나름이지!

- □ past 과거
- □ factory 공장
- □ shift 교대 근무
- □ hire 고용하다
- □ tap 두드리다
- □ principal 교장 선생님
- □ pleased 기쁜
- □ thankful 고마워하는
- □ classical 고전의
- □ match 성냥
- □ light 불을 붙이다, (불이) 붙다
- □ alive 살아 있는
- □ unpleasant 불쾌한
- □ flame 불꽃
- □ creep 살금살금 움직이다
- □ crawl 기다
- □ tremble 떨다, 떨리다
- □ workman 일꾼, 노동자
- □ trade 일
- □ skilled 숙련된

- □ make a demand 요구하다
- □ support 부양하다
- □ earn a living 생계를 유지하다
- □ sew 바느질하다
- □ simple 단순한
- □ efficient 효율적인
- □ productive 생산적인
- □ technology 기술
- □ questionable 미심쩍은, 의심스러운
- □ advantage 장점
- □ era 시대
- □ deer 사슴
- □ headlight 전조등
- □ personal 개인적인
- □ successful 성공한
- □ keep in mind ~을 명심하다
- □ blind 눈먼
- □ seemingly 겉보기에
- □ impossible 불가능한
- □ intuition 직관

비상 독해路

수능 영어 1등급

예비 고등~고등3

수능 개념을 바탕으로 실전 감각을 길러요

| 구문 독해, 유형 독해, 종합 실전, 고난도 유형 등 |

기출 경향을 파악하고 학습하는 수능 예상 문제집

| 독해 기본, 독해, 어법어휘 등 |

기출로 실전 감각을 키우는 기출문제집

| 완자 VOCA PICK 고등 |

고등 필수 어휘와 수능 기출 및 고난도 어휘를 효과적으로 익히는 고등 단어장 시리즈

예비 중등~중등3

독해 전략을 바탕으로 독해력을 강화해요

| 영어 독해 1~3권 |

수능 독해력을 단계별로 단련하는 중등 독해

| 리딩 타파 1~3권 |

중학교 독해의 기본을 잡아주는 구문 독해

| 리더스뱅크 3~9권 |

독해의 기본을 잡아 주는 중등 독해

| 워드 타파 1~3권 |

중학교 학년별 어휘를 단계별로 익히는 어휘집

| 완자 VOCA PICK 중등수능 |

수능 영어 정복의 첫걸음이 되는 기출 어휘를 중학생 난이도에 맞게 수록한 단어장 시리즈

초등5~예비 중등

본격적으로 학습 독해 실력을 쌓아요

| 주니어 리더스뱅크 1~2권 |

독해의 기초를 다지는 초등 독해

중등

수능 독해

영어 독해

Level 1

중등 수능 독해 영어가  특별한가?

1 독해 전지문을 기출 문제 100% 활용한 변형 지문으로 구성

중학교 내내 영어 독해 공부를 했지만, 실제 수능 문제를 풀지 못하는 학생이 많습니다. 왜 그런 것일까요? 일반 독해서로도 독해력을 향상시킬 수 있지만, 수능 실전 문제에 가장 강해질 수 있는 학습법은 '실제 기출 문제를 통해 기출 소재와 유형을 꾸준히 연습하는 것'이기 때문입니다.

이 책은 국가에서 전국 학생들의 실력을 알아보기 위해 실시하는 중3, 고1 학업 성취도 평가와 고1, 2 학력 평가 기출 문제를 100% 활용하여 변형한 지문과 문제로 구성되어 있어서 학생들이 독해 공부와 수능 공부를 따로 하지 않고 한번에 해결할 수 있습니다.

국가 수준 학업 성취도 평가 & 전국 연합 학력 평가

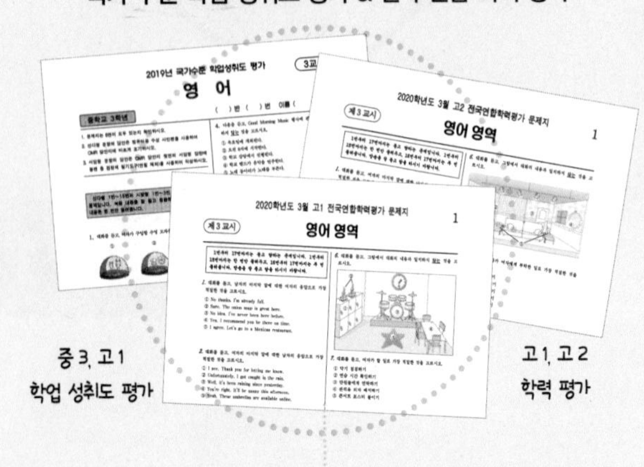

중3, 고1
학업 성취도 평가

고1, 고2
학력 평가

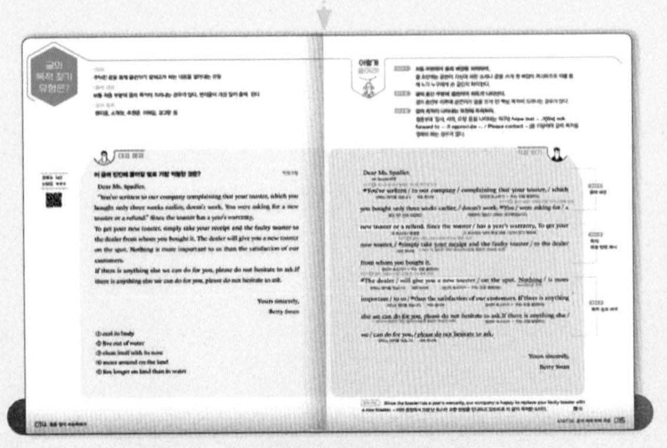

전지문 기출 독해 지문을 변형하여 구성

2 영어 학습 인공지능(AI) 시스템으로 Level별 맞춤형 독해 지문 완성

독해 학습이 가장 비효율적인 경우는 바로 자신의 수준에 맞지 않는 콘텐츠로 공부를 할 때입니다. 수능 학습도 마찬가지입니다. 이 책은 중3, 고1 학업 성취도 평가와 고1, 2 학력 평가 기출 문제를 영어 학습 전문 인공지능(AI) 시스템을 활용하여 중학생 난이도에 맞게 변형하였습니다. 따라서, 중학생이 자신의 수준에 알맞은 지문으로 수능에 출제되는 글의 구조와 소재를 쉽게 익힐 수 있습니다.

고1 학력 평가

다음 글의 제목으로 가장 적절한 것은? 고1 학력 평가

Studies from cities all over the world show the importance of life and activity as an urban attraction. People gather where things are happening and seek the presence of other people. Faced with the choice of walking down an empty or a lively street, most people would choose the street with life and activity. The walk will be more interesting and feel safer. Events where we can watch people perform or play music attract many people to stay and watch. Studies of benches and chairs in city space show that the seats with the best view of city life are used far more frequently than those that do not offer a view of other people.

Studies from cities all over the world show the importance of life and activity as an urban attraction. People gather where things are happening and seek the presence of other people. Faced with the choice of walking down an empty or a lively street, most people would choose the street with life and activity. The walk will be more interesting and feel safer. Events where we can watch people perform or play music attract many people to stay and watch. Studies of benches and chairs in city space show that the seats with the best view of city life are used far more frequently than those that do not offer a view of other people.

특허 받은 영어 학습 인공지능 시스템을 이용하여 독해 어휘와 구문의 수준을 분석, 수준에 맞게 패러프레이징

다음 글의 제목으로 가장 적절한 것은? 고1 학평 3월

Life and activity as an urban attraction are important. People gather where things are happening and want to be around other people. If there are two kinds of streets: a lively street and an empty street, most people would choose to walk the street with life and activity. The walk will be more interesting and feel safer. We can watch people perform or play music anywhere on the street. This attracts many people to stay and watch. Also, most people prefer using seats providing the best view of city life and offering a view of other people.

Level 1, 2, 3 각 수준에 알맞은 난이도 구현

3 수능 독해 학습의 핵심 KEY, 어휘력과 독해력을 강화하기 위한 학습법 적용

학생들이 수능 독해 지문을 읽을 때 가장 필요한 두 가지, 어휘력과 독해력을 강화할 수 있도록 학습을 설계했습니다.

어휘력 강화

처음 보는 새로운 단어도 최소한 4번 이상 반복 학습할 수 있도록 꼼꼼하게 설계되어 한 권을 마무리하면 자동으로 수능 기초 어휘와 필수 어휘를 완벽하게 암기하게 됩니다.

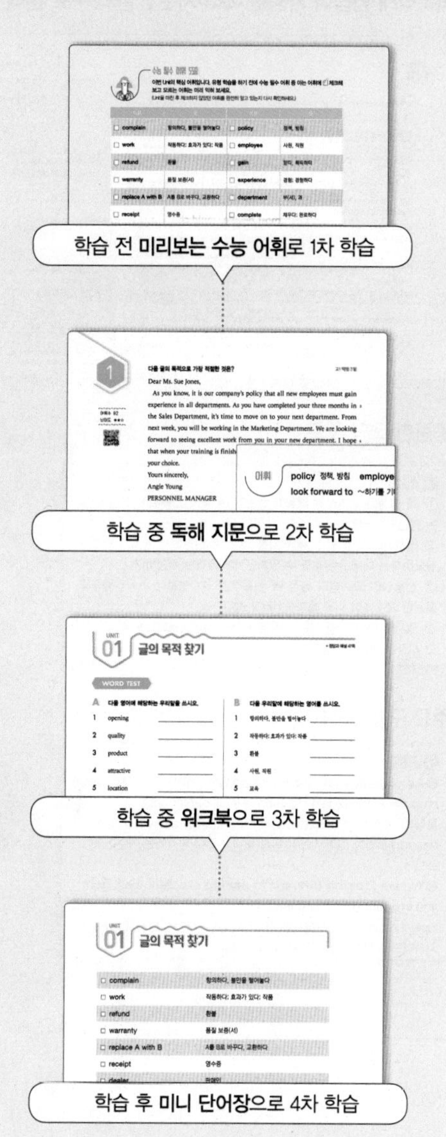

독해력 강화

중학생이 수능 독해를 학습하기 위해 필요한 내용을 기초부터 실전까지 3단계로 나누어 각 단계(Level)에 맞는 독해 학습법을 제시했습니다.

■ 단계(Level)별 독해 학습법 구현

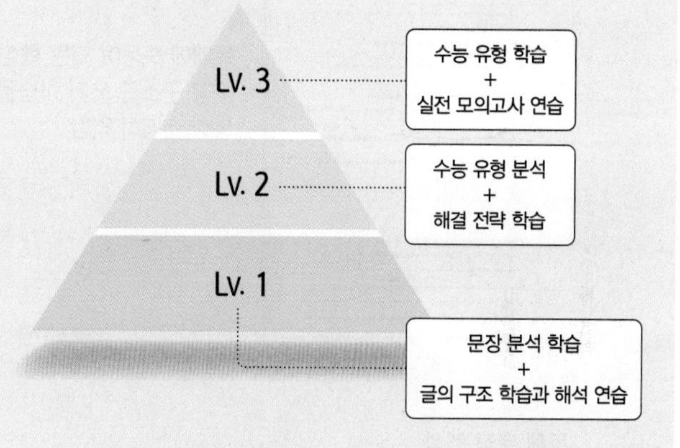

■ 독해력 강화 학습 프로세스 구현

4 각 책의 독해 지문에 수록된 문장 구조 학습과 독해 지문 이해를 돕는 워크북

학생들이 독해 지문 속에서 알게 됐던 문장을 쓰기 학습을 통해 다시 한번 학습하고, 해석이 어려웠던 문장을 다시 한번 해석하도록 구성되어 있어서 쉽고 효율적으로 복습을 할 수 있습니다.

문장 구조 학습

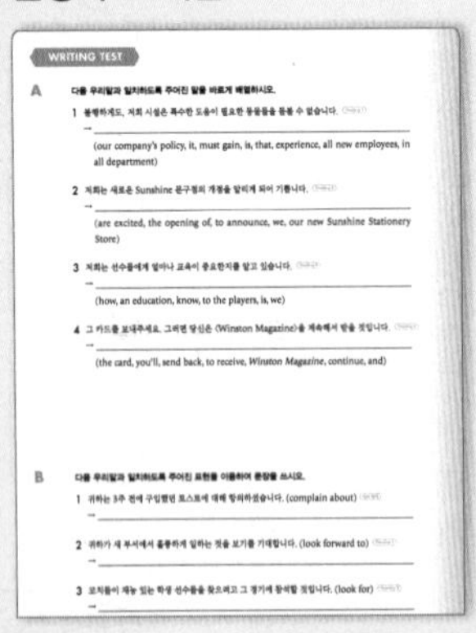

WRITING TEST

A

1 →

(our company's policy, it, must gain, is, that, experience, all new employees, in all department)

2 →

(are excited, the opening of, to announce, we, our new Sunshine Stationery Store)

3 →

(how, an education, know, to the players, is, we)

4 →

(the card, you'll, send back, to receive, *Winston Magazine*, continue, and)

B

1 (complain about) →

2 (look forward to) →

3 (look for) →

독해에 도움이 되는 핵심 문장 구조를 쓰기 학습을 통해 철저히 익힘

독해 문장 해석

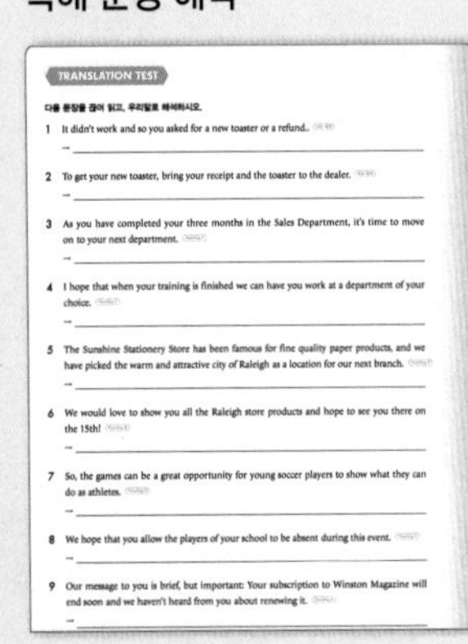

TRANSLATION TEST

1 It didn't work and so you asked for a new toaster or a refund.. →

2 To get your new toaster, bring your receipt and the toaster to the dealer. →

3 As you have completed your three months in the Sales Department, it's time to move on to your next department. →

4 I hope that when your training is finished we can have you work at a department of your choice. →

5 The Sunshine Stationery Store has been famous for fine quality paper products, and we have picked the warm and attractive city of Raleigh as a location for our next branch. →

6 We would love to show you all the Raleigh store products and hope to see you there on the 15th! →

7 So, the games can be a great opportunity for young soccer players to show what they can do as athletes. →

8 We hope that you allow the players of your school to be absent during this event. →

9 Our message to you is brief, but important: Your subscription to Winston Magazine will end soon and we haven't heard from you about renewing it. →

학생들이 해석하기 어려워하는 문장들을 끊어 읽기해 보고 다시 한번 해석해 볼 수 있도록 함

5 수능식 지문 분석과 상세한 오답 분석이 돋보이는 정답과 해설

독해 지문에 대한 직독직해를 제공하고 글의 구조를 도식으로 쉽게 설명하여 누구나 글의 내용을 완벽하게 이해할 수 있습니다. 또한 상세하고 명확한 해설과 오답 노트, 구문 해설 등의 다양한 설명으로 독해 지문과 문제에 대한 이해력을 100%로 높일 수 있습니다.

직독직해 연습이 가능한 독해 지문 / 글의 구조 분석

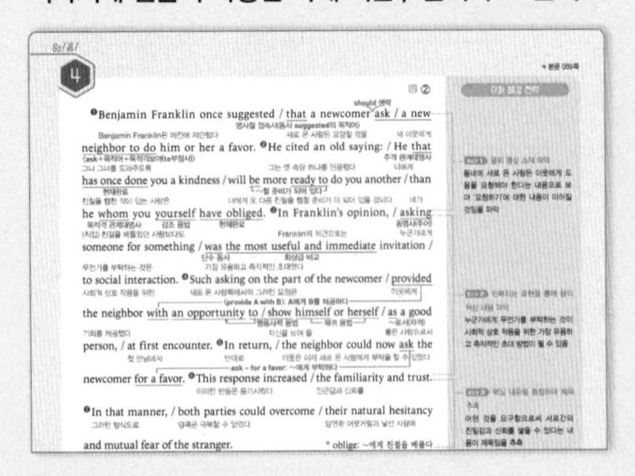

4

❶Benjamin Franklin once suggested / that a newcomer ask / a new neighbor to do him or her a favor. ❷He cited an old saying: / He that has once done you a kindness / will be more ready to do you another / than he whom you yourself have obliged. ❸In Franklin's opinion, / asking someone for something / was the most useful and immediate invitation / to social interaction. ❹Such asking on the part of the newcomer / provided the neighbor with an opportunity to / show himself or herself / as a good person, / at first encounter. ❺In return, / the neighbor could now ask the newcomer for a favor. ❻This response increased / the familiarity and trust. ❼In that manner, / both parties could overcome / their natural hesitancy and mutual fear of the stranger.

* oblige: ~에게 친절을 베풀다

꼼꼼한 오답 노트

오답 노트

① 왜 학생들이 역사를 배워야 하는가 ➡ 역사를 배워야 하는 이유는 언급되지 않았다.

② 역사극의 필수 요소 ➡ 역사를 배우는 데 있어서 극적인 요소가 필요하다는 내용은 유추할 수 있지만 역사극과는 무관하다.

③ 전통적인 교수법의 장점 ➡ 전통적인 교수법보다 스토리텔링을 활용한 교수법이 더욱 효과적이라고 했다.

⑤ 역사에 대한 균형 잡힌 시각을 가지는 것의 중요성 ➡ 역사에 대한 시각은 언급되지 않았다.

주요 구문 해설

구문 해설

❷As you know, **it** is our company's policy **that** all new employees must gain experience in all department.

문장의 주어인 that절(that all new employees must ~ department)이 길어서 문장 뒤로 보내고 주어 자리에는 가주어 It이 쓰였다.

❺We are **looking forward to seeing** excellent work from you in your new department.

look forward to는 '~하기를 기대하다'라는 뜻으로, 여기서 to는 전치사이므로 뒤에 동명사 seeing이 쓰였다.

이 책의 시리즈 구성 한눈에 보기

Level 1

문장 분석과 글의 구조 학습

1 수능 어휘 사전 학습으로 독해 준비

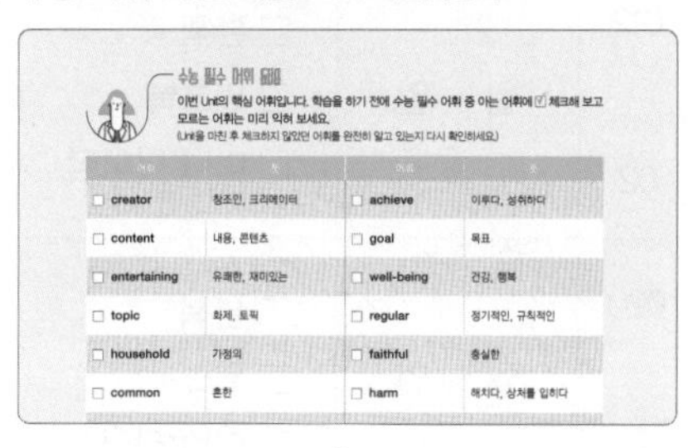

2 문장 분석과 글의 구조 학습으로 독해 기본기 쌓기

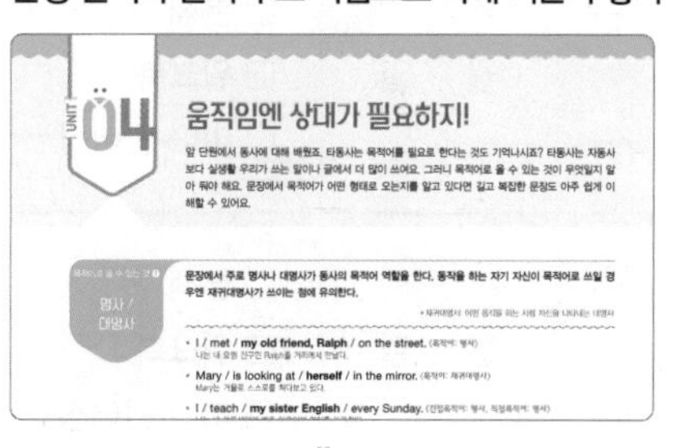

3 독해 지문을 읽고 다양한 시험 유형 문제 풀기

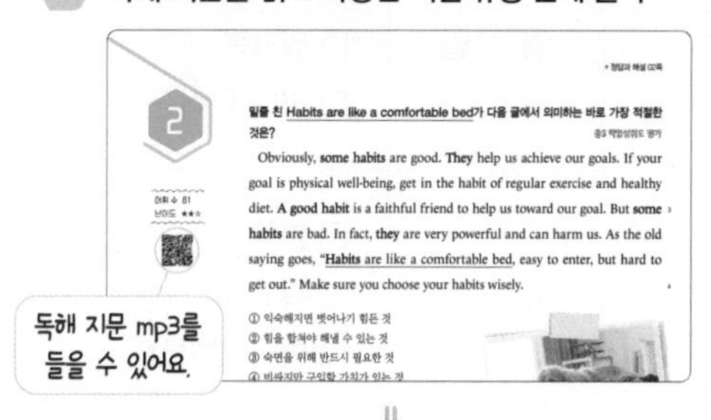

독해 지문 mp3를 들을 수 있어요.

4 수능 유형을 파악하고 독해 지문 구조 파악하기

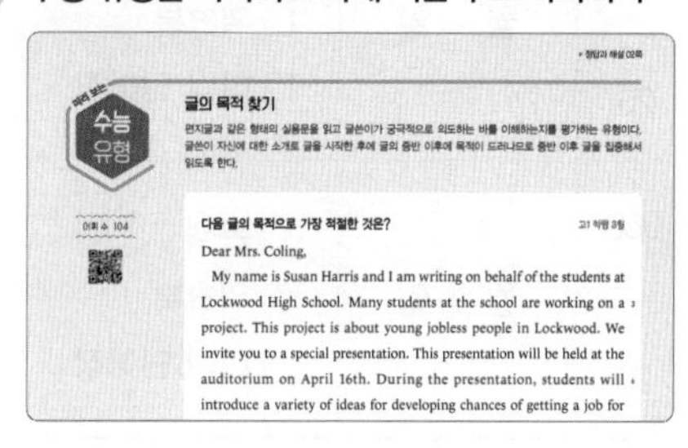

Level 2

수능 유형 분석 및 해결 전략 학습

1 수능 어휘 사전 학습으로 독해 준비

2 수능 유형 분석과 유형별 해결 전략 파악으로 수능 독해 기본기 쌓기

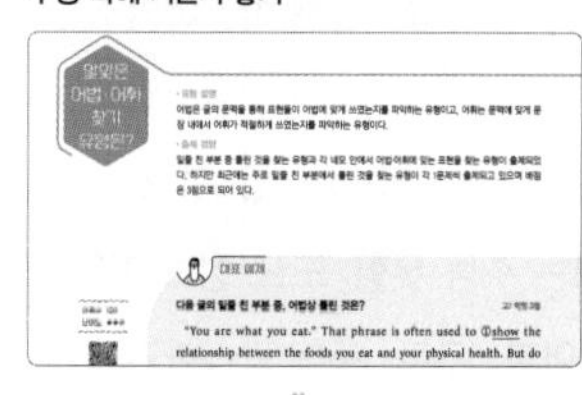

3 수능 유형별 독해 문제 및 유형에 맞는 문제 풀기

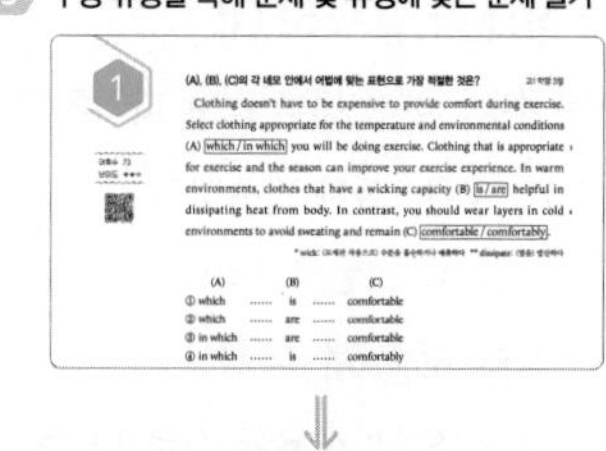

4 고난도 독해 문제 풀며 실력 향상하기

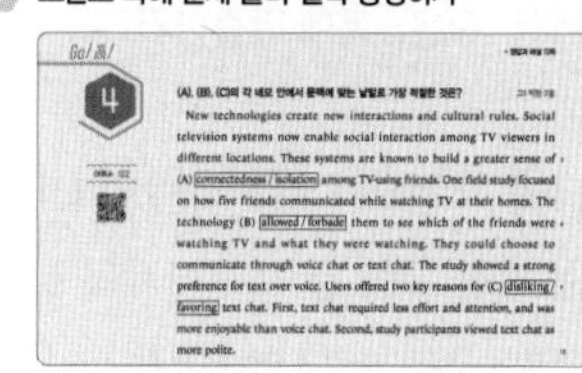

Level 3

수능 유형 학습 및 실전 모의고사 연습

1 수능 어휘 사전 학습으로 독해 준비

2 수능 유형 분석과 유형별 해결 전략 파악으로 수능 독해 빠르게 훑기

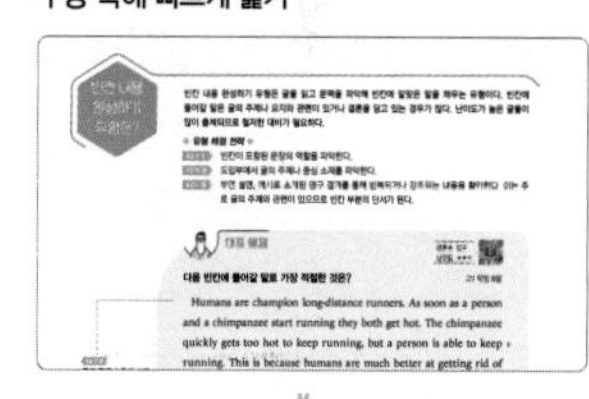

3 수능 유형별 독해 문제 풀며 유형 익히기

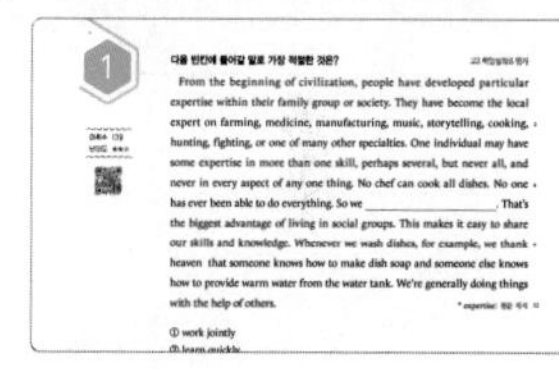

4 고난도 독해 문제 풀며 실력 향상하기

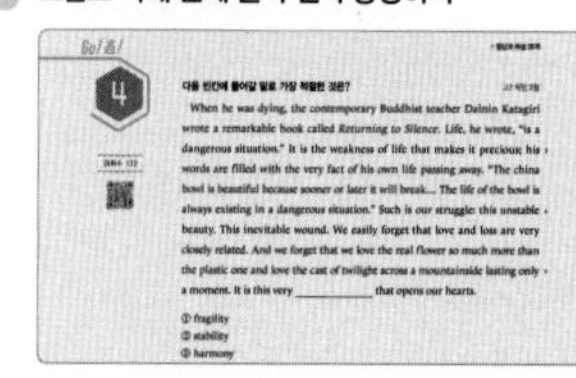

5 실전 모의고사 풀이로 실전 대비하기

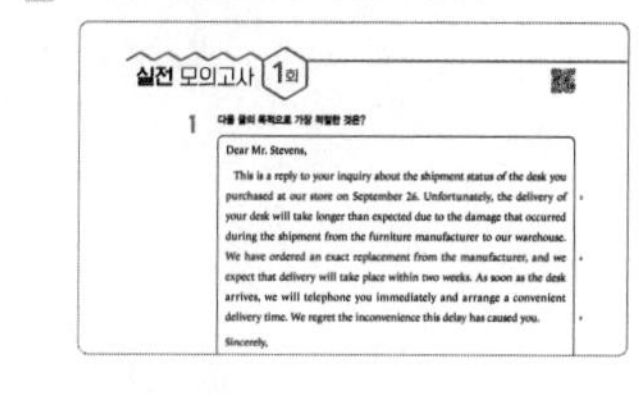

이 책의 목차 확인하고 학습 계획 짜기

◎ 학습 전에 이 책의 학습 목차를 살펴보면서 배울 내용을 확인합시다.
◎ 자신의 학습 패턴에 맞게 학습 계획을 세운 후 꾸준히 학습합시다.
◎ 학습을 마친 후에는 학습 진행도에 체크하고 자신이 세운 계획에 맞게 학습하고 있는지를 점검합니다.
◎ 학습 계획을 조정해야 되는 부분이 있으면 실천 가능하게 계획을 바꾸며 스스로 학습을 관리해 봅시다.

중학교 수능 영어 독해
어떻게 공부해야 하나요?

절대 평가 이후, 수능 영어를 중학교 때부터 준비하는 학습 트렌드가 생겼다. 그럼 중학생들은 어떻게 수능 공부를 해야 하는 것일까? 학생들의 이러한 고민을 해결해 주기 위해서 비상 영어 콘텐츠 연구팀이 전국의 영어 전문 학원 강사님과 중·고등학교 영어 선생님에게 수능 준비에 효율적인 학습법을 물었다.

중학생을 위한 수능 영어 학습법에 대한 설문 조사 결과

"수능 영어에서 가장 중요한 것은 <어휘와 독해>이다."

- 어휘 학습: 수능 영어 어휘는 한순간에 벼락치기 할 수 있는 수준이 아니다. 중학교 저학년 때부터 수능에 이르기까지 학습하고 있는 교재나 단어장을 꾸준히 반복 학습하여 어휘의 폭을 넓히는 것이 매우 중요하다.
- 독해 학습: 수능 영어를 잘하기 위해서는 중학교 때 기초를 다지는 것이 중요하다.
  - 저학년 때는 문장 분석과 글의 구조를 이해하는 데 집중하라! 글의 구조 중에서는 주제문을 찾는 연습을 하는 것이 중요하다.
  - 그 다음엔 수능 유형을 파악하고 문제 풀이 스킬을 익혀라! 해당 유형마다 문제를 푸는 전략이 있다. 이 전략대로 푸는 법에 익숙해지도록 연습하라.
  - 마지막으로, 수능 유형과 문제 풀이 스킬을 재확인하고 실전 연습을 하라! 수능 유형에 대해 어느 정도 파악이 되었다면 시간과의 싸움이다. 독해 지문당 풀이 시간을 정하고 빠르고 정확하게 푸는 연습을 꾸준히 하라.

비상 영어 콘텐츠 연구팀은 위와 같은 전국 영어 전문 학원 강사님과 중·고등학교 영어 선생님의 티칭 가이드를 토대로 중학교 1학년부터 수능 학습을 탄탄하게 준비할 수 있는 '중학생을 위한 수능 독해 영어 Level 1, 2, 3'을 개발했다.

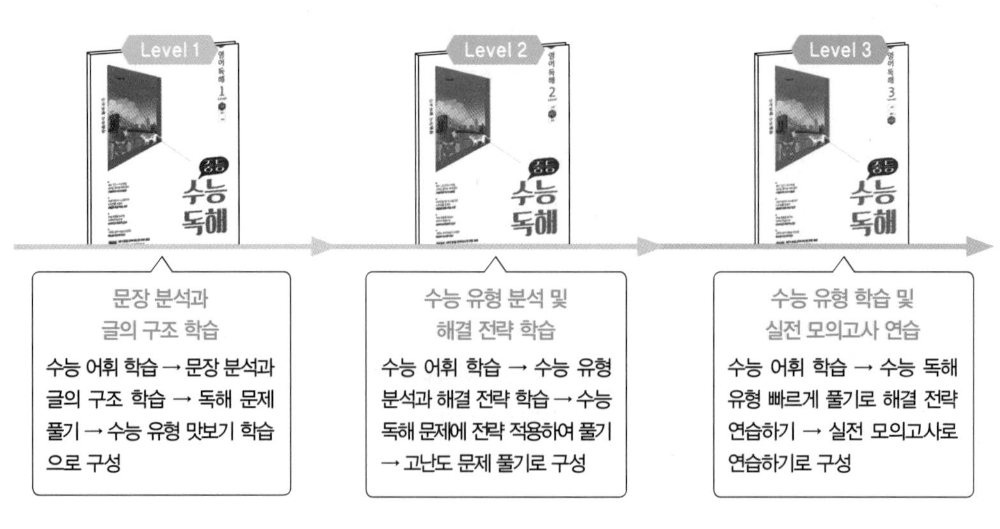

Level 1	Level 2	Level 3
문장 분석과 글의 구조 학습	수능 유형 분석 및 해결 전략 학습	수능 유형 학습 및 실전 모의고사 연습
수능 어휘 학습 → 문장 분석과 글의 구조 학습 → 독해 문제 풀기 → 수능 유형 맛보기 학습으로 구성	수능 어휘 학습 → 수능 유형 분석과 해결 전략 학습 → 수능 독해 문제에 전략 적용하여 풀기 → 고난도 문제 풀기로 구성	수능 어휘 학습 → 수능 독해 유형 빠르게 풀기로 해결 전략 연습하기 → 실전 모의고사로 연습하기로 구성

이제 여러분은 전국의 영어 전문 학원 강사님과 중·고등학교 영어 선생님들이 제시한 효율적인 학습법대로 공부하며 기본기를 쌓기만 하면 된다. 그 학습 단계의 첫 번째로 Level 1. 문장 분석과 글의 구조에 대해 학습해 보자.

Level 1 문장 분석과 글의 구조

I 문장의 구성 요소 파악하기

문장을 해석하려면 가장 먼저 글의 구성 요소를 파악하는 것이 필수이다. 문장의 구성 요소가 무엇인지에 따라서 그 단어를 어떻게 해석해야 하는지가 결정되기 때문이다.

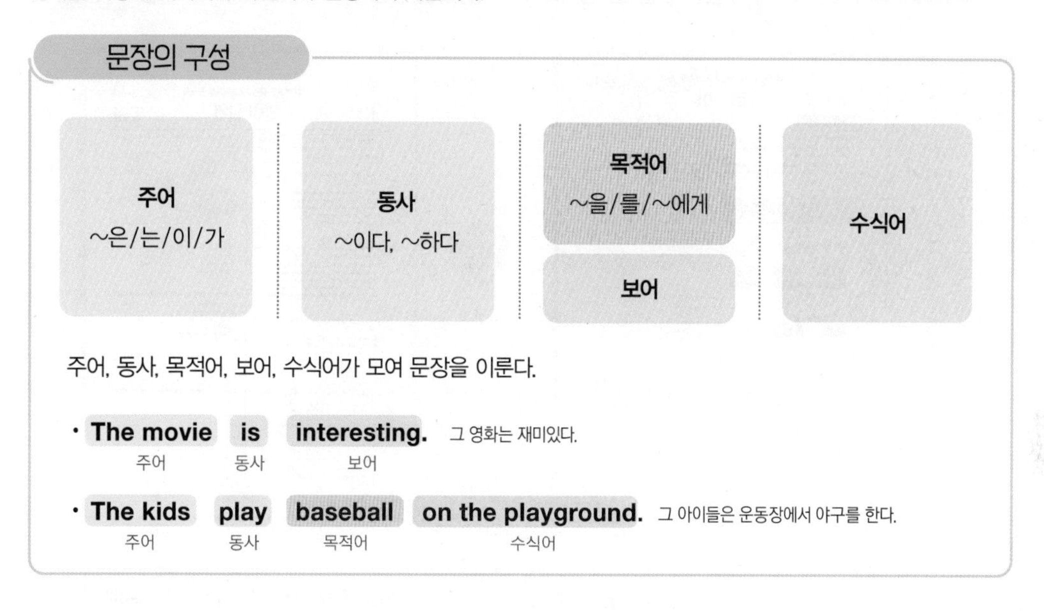

문장의 구성
주어
~은/는/이/가
동사
~이다, ~하다
목적어
~을/를/~에게
보어
수식어
주어, 동사, 목적어, 보어, 수식어가 모여 문장을 이룬다.
· The movie is interesting. 그 영화는 재미있다.
주어 동사 보어
· The kids play baseball on the playground. 그 아이들은 운동장에서 야구를 한다.
주어 동사 목적어 수식어

1 주어: 동사가 나타내는 상태나 동작의 주체로 주로 문장 맨 앞에 쓴다.

Jiun (주어) comes from Busan. 지운이는 부산 출신이다.

2 동사: 동작이나 상태를 나타내며 주어 뒤에 위치한다.

They **study** (동사) together in the library. 그들은 도서관에서 함께 공부한다.

3 목적어: 동사가 나타내는 동작의 대상이 되는 말로, 주로 동사 뒤에 위치한다.

He only eats **organic food** (목적어) for his health. 그는 건강을 위해 유기농 음식만을 먹는다.

Kevin gave **me** (간접목적어) **a book** (직접목적어). Kevin이 내게 책 한 권을 줬다.

4 보어: 주어나 목적어의 의미를 보충하여 설명하는 말로, 주로 동사나 목적어 뒤에 위치한다.

She is **my girlfriend** (주격보어). 그녀는 내 여자친구이다.

This song always makes me **cry** (목적격보어). 이 노래는 항상 나를 울게 한다.

5 수식어: 주어, 동사, 목적어, 보어 또는 문장 전체를 수식하여 의미를 더 자세하게 해 준다.

The girl (주어) **in a red shirt** (수식어) is my younger sister. 빨간 셔츠를 입은 소녀는 내 여동생이다.

The boy **laughed** (동사) **loudly throughout the show** (수식어). 그 소년은 쇼를 보는 내내 크게 웃었다.

Ⅱ 구와 절 이해하기

많은 학생들이 수능 독해 지문을 어려워하는 가장 큰 이유는 수능 문장의 길이가 중학교에서 배우는 문장 길이에 비해 확연하게 길기 때문이다. 수능 문장의 길이는 중학교에서 학습하는 문장과 비교하면 약 1.5~3배 정도 차이가 난다.

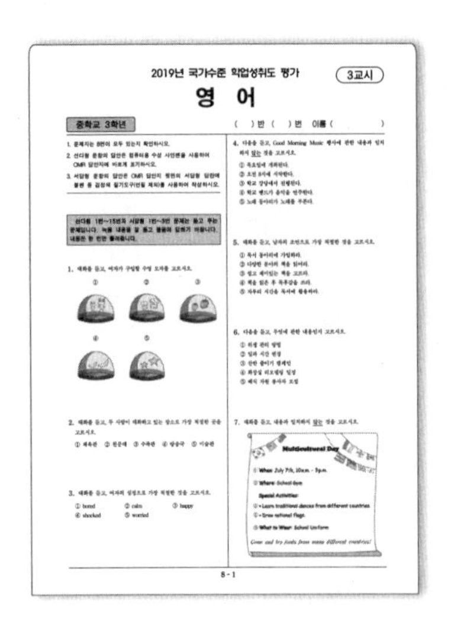
2019년 국가수준 학업성취도 평가 3교시
영 어
중학교 3학년

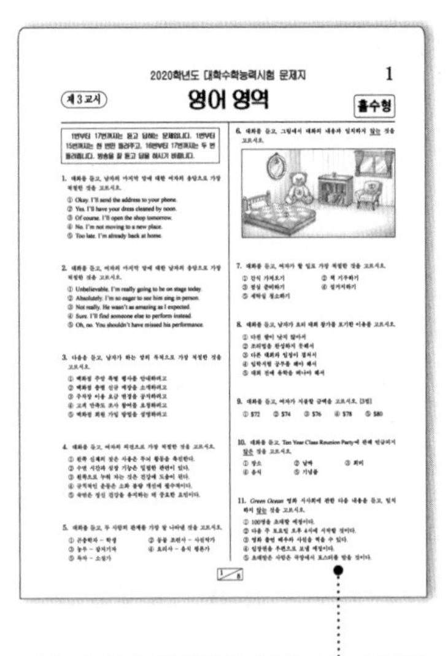
2020학년도 대학수학능력시험 문제지 1
제3교시
영어 영역
홀수형

- 독해 지문 당 평균 어휘 수 비교: 60~80(중등 독해) vs. 160~180(수능 독해)
- 문장당 평균 어휘 수 비교: 10~15(중등 독해) vs. 20~30(수능 독해)

수능 독해 지문에서는 각각의 문장 성분이 한 단어로 이루어지는 것은 거의 없고 대부분 구와 절로 이루어진다. 따라서 문장 성분과 더불어 구와 절을 이해하는 것은 수능 독해를 잘하기 위해서 매우 중요하다.

구와 절

- **구:** 〈주어+동사〉가 없는 두 개 이상의 단어로 이루어진 덩어리
  문장에서 어떤 역할을 하는지에 따라 명사구, 형용사구, 부사구로 쓰인다.
- **절:** 〈주어+동사〉가 있는 두 개 이상의 단어로 이루어진 덩어리
  문장에서 어떤 역할을 하는지에 따라 명사절, 형용사절, 부사절로 쓰인다.

I have / **a new cell phone.** 목적어로 쓰인 구 = 명사구
(a new cell phone: 구)

I have / a new cell phone / **that my aunt gave me.** 형용사로 쓰인 절 = 형용사절
(that my aunt gave me: 절)

III 글의 구조 이해하기

수능 문제 유형은 크게 중심 내용 파악하기, 세부 내용 파악하기, 글의 흐름 파악하기 등으로 이루어져 있는데 이 중에서 중심 내용 파악하기는 모든 문제를 푸는 데 기본이 되기 때문에 잘 익혀 둘 필요가 있다. 글의 중심 내용을 파악하기 위해서는 각 문장들 사이의 관계를 잘 살펴봐야 한다. 문장들을 살펴보면 중심 문장과 뒷받침 문장의 구분이 가능해지는데, 이 중심 문장이 우리가 말하는 주제문이다.

- **주제문:** 글쓴이가 말하고자 하는 핵심 내용이 담긴 문장이다.
- **뒷받침 문장:** 예시나 근거를 들어 주제문을 보충 설명하는 문장이다.

주제문은 문단의 처음, 중간, 끝에 위치할 수 있는데, 이를 각각 두괄식, 중괄식, 미괄식이라고 한다. 뒷받침 문장으로는 주제를 보충 설명하는 말이나 예시 등의 문장이 이어진다.

주제문의 다양한 위치

주제문이 문단의 처음에 오는 경우	주제문이 문단의 중간에 오는 경우	주제문이 문단의 끝에 오는 경우
주제문	주제문	주제문
〈주제문+뒷받침 문장이나 예시 1, 2, 3〉의 구조이다.	〈문제점 제기+주제문+뒷받침 문장〉의 구조이다.	〈일반적인 사실+반론+결론〉, 〈일반적인 사실 1, 2, 3+요약〉의 구조가 많이 쓰인다.

특허 받은 영어 학습 인공지능 시스템으로 개발한 최초의 중등 수능 독해 영어 기출 문제집으로 수능 실력을 높이자!

문장의 주인은 나야 나!

수능 필수 어휘 600

이번 Unit의 핵심 어휘입니다. 학습을 하기 전에 수능 필수 어휘 중 아는 어휘에 ☑ 체크해 보고 모르는 어휘는 미리 익혀 보세요.
(Unit을 마친 후 체크하지 않았던 어휘를 완전히 알고 있는지 다시 확인하세요.)

어휘	뜻	어휘	뜻
☐ creator	창조인, 크리에이터	☐ achieve	이루다, 성취하다
☐ content	내용, 콘텐츠	☐ goal	목표
☐ entertaining	유쾌한, 재미있는	☐ well-being	건강, 행복
☐ topic	화제, 토픽	☐ regular	정기적인, 규칙적인
☐ household	가정의	☐ faithful	충실한
☐ common	흔한	☐ harm	해치다, 상처를 입히다
☐ make up	이루다, 구성하다	☐ saying	속담, 격언
☐ amount	양	☐ comfortable	편안한
☐ obviously	확실히	☐ make sure	확인하다, 확신하다
☐ habit	습관	☐ daylight	햇빛; 낮, 주간

Even if the world falls,
I will do my job!

어휘	뜻	어휘	뜻
☐ design	설계하다, 계획하다	☐ invite	초대하다
☐ darkness	어둠	☐ presentation	발표, 프레젠테이션
☐ gather	모으다, 수집하다	☐ auditorium	강당
☐ weigh	(무게가) 나가다	☐ introduce	소개하다
☐ brain	뇌, 두뇌	☐ a variety of	다양한
☐ wildlife	야생	☐ develop	개발하다
☐ on behalf of	~을 대신하여	☐ honor	영예, 명예
☐ work on	~을 수행하다	☐ attend	참석하다
☐ project	과제, 프로젝트	☐ event	행사, 이벤트
☐ jobless	실업의, 일이 없는	☐ look forward to	~을 기대하다

문장의 주인은 나야 나!

문장은 주어, 동사, 목적어, 보어, 수식어 등으로 이루어지죠. 문장을 처음 보았을 때 가장 먼저 해야 할 일은 동작을 하는 주체인 주어를 찾는 거예요. 가끔 주어가 수식어의 수식을 받아 길어지는 경우도 있고 여러 단어가 모여 긴 주어를 만드는 경우도 있어요. 이제 주어로 어떤 형태가 올 수 있는지 알아봅시다.

주어로 올 수 있는 것 ❶

명사 / 대명사

명사와 대명사는 문장에서 주어 역할을 할 수 있는 가장 작은 단위이다. 그리고 형용사(구)가 앞이나 뒤에서 수식할 경우 길어질 수 있다. 주어가 긴 경우, 동사 앞에 오는 부분을 주어라고 보면 된다.

* 명사: 사람이나 사물의 이름을 나타내는 것
* 대명사: 명사를 대신하여 나타내는 것
* 구: 둘 이상의 단어가 모여 문장의 일부가 되는 말

- **Many students** / look for / information / on YouTube. 〈명사 주어〉
  많은 학생들이 유튜브에서 정보를 찾는다.
- **The book** / in my bag / is / heavy / for me. 〈명사 주어〉
  내 가방에 있는 그 책은 내게 무겁다.
- **He and I** / will go / to the concert / this Saturday. 〈대명사 주어〉
  그와 나는 이번 주 토요일에 콘서트에 갈 것이다.

주어로 올 수 있는 것 ❷

to부정사 / 동명사

to부정사(to+동사원형)나 동명사(동사원형+-ing)가 문장 처음에 오면 주어라고 생각하면 된다. 이때 to부정사와 동명사는 동사의 성질을 유지한 채 명사 역할을 하며 해석은 '~하기, ~하는 것'으로 한다.

- **To keep a diary** / is / a good habit. 〈to부정사 주어〉
  일기를 쓰는 것은 좋은 습관이다.
- **Playing video games** / is / my favorite hobby. 〈동명사 주어〉
  비디오 게임하기는 내가 가장 좋아하는 취미이다.

주어로 올 수 있는 것 ❸

접속사가 이끄는 절 / 관계대명사절

접속사 that(~하는 것)과 whether(~인지 아닌지)가 이끄는 절이나 관계대명사 what(~하는 것)이 이끄는 절은 문장에서 주어 역할을 할 수 있다. 이때 동사가 두 개 있는 문장에서는 두 번째 동사가 문장의 전체 동사에 해당하므로 그 앞에 오는 부분을 주어라고 보면 된다.

* 절: 〈주어+동사〉 형태로 문장의 일부가 되는 말
* 관계대명사 what: 「the thing that ~」과 같은 말로 명사절을 이끎

- **That I love you** / is / really true. 〈that절 주어〉
  내가 널 사랑하는 것은 정말 사실이다.
- **Whether he will help me** / is / really important. 〈whether절 주어〉
  그가 나를 도울지 안 도울지는 정말 중요하다.
- **What I lost** / was / my brand-new phone. 〈관계대명사 what절 주어〉
  내가 잃어버렸던 것은 내 신상 폰이었다.

A

다음 문장에서 주어를 찾아 밑줄을 긋고, 문장을 해석해 보시오.

1 Mr. Brown's English class is always fun and helpful.

____

2 She and I decided to do the science project together.

____

3 Speaking in English is not easy for me.

____

4 Taking a dog to the park is not allowed.

____

5 To play games too much is not good for health.

____

6 To exercise regularly is very important.

____

7 That Tom won the first prize was amazing.

____

8 What I like the most is baseball games.

____

B

다음 글에서 주어를 모두 찾아 밑줄을 그어 보시오.

A creator is someone who makes something new. These days, many young people want to be content creators. Content creators produce entertaining or educational content. It can be blogs, news articles, images, videos, audio recording or social media posts. Being a content creator is not difficult. Choosing a good topic is the first step. What topic do you want to share with the world? After choosing one, make your own story about the topic and show it to others.

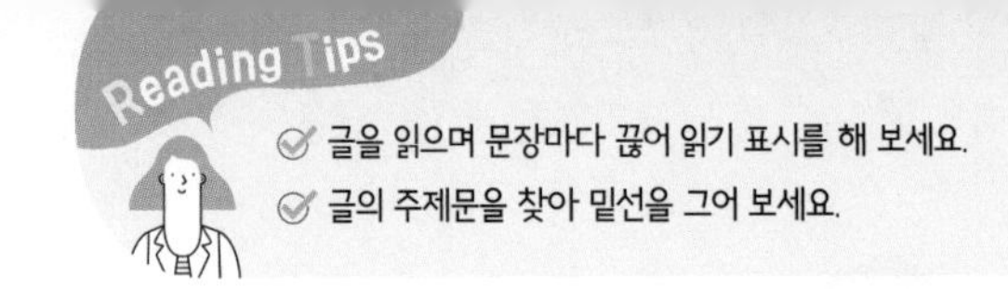

어휘 수 92
난이도 ★☆☆

다음 도표의 내용과 일치하지 <u>않는</u> 것은? 중3 학업성취도 평가

Types of Household Waste

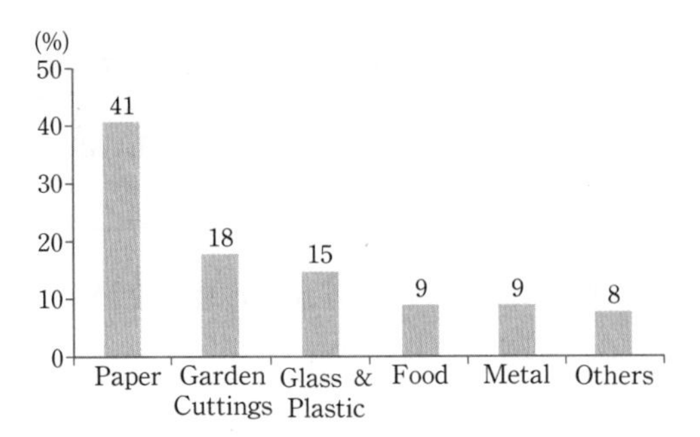

What kinds of waste do **we** produce in our daily lives? **The above graph** shows the percentage of different types of household wastes that come from people's homes. ① Of the total, **paper** is the most common type of waste at 41%. ② **Garden cuttings** make up 18% of the total waste. ③ **The amount of glass and plastic waste** is smaller than that of garden cuttings. ④ **The food waste amount** is bigger than the garden cuttings amount. ⑤ **The amount of metal waste** is the same as that of food waste.

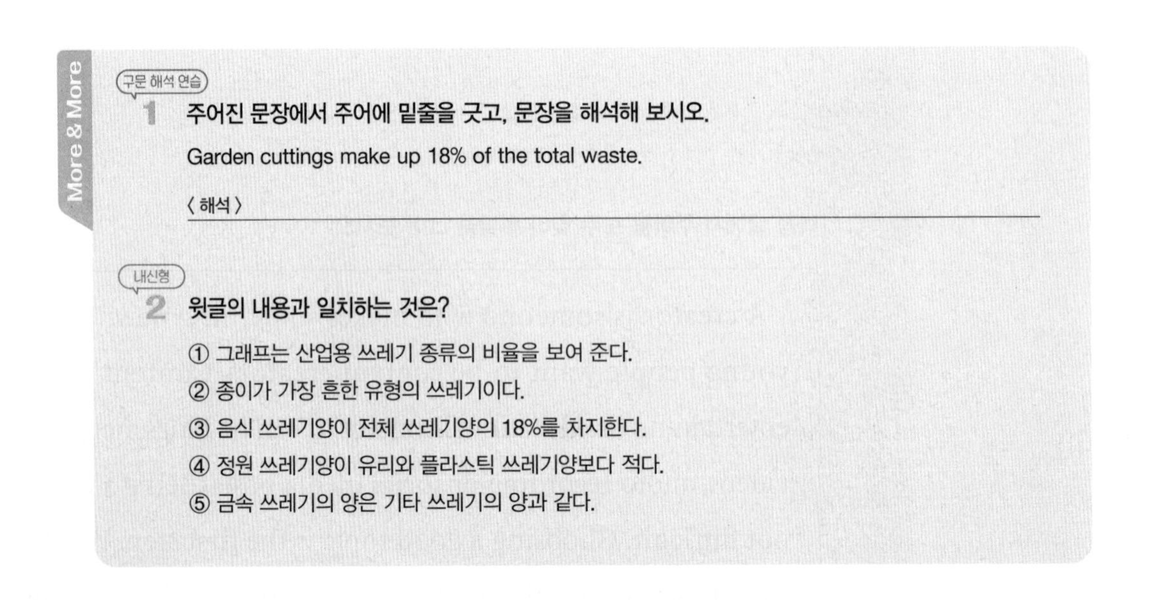

More & More

구문 해석 연습

1 주어진 문장에서 주어에 밑줄을 긋고, 문장을 해석해 보시오.

Garden cuttings make up 18% of the total waste.

〈해석〉 ______________________

내신형

2 윗글의 내용과 일치하는 것은?

① 그래프는 산업용 쓰레기 종류의 비율을 보여 준다.
② 종이가 가장 흔한 유형의 쓰레기이다.
③ 음식 쓰레기양이 전체 쓰레기양의 18%를 차지한다.
④ 정원 쓰레기양이 유리와 플라스틱 쓰레기양보다 적다.
⑤ 금속 쓰레기의 양은 기타 쓰레기의 양과 같다.

어휘 **household** 가정의 **waste** 쓰레기 **metal** 금속의 **produce** 만들다, 생산하다 **common** 흔한 **garden** 정원 **cutting** 잘라 낸 부스러기 **make up** 이루다, 구성하다 **amount** 양

밑줄 친 Habits are like a comfortable bed가 다음 글에서 의미하는 바로 가장 적절한 것은?

중3 학업성취도 평가

어휘 수 81
난이도 ★★☆

Obviously, **some habits** are good. **They** help us achieve our goals. If your goal is physical well-being, get in the habit of regular exercise and healthy diet. **A good habit** is a faithful friend to help us toward our goal. But **some habits** are bad. In fact, **they** are very powerful and can harm us. As the old saying goes, "Habits are like a comfortable bed, easy to enter, but hard to get out." Make sure you choose your habits wisely.

① 익숙해지면 벗어나기 힘든 것
② 힘을 합쳐야 해낼 수 있는 것
③ 숙면을 위해 반드시 필요한 것
④ 비싸지만 구입할 가치가 있는 것
⑤ 지속적인 건강 관리에 도움이 되는 것

More & More

구문 해석 연습

1 주어진 문장에서 밑줄 친 They가 가리키는 것을 찾아 쓰고, 문장을 해석해 보시오.

Some habits are good. They help us achieve our goals.

〈 They가 가리키는 것 〉 ______

〈 해석 〉 ______

수능 변형

2 윗글의 요지로 가장 적절한 것은?

① 습관은 목표 달성에 필수적이다.
② 목표 달성을 위해 노력하라.
③ 나쁜 습관은 고칠 수 있다.
④ 습관을 현명하게 선택하라.
⑤ 규칙적인 운동 습관을 가져라.

어휘

obviously 확실히 **habit** 습관 **achieve** 이루다, 성취하다 **goal** 목표 **physical** 신체의 **well-being** 건강, 행복 **get in the habit** 습관을 들이다 **regular** 정기적인, 규칙적인 **faithful** 충실한 **toward** ~쪽으로 **harm** 해치다, 상처를 입히다 **saying** 속담, 격언 **comfortable** 편안한 **get out** 나가다, 도망치다 **make sure** 확인하다, 확신하다

어휘 수 104
난이도 ★★☆

다음 글의 제목으로 가장 적절한 것은? 중3 학업성취도 평가

Human eyes are built for daylight. **Night animals' eyes** are designed differently, for darkness. So, while the dark of night is dark to you, **it**'s not so dark to a night animal. **A cat**, for example, can see six times better than you at night. **One reason** that makes night animals special is their big eyes. **Most of them** have extra-big eyes. **Their bigger eyes** can gather more light. **Flying squirrels** are much smaller than the tree squirrels you see during the day. But **their eyes** are at least twice as large. **An owl's eyes** are huge, so **they** weigh more than its brain.

① Know Your Pets Better!
② Four Seasons in Wildlife
③ Who Is Afraid of the Night?
④ The Secrets of Physical Health
⑤ Why Night Animals See Better at Night

배경 지식 쏙!쏙!

야행성 동물들은 왜 밤에 더 잘 볼까?
야행성 동물이 사물을 잘 보려면 이용할 수 있는 빛이 그들의 눈에 최대한 들어올 수 있도록 해야 합니다. 그래서 그들은 올빼미와 같이 매우 넓게 벌릴 수 있는 크고 동그란 눈동자를 가지게 되었습니다. 그렇게 큰 눈 덕분에 빛을 많이 모을 수 있는 능력이 커졌고, 눈이 커서 눈을 돌리기 어렵기 때문에 먹이를 찾기 위해서 머리를 180도 돌려 바로 뒤쪽을 볼 수 있는 능력이 생겼다고 합니다.

More & More

구문 해석 연습

1 주어진 문장에서 주어에 밑줄을 긋고, 문장을 해석해 보시오.

One reason that makes night animals special is their big eyes.

〈 해석 〉

내신형

2 윗글의 내용과 일치하지 않는 것은?

① 인간의 눈은 낮과 밤 모두에 특화되어 있다.
② 야행성 동물의 눈은 어둠을 위해 고안되었다.
③ 고양이는 인간보다 밤에 6배 이상을 더 잘 볼 수 있다.
④ 야행성 동물들의 커다란 눈이 더 많은 빛을 모은다.
⑤ 올빼미의 눈은 뇌보다도 더 무겁다.

어휘
daylight 햇빛; 낮, 주간 design 설계하다, 계획하다 darkness 어둠 reason 이유, 원인 gather 모으다, 수집하다 squirrel 다람쥐 owl 올빼미 weigh (무게가) 나가다 brain 뇌, 두뇌 pet 애완동물 wildlife 야생

글의 목적 찾기

편지글과 같은 형태의 실용문을 읽고 글쓴이가 말하고자 하는 바를 찾는 유형이다. 글쓴이 자신에 대한 소개로 글을 시작한 후에 글의 중반 이후에 목적이 드러나므로 중반 이후 글을 집중해서 읽도록 한다.

어휘 수 102

다음 글의 목적으로 가장 적절한 것은? 고1 학평 3월

Dear Mrs. Coling,

My name is Susan Harris and I am writing on behalf of the students at Lockwood High School. Many students at the school are working on a project. This project is about young jobless people in Lockwood. We invite you to a special presentation. This presentation will be held at the auditorium on April 16th. During the presentation, students will introduce a variety of ideas for developing chances of getting a job for the young people in Lockwood. It would be a pleasure and honor to attend the event. We look forward to seeing you there.

Sincerely,
Susan Harris

① 학생들이 준비한 발표회 참석을 부탁하려고
② 학생들을 위한 특별 강연을 해 준 것에 감사하려고
③ 청년 실업 문제의 해결 방안에 관한 강연을 의뢰하려고
④ 학생들의 발표회에 대한 재정적 지원을 요청하려고
⑤ 학생들의 프로젝트 심사 결과를 알리려고

빈칸을 채워 보며 지문의 흐름을 파악해 봅시다.

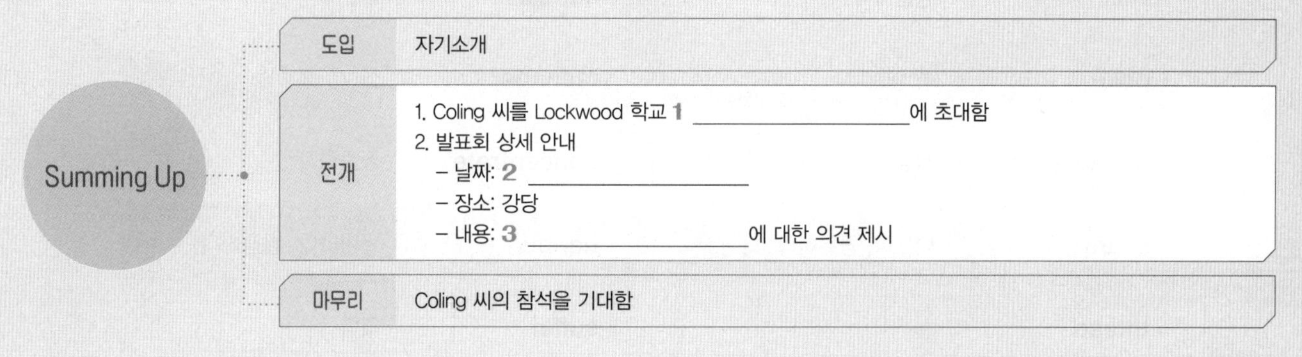

Summing Up
도입
자기소개
전개
1. Coling 씨를 Lockwood 학교 1 ____________에 초대함
2. 발표회 상세 안내
– 날짜: 2 ____________
– 장소: 강당
– 내용: 3 ____________에 대한 의견 제시
마무리
Coling 씨의 참석을 기대함

어휘 on behalf of ~을 대신하여 work on ~을 수행하다 project 과제, 프로젝트 jobless 실업의, 일이 없는 invite 초대하다 presentation 발표, 프레젠테이션 auditorium 강당 introduce 소개하다 a variety of 다양한 develop 개발하다 honor 영예, 명예 attend 참석하다 event 행사, 이벤트 look forward to ~을 기대하다

UNIT 02 문장은 내가 움직이는 대로! 1

수능 필수 어휘 600

이번 Unit의 핵심 어휘입니다. 학습을 하기 전에 수능 필수 어휘 중 아는 어휘에 ☑ 체크해 보고 모르는 어휘는 미리 익혀 보세요.
(Unit을 마친 후 체크하지 않았던 어휘를 완전히 알고 있는지 다시 확인하세요.)

어휘	뜻	어휘	뜻
☐ stay	머물다, 지내다	☐ glue	풀; 붙이다
☐ special	특별한	☐ through	~을 관통하여
☐ giraffe	기린	☐ center	중앙
☐ a number of	많은	☐ tie	묶다
☐ endangered	멸종 위기의	☐ connect	연결하다
☐ visit	방문하다	☐ narrow	좁은
☐ poke	쑥 내밀다	☐ teenager	십 대, 청소년
☐ restaurant	식당	☐ concentrate	집중하다
☐ share	나누다, 공유하다	☐ happen	일어나다, 발생하다
☐ thread	실	☐ suffer	겪다

어휘	뜻	어휘	뜻
□ damage	손상, 피해	□ entertainment	오락
□ pain	고통, 통증	□ prefer	선호하다
□ wrist	손목	□ conversation	대화
□ bend	구부리다	□ similar	비슷한
□ activity	활동	□ hobby	취미
□ parent	부모	□ point	가리키다
□ result	결과	□ drive	운전하다
□ survey	설문 조사	□ roll down	내리다
□ travel	여행하다	□ grateful	감사하는
□ enjoy	즐기다	□ lucky	행운의

문장은 내가 움직이는 대로! 1

주어가 문장의 주인이라면, 동사는 그 주인이 어떤 행동을 했는지 또는 어떤 상태인지 알려 주는 역할을 해요. 그래서 문장 안에서 동사를 빨리 찾는 것이 중요해요. 동사는 목적어와 보어가 필요한지 아닌지에 따라 크게 네 가지 종류로 나눌 수 있어요. 이 Unit에서는 혼자서도 의미가 통하는 동사와 대상이 있어야 하는 동사에 대해 알아보도록 해요.

❶ 자동사
혼자서도 의미가 통하는 동사

자동사란 동사만으로 의미가 완전해서 목적어나 보어가 없어도 주어와 동사만으로 문장을 이룰 수 있는 동사이다. 이렇게 쓰이는 대표적인 동사로는 live, go, come, arrive, walk, sit, lie, die, sleep 등이 있다.

- Rob / still / **lives** / here.
  Rob은 여전히 여기 산다.
- Let's **go** / for a walk.
  산책하러 가자.
- **Come** / and / **sit** / next to me.
  와서 내 옆에 앉아.
- Did you **sleep** / well?
  너는 잘 잤니?

❷ 타동사
대상이 있어야 하는 동사

타동사란 동사만으로는 의미가 완전하지 않아서 목적어가 필요한 동사이다. 동사에 따라 '무엇을'에 해당하는 직접목적어를 필요로 하는 경우와 '무엇을'과 '~에게'와 같이 직접목적어와 간접목적어 두 개를 모두 필요로 하는 경우가 있다. 목적어가 두 개 필요한 동사에는 give, send, buy, teach, lend, make, ask, tell 등이 있다.

- I / **like** / egg sandwiches. 〈egg sandwiches: 목적어〉
  나는 계란 샌드위치를 좋아한다.
- Many kids / **catch** / a cold / in October. 〈a cold: 목적어〉
  많은 아이들이 10월에 감기에 걸린다.
- Tom / **gave** / me / a flower. 〈me: 간접목적어, a flower: 직접목적어〉
  Tom은 나에게 꽃을 주었다.
- Can you **teach** / her / how to swim? 〈her: 간접목적어, how to swim: 직접목적어〉
  너는 그녀에게 수영하는 법을 가르쳐 줄 수 있니?

동사 중에는 우리말 해석만으로 자동사와 타동사를 구분하기 힘든 것들이 있다. 그러므로 자주 나오는 동사의 성질을 암기해 두면 도움이 된다. 타동사는 전치사가 필요 없다는 점에 유의하자.

- 헷갈리기 쉬운 타동사: reach(~에 도달하다), marry(~과 결혼하다), answer(~에(게) 답하다), enter(~에 들어가다), discuss(~에 대해 토론하다), attend(~에 참석하다), join(~에 가입하다)
- 헷갈리기 쉬운 자동사: arrive at(~에 도달하다), listen to(~을 듣다), graduate from(~을 졸업하다), reply to(~에(게) 답하다), deal with(~을 다루다), object to(~에 반대하다)

- We / finally / **reached** / the beach. (○) 〈타동사: 전치사 없이 목적어가 필요함〉
  우리는 마침내 해변에 도달했다.
- We / finally / **arrived** / **at** the beach. (○) 〈자동사: 전치사가 필요함〉
  우리는 마침내 해변에 도달했다.

CHECK BY CHECK

A

다음 문장에서 동사와 목적어를 찾아 밑줄을 긋고, 문장을 해석해 보시오.

1 Robert doesn't smile very often.

____

2 I usually take a bus to school.

____

3 My friend Abby made us some cookies.

____

4 Lisa lives in Canada.

____

5 Did you buy a new smartphone?

____

6 Mike walks very fast.

____

7 Who sent me these flowers?

____

8 Let's sit on this chair.

____

B

밑줄 친 (A), (B)에서 동사를 모두 찾아 쓰고, 문장을 해석해 보시오.

(A) Do you want to stay in a special hotel? How about staying and eating with giraffes? The hotel is in Kenya. It is also home to a number of endangered giraffes. The giraffes visit you every day. (B) They poke their long necks into the windows when you eat or drink in the hotel restaurant. It's up to you whether you share your food with them.

(A) 동사: ______________________________

해석: ______________________________

(B) 동사: ______________________________

해석: ______________________________

✓ 글을 읽으며 문장마다 끊어 읽기 표시를 해 보세요.
✓ 글의 주제문을 찾아 밑선을 그어 보세요.

1

어휘 수 100
난이도 ★☆☆

Yoyo 만들기에 관한 다음 안내문의 내용과 일치하지 않는 것은? 중3 학업성취도 평가

How to **Make** Your Own Yoyo

◈ What you need:

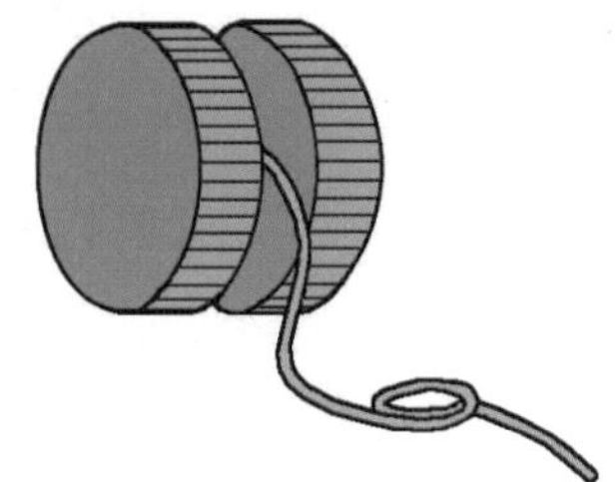

- 2 plastic bottle caps
- 1 meter long thread
- scissors
- 1 screw
- a piece of paper
- glue

◈ What to do:

1. **Push** the screw through the center of one cap from inside to outside.
2. **Tie** the thread to the middle of the screw.
3. **Connect** the cap to the outside of the other cap with the screw.
4. **Leave** a narrow space for the thread in between the caps.
5. **Cut** a piece of paper into two pieces.
6. **Glue** them to both sides of your new yoyo. And you're done.

① 나사를 병뚜껑 중앙의 안쪽에서 바깥쪽으로 밀어 넣는다.
② 1미터 길이의 실을 나사의 중앙에 묶는다.
③ 병뚜껑과 다른 병뚜껑의 바깥쪽을 나사로 연결한다.
④ 두 병뚜껑 사이에 실을 위한 좁은 공간을 남긴다.
⑤ 새로운 요요의 한쪽 면에 종이를 잘라 붙인다.

More & More

구문 해석 연습

1 **주어진 문장에서 동사에 밑줄을 긋고, 문장을 해석해 보시오.**

Connect the cap to the outside of the other cap with the screw.

〈해석〉

2 **윗글에서 12행의 them이 가리키는 것으로 알맞은 것은?**

① screws
② bottles
③ plastic caps
④ two pieces of paper
⑤ both sides of the yoyo

어휘 own 자신의 screw 나사 thread 실 piece 조각 scissors 가위 glue 풀; 붙이다 push 밀다, 밀어 넣다 through ~을 관통하여 center 중앙 inside 안쪽 outside 바깥쪽 tie 묶다 middle 중앙 connect 연결하다 leave 남기다 narrow 좁은 between 사이에

청소년들의 통신 생활에 관한 다음 글의 내용과 일치하지 않는 것은?

중3 학업성취도 평가

어휘 수 100
난이도 ★★☆

These days, teenagers are plugged-in almost all the time. Only 20% of teenagers **get** the recommended nine hours of sleep and 45% **sleep** fewer than 8 hours. In addition, they can't **concentrate** on their homework for more than two minutes without checking their cell phones or computers. Here is what happens to teenagers' bodies because of a plugged-in life. About 12.5% **suffer** serious hearing damage from too much use of headphones. Teenagers **feel** pain 50% more in their fingers and wrists when they **play** video games. 84% of teenagers **have** back pain because they **bend** their backs over their phones.

*plugged-in: 전기 통신망에 연결된

① 청소년들의 45%는 8시간 미만으로 잠을 잔다.
② 청소년들은 휴대폰이나 컴퓨터를 확인하느라 2분 이상 숙제에 집중하지 못한다.
③ 20% 이상의 청소년들이 헤드폰 사용으로 청력에 손상을 입는다.
④ 비디오 게임을 할 때 청소년들에게는 손가락과 손목 통증이 50% 더 증가한다.
⑤ 84%의 청소년들은 구부정한 자세로 인해 허리 통증이 있다.

배경 지식 쏙!쏙!

휴대 전화 사용을 줄이고 싶다면?
휴대 전화 사용을 줄이는 효과적인 방법은 무엇일까요? 충전기를 자신의 방이 아닌 다른 장소에 두는 것이 중요합니다. 주방이나 거실 등 방에서 멀리 떨어진 곳에 두세요. 밤에는 일정 시간 이후에 사용하지 못하도록 제한을 걸어 두면 밤늦게까지 과도하게 사용하는 것을 막는 데 도움이 됩니다.

More & More

구문 해석 연습
1 주어진 문장에서 동사에 밑줄을 긋고, 자동사인 타동사인지 구분한 뒤 문장을 해석해 보시오.

Teenagers feel pain 50% more in their fingers and wrists when they play video games.

〈 정답 〉 ______

〈 해석 〉 ______

수능 변형
2 윗글의 제목으로 가장 적절한 것은?

① 청소년들의 통신 생활과 수면 부족과의 관계
② 통신 생활로 인한 청소년들의 주의력 결핍
③ 전자 제품을 이용하여 숙제를 하는 청소년들
④ 통신 생활이 청소년들의 삶과 신체에 끼치는 영향
⑤ 전자 제품별 청소년들의 사용 비율

어휘 teenager 십 대, 청소년 all the time 항상 recommended 권장되는, 추천된 few 적은, 거의 없는 in addition 게다가 concentrate 집중하다 check 확인하다 happen 일어나다, 발생하다 suffer 겪다 damage 손상, 피해 pain 고통, 통증 wrist 손목 bend 구부리다

3

다음 도표의 내용과 일치하지 않는 것은?

중3 학업성취도 평가

어휘 수 101
난이도 ★★☆

Activities That People **Want** to Do Most With Their Parents

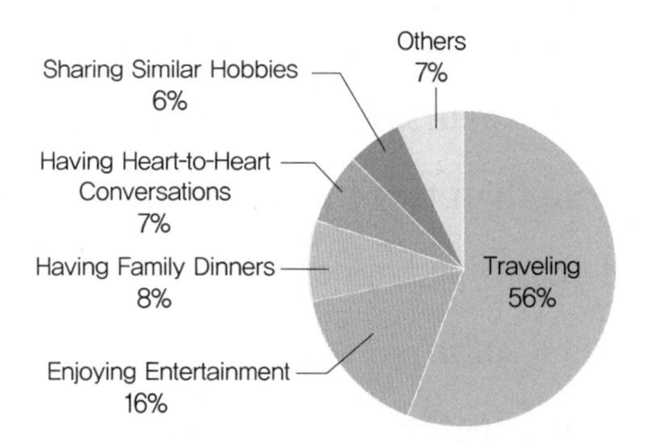

What activities do people **want** to do most with their parents? This chart **shows** the results of a survey about those activities. ① More than half of the people **want** to travel with their parents. ② More people **want** to enjoy entertainment with their parents than to have family dinners with them. ③ The second most preferred activity is to have heart-to-heart conversations with their parents. ④ Less people **want** to share similar hobbies with their parents than to have heart-to-heart conversations with them. ⑤ 6% of people **want** to share similar hobbies with their parents.

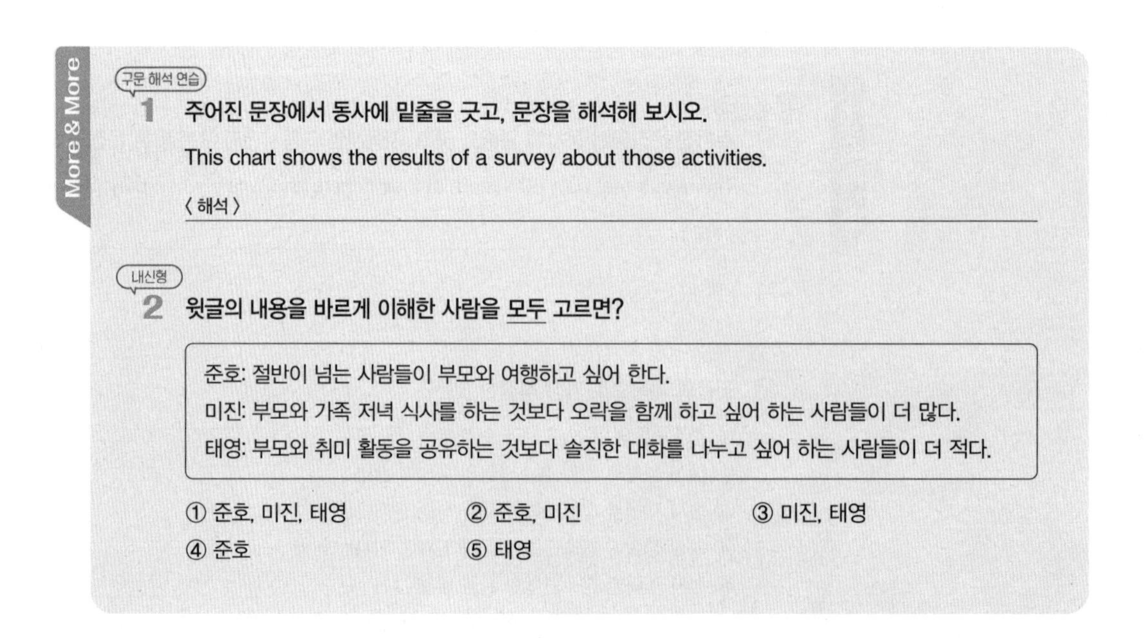

More & More

구문 해석 연습

1 주어진 문장에서 동사에 밑줄을 긋고, 문장을 해석해 보시오.

This chart shows the results of a survey about those activities.

〈해석〉 ______________________________

내신형

2 윗글의 내용을 바르게 이해한 사람을 모두 고르면?

준호: 절반이 넘는 사람들이 부모와 여행하고 싶어 한다.
미진: 부모와 가족 저녁 식사를 하는 것보다 오락을 함께 하고 싶어 하는 사람들이 더 많다.
태영: 부모와 취미 활동을 공유하는 것보다 솔직한 대화를 나누고 싶어 하는 사람들이 더 적다.

① 준호, 미진, 태영 ② 준호, 미진 ③ 미진, 태영
④ 준호 ⑤ 태영

어휘 **activity** 활동 **parent** 부모 **chart** 도표 **show** 보여 주다 **result** 결과 **survey** 설문 조사 **travel** 여행하다 **enjoy** 즐기다 **entertainment** 오락 **prefer** 선호하다 **heart-to-heart** 솔직한, 마음을 터놓는 **conversation** 대화 **share** 나누다, 공유하다 **similar** 비슷한 **hobby** 취미

글의 심경·분위기 파악하기

글쓴이나 등장인물의 심경 또는 글의 분위기를 알아내는 유형으로, 짧은 이야기나 수필 형태의 글이 주로 출제된다. 글쓴이나 등장인물이 처한 상황을 파악한 뒤 분위기나 심경을 나타내는 표현을 찾아내야 하므로 감정 표현과 관련된 어휘들을 익혀 두는 것이 좋다.

어휘 수 105

다음 글에 드러난 'I'의 심경으로 가장 적절한 것은? 고1 학평 3월

One day I caught a taxi to work. I found a brand-new cell phone on the back seat. I asked the driver, "Where did you drop the last person off?" and I showed him the phone. He pointed at a girl walking up the street. We drove up to her. I rolled down the window and told her about her cell phone. She was very thankful. When I saw her face, I could tell how grateful she was. Her smile made me smile and feel really good inside. After she got the phone back, I heard someone walking past her say, "Today's your lucky day!"

① angry ② bored ③ scared
④ pleased ⑤ regretful

빈칸을 채워 보며 지문의 흐름을 파악해 봅시다.

Summing Up

발단	'I'는 직장에 가기 위해 택시를 탐
전개	'I'는 1 ____________에서 휴대폰을 발견함
절정	운전사의 도움으로 휴대폰을 주인에게 돌려줌
결말	휴대폰을 찾은 주인이 매우 2 ____________

→ 'I'의 심경: 휴대폰을 찾은 주인의 미소를 보고 3 ____________

어휘 catch 타다, 잡다 find 발견하다, 찾다 ask 묻다 point 가리키다 walk 걷다 drive 운전하다 up to ~까지 roll down 내리다 thankful 고마워하는 grateful 감사하는 past 지나서 lucky 행운의

문장은 내가 움직이는 대로! 2

수능 필수 어휘 600

이번 Unit의 핵심 어휘입니다. 학습을 하기 전에 수능 필수 어휘 중 아는 어휘에 ☑ 체크해 보고 모르는 어휘는 미리 익혀 보세요.
(Unit을 마친 후 체크하지 않았던 어휘를 완전히 알고 있는지 다시 확인하세요.)

어휘	뜻	어휘	뜻
☐ mistake	실수	☐ surroundings	주위, 환경
☐ embarrassed	창피한	☐ completely	완전히
☐ fault	잘못	☐ confuse	혼란스럽게 하다
☐ mean	의미하다, 뜻하다	☐ look for	~을 찾다
☐ failure	실패자, 실패	☐ tasty	맛있는
☐ perfect	완벽한	☐ according to	~에 따르면
☐ protect	보호하다	☐ art	예술
☐ change	바꾸다	☐ expert	전문가
☐ fur	털	☐ artist	예술가
☐ disappear	사라지다	☐ draw	그리다

어휘	뜻	어휘	뜻
☐ **paint**	색칠하다	☐ **farm**	농사짓다; 농장
☐ **natural**	타고난, 천부적인	☐ **build**	짓다, 건축하다
☐ **talented**	재능이 있는	☐ **village**	마을
☐ **master**	명인	☐ **river**	강
☐ **influence**	~에 영향을 미치다	☐ **move around**	돌아다니다
☐ **produce**	만들어 내다, 제작하다	☐ **international**	국제적인
☐ **fame**	명성	☐ **tourism**	관광
☐ **fever**	열병, 열	☐ **spend**	쓰다, 소비하다
☐ **search for**	~을 찾다	☐ **billion**	10억
☐ **wild**	야생의	☐ **country**	나라, 국가

문장은 내가 움직이는 대로! 2

혼자 있어도 의미를 완벽히 전달할 수 있는 동사가 있는가 하면, 대상이 있어야 문장이 완성되는 동사도 있었죠. 그뿐만 아니라 주어나 목적어의 의미를 보충 설명해 주는 요소인 보어가 반드시 필요한 동사도 있어요. 이 Unit에서는 보어가 필요한 동사에 대해 한번 알아보도록 해요.

❸ 불완전 자동사
보충하는 말이 필요한 동사

목적어는 필요 없지만 동사만으로는 뜻이 완전하지 않아서 주어를 보충 설명해 주는 보어가 필요한 동사이다. 보통 상태의 지속이나 변화, 감각을 나타내는 be, become, seem, get, turn, keep, remain, feel, look, smell, taste, sound 등이 주로 쓰인다. '(주어)가 (보어)이다[하다]'와 같이 해석할 수 있다.

- Nelly and Robert / **are** / doctors. 〈Nelly and Robert: **주어**, doctors: **주격보어**〉
  Nelly와 Robert는 의사이다.
- BTS / **became** / a world-famous boy band. 〈BTS: **주어**, a world-famous boy band: **주격보어**〉
  BTS는 세계적으로 유명한 남성 밴드가 되었다.
- Students / **seem** / very surprised. 〈Students: **주어**, very surprised: **주격보어**〉
  학생들은 매우 놀란 것처럼 보인다.
- We / **feel** / happy / to see flowers. 〈We: **주어**, happy: **주격보어**〉
  우리는 꽃을 봐서 행복하다.
- The sofa / **looks** / nice. 〈The sofa: **주어**, nice: **주격보어**〉
  그 소파는 좋아 보인다.

❹ 불완전 타동사
대상과 보충하는 말이 필요한 동사

목적어와 목적어의 의미를 보충 설명해 주는 목적격보어가 필요한 동사를 말한다. '(주어)는 (목적어)가 (목적격보어)하게 하다'와 같이 해석할 수 있다. make, have, let, find, keep, call, want 등이 주로 쓰인다. 목적격보어로 사용되는 것은 형용사나 명사인데, 동사에 따라 to부정사나 원형부정사를, 의미에 따라 현재분사나 과거분사를 사용하기도 한다.

* 원형부정사: 동사원형의 형태로 to부정사와 같은 역할을 함
* 분사: 형용사의 역할을 하는 동사의 형태(p. 046)

- Playing the guitar / **makes** / me / happy. 〈me: **목적어**, happy: **목적격보어**〉
  기타 연주하기는 나를 행복하게 만든다.
- Lisa / **found** / the problem / difficult. 〈the problem: **목적어**, difficult: **목적격보어**〉
  Lisa는 그 문제가 어렵다는 것을 알게 되었다.
- Vitamins / **keep** / us / healthy. 〈us: **목적어**, healthy: **목적격보어**〉
  비타민은 우리를 건강하게 한다.
- Please / **call** / me / Phil. 〈me: **목적어**, Phil: **목적격보어**〉
  나를 Phil이라고 불러 주세요.
- I / **want** / you / to do the dishes. 〈you: **목적어**, to do the dishes: **목적격보어**〉
  나는 네가 설거지하기를 원한다.

A

다음 문장에서 동사와 보어를 찾아 밑줄을 긋고, 문장을 해석해 보시오.

1 Alex is my younger brother.

____

2 I found Sally's story true.

____

3 Please let me go to the concert.

____

4 The plan sounds interesting.

____

5 Don't make me angry any more.

____

6 The new English teacher seems nice.

____

7 This soup tastes really good.

____

8 My father had me clean my room.

____

B

다음 글에서 보어를 모두 찾아 밑줄을 그어 보시오.

How do you feel when you make a mistake? You may feel embarrassed or upset. Our mistakes sometimes make us unhappy. That is okay. Making mistakes doesn't mean that you are a failure. We all make mistakes because no one is perfect. Laugh at your mistakes, learn from them, and move on. They help you grow into a stronger and more careful person.

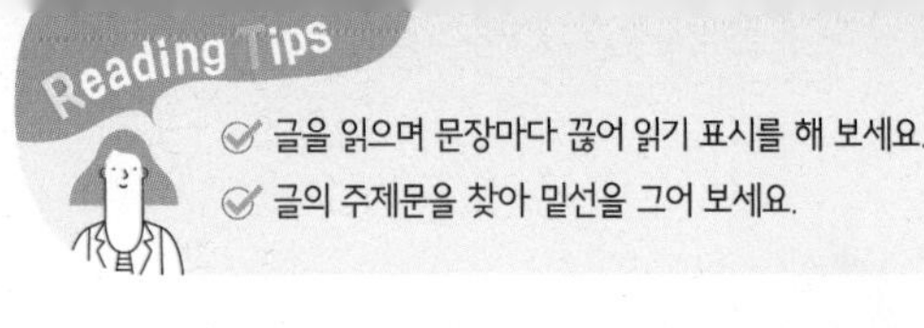

어휘 수 93
난이도 ★☆☆

다음 글에서 전체 흐름과 관계 없는 문장은?

중3 학업성취도 평가

To protect themselves from other big animals, some animals change their fur color during the year. ① In the summer, their fur is darker and they disappear into the surroundings. ② In the winter, their fur is as white as snow. ③ For example, Snowshoe Rabbits are gray or brown in the summer and they are completely white in the winter. ④ In order to protect themselves from the cold, they need to move to warmer and safer places if they can. ⑤ This color change really confuses other animals while they are looking for a tasty meal.

More & More

구문 해석 연습

1 주어진 문장에서 불완전 자동사에 밑줄을 긋고, 문장을 해석해 보시오.

In the winter, their fur is as white as snow.

〈 해석 〉 ______________________

수능 변형

2 윗글의 주제로 가장 적절한 것은?

① 토끼가 겨울에 흰색을 띠는 이유
② 계절에 따라 털색을 바꾸는 동물
③ 큰 동물과의 경쟁에서 살아남는 방법
④ 추위를 피해 따뜻한 장소로 이동하는 동물
⑤ 보호색을 지닌 동물이 먹잇감을 찾는 과정

어휘 **protect** 보호하다 **change** 바꾸다 **fur** 털 **during** ~ 동안 **dark** 어두운 **disappear** 사라지다 **surroundings** 주위, 환경 **completely** 완전히 **warm** 따뜻한 **safe** 안전한 **confuse** 혼란스럽게 하다 **look for** ~을 찾다 **tasty** 맛있는 **meal** 식사

Raphael에 관한 다음 글의 내용과 일치하지 않는 것은?

중3 학업성취도 평가

어휘 수 98
난이도 ★★☆

According to art experts, the greatest artists of the Renaissance **were** Leonardo, Michelangelo, and Raphael. Raphael **was** the youngest of the three. His father **was** a painter, and he taught Raphael how to draw and paint. The boy **was** a natural artist and learned quickly. When he **was** a teenager, Raphael **was** very talented. So people **called** him a master. Raphael was influenced by the works of Leonardo and Michelangelo. During his short life, he produced many incredible paintings. But at the height of his fame, Raphael caught a fever. He died in Rome on his thirty-seventh birthday.

① Renaissance의 가장 위대한 화가 세 명 중 제일 어렸다.
② 아버지가 그림 그리는 법을 가르쳐 주었다.
③ 10대 때는 화가로서 재능을 보이지 못했다.
④ Leonardo와 Michelangelo 작품의 영향을 받았다.
⑤ 37번째 생일에 로마에서 죽었다.

Raphael은 어떤 사람인가요?
이탈리아 우르비노에서 태어난 Raphael(이탈리아 이름은 Raffaello Sanzio)은 <성모의 결혼>, <성모자와 아기 성 요한>, <아테네 학당> 등의 걸작을 남긴 대가예요. 아버지를 여읜 후 Pietro Perugino의 가르침을 받았어요. 스승의 가르침을 빠짐없이 흡수하면서도 초기작에서부터 스승과 차별화되는 자신만의 독특한 특징을 드러냈어요. 이후 피렌체로 넘어가 Leonardo와 Michelangelo의 영향을 받은 작품을 그렸으며, 교황의 부름을 받고 로마로 건너가 12년간 활동하다가 사망했어요.

More & More

구문 해석 연습
1 주어진 문장에서 불완전 타동사에 밑줄을 긋고, 문장을 해석해 보시오.

So people called him a master.

〈해석〉 ______________________

내신형
2 윗글을 통해 대답할 수 없는 질문으로 알맞은 것은?

① Who were the greatest artists of the Renaissance?
② What did Raphael's father teach Raphael?
③ Why did people call Raphael a master?
④ Who did Raphael influence?
⑤ How old was Raphael when he died?

어휘 **according to** ~에 따르면 **art** 예술 **expert** 전문가 **artist** 예술가 **draw** 그리다 **paint** 색칠하다 **natural** 타고난, 천부적인 **learn** 배우다, 익히다 **talented** 재능이 있는 **master** 명인 **influence** ~에 영향을 미치다 **produce** 만들어 내다, 제작하다 **fame** 명성 **fever** 열병, 열

3

주어진 글 다음에 이어질 글의 순서로 가장 적절한 것은? 중3 학업성취도 평가

어휘 수 100
난이도 ★★☆

> Farming began a very long time ago. Before farming, people had to search for food to eat. They ate wild animals and plants.

(A) So, people learned to farm. They kept animals and plants on farms. People no longer had to move to find food. This **allowed** them to stay in one place. 3

(B) In that place, they built villages. The towns were built close to rivers because the animals and plants needed water to keep growing. 6

(C) But, it **was** hard to find enough food. They had to travel a lot to find more food. This meant a lot of moving around. 9

① (A) – (C) – (B)
② (B) – (A) – (C)
③ (B) – (C) – (A)
④ (C) – (A) – (B)
⑤ (C) – (B) – (A)

More & More

구문 해석 연습
1 주어진 문장에서 불완전 타동사에 밑줄을 긋고, 문장을 해석해 보시오.

This allowed them to stay in one place.

〈해석〉 ______________________________

내신형
2 윗글의 내용과 일치하도록 빈칸에 알맞은 말을 쓰시오.

People had to travel to search for ______________. However, after ______________, people could stay in one place.

어휘 farming 농사, 농업 search for ~을 찾다 wild 야생의 farm 농사짓다; 농장 allow 가능하게 하다, 허락하다 build 짓다, 건축하다 village 마을 river 강 grow 자라다 enough 충분한 mean 의미하다 move around 돌아다니다

도표 정보 파악하기

도표와 도표를 설명하는 글의 내용이 일치하는지 여부를 알아내는 유형이다. 수치를 나타내는 표현이나 비교하는 표현을 익혀 두면 도움이 된다.

어휘 수 81

다음 도표의 내용과 일치하지 않는 것은? 고1 학평 3월

World's Top International Tourism Spenders in 2014

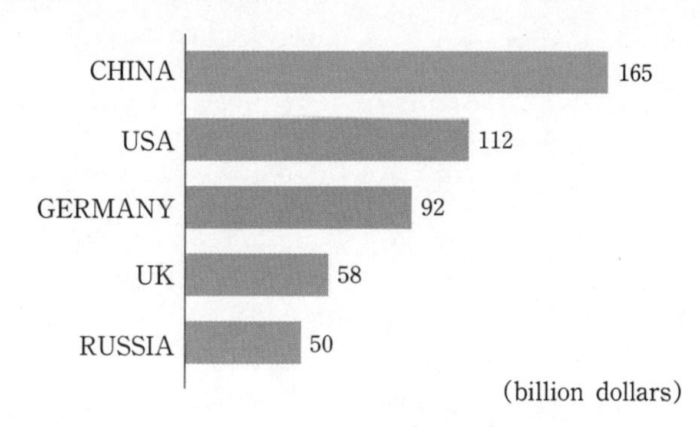

The above graph shows the world's top international tourism spenders in 2014. ① China was at the top of the list. ② The United States of America (USA) spent more than twice as much as Russia on international tourism. ③ Germany spent 20 billion dollars less than the USA. ④ The United Kingdom (UK) spent less than half of the amount the USA spent. ⑤ Of the five countries, Russia spent the smallest amount of money on international tourism.

*spender: 돈을 쓰는 사람(단체)

빈칸을 채워 보며 지문의 흐름을 파악해 봅시다.

Summing Up

표 제목	2014년 세계 최상위 국제 관광 소비 국가
세부 사항 1	세계 최상위 국제 관광 소비 국가 중 1위는 1 ________
세부 사항 2	미국과 러시아의 소비 비교
세부 사항 3	2 ________
세부 사항 4	영국과 미국의 소비 비교
세부 사항 5	5개국 중 가장 소비액이 적은 국가는 3 ________

어휘 international 국제적인 tourism 관광 list 목록, 명단 spend 쓰다, 소비하다 billion 10억 amount 금액, 양 country 나라, 국가

움직임엔 상대가 필요하지!

수능 필수 어휘 600

이번 Unit의 핵심 어휘입니다. 학습을 하기 전에 수능 필수 어휘 중 아는 어휘에 ☑ 체크해 보고 모르는 어휘는 미리 익혀 보세요.
(Unit을 마친 후 체크하지 않았던 어휘를 완전히 알고 있는지 다시 확인하세요.)

어휘	뜻	어휘	뜻
☐ during	~ 동안	☐ fee	비용; 참가비
☐ remember	기억하다	☐ include	~을 포함하다
☐ chemical	화학 물질	☐ treasure hunt	보물찾기
☐ promote	추진하다, 증진하다	☐ receive	~을 받다
☐ memory	기억, 기억력	☐ registration	등록
☐ wake up	깨다; 깨우다	☐ relationship	관계
☐ adventure	모험	☐ co-worker	동료, 협업자
☐ explore	탐험하다	☐ be good at	~을 잘하다
☐ woods	숲	☐ care about	~을 신경 쓰다
☐ welcome	환영받는	☐ achievement	성취

어휘	뜻	어휘	뜻
☐ bottle	젖병	☐ astronaut	우주 비행사
☐ feed	젖을 먹이다, 음식을 주다	☐ board	(탈것에) 올라타다
☐ frustrated	실망한	☐ space shuttle	우주선
☐ turn away	고개를 돌리다	☐ mission	임무, 사명
☐ turn around	(반대쪽으로) 방향을 바꾸다	☐ specialist	전문가
☐ be clueless about	~에 대해 아무것도 모르다	☐ historic	역사적인
☐ notice	~을 알아채다; ~에 주의하다	☐ flight	비행
☐ at last	마침내	☐ professor	교수
☐ fulfill	완료하다, 성취하다	☐ degree	학위
☐ eventually	드디어, 결국	☐ medical	의학의

움직임엔 상대가 필요하지!

앞 Unit에서 동사에 대해 배웠어요. 타동사는 목적어가 필요하다는 것도 기억나시죠? 타동사는 자동사보다 우리가 쓰는 말이나 글에서 더 많이 쓰여요. 그러니 어떤 것이 목적어로 올 수 있는지 알아 두면 길고 복잡한 문장도 아주 쉽게 이해할 수 있어요.

목적어로 올 수 있는 것 ❶

명사 / 대명사

문장에서 주로 명사나 대명사가 동사의 목적어 역할을 한다. 동작을 하는 자기 자신이 목적어로 쓰일 경우엔 재귀대명사가 쓰이는 점에 유의한다.

* 재귀대명사: 어떤 동작을 하는 사람 또는 사물 자신을 나타내는 대명사

• I / met / **my old friend, Ralph** / on the street. 〈목적어: 명사〉
나는 내 오랜 친구인 Ralph를 거리에서 만났다.

• Mary / is looking at / **herself** / in the mirror. 〈목적어: 재귀대명사〉
Mary는 거울로 스스로를 쳐다보고 있다.

• I / teach / **my sister** / **English** / every Sunday. 〈간접목적어: 명사, 직접목적어: 명사〉
나는 내 여동생에게 매주 일요일에 영어를 가르친다.

• My mother / bought / **me** / **a new iPhone.** 〈간접목적어: 대명사, 직접목적어: 명사〉
우리 엄마는 새 아이폰을 내게 사 주셨다.

목적어로 올 수 있는 것 ❷

to부정사 / 동명사

동사 뒤에 to부정사나 동명사가 오면, 동사의 목적어로 쓰였는지 잘 살펴봐야 한다. 동사에 따라 동명사나 to부정사를 목적어로 취하는 경우가 있으니 이를 기억해 두도록 한다.

– to부정사를 목적어로 취하는 동사: want, hope, wish, decide, demand, expect 등
– 동명사를 목적어로 취하는 동사: enjoy, give up, mind, stop, keep, finish 등

• I / decided / **to write** / **my story** / everyday. 〈목적어: to부정사〉
나는 매일 나의 이야기를 쓰기로 결정했다.

• I'll / keep / **working out** / for my good shape. 〈목적어: 동명사〉
나는 내 훌륭한 몸매를 위해 계속 운동할 것이다.

목적어로 올 수 있는 것 ❸

that절

think, believe, know, say, agree, show 등의 동사 뒤에 that이 이끄는 절이 온다면 that절 전체가 목적어 역할을 한다.

• We / believe / **that he is a great singer**.
우리는 그가 훌륭한 가수라고 믿는다.

• It / shows / **that we love our country**.
그것은 우리가 우리의 나라를 사랑한다는 것을 보여 준다.

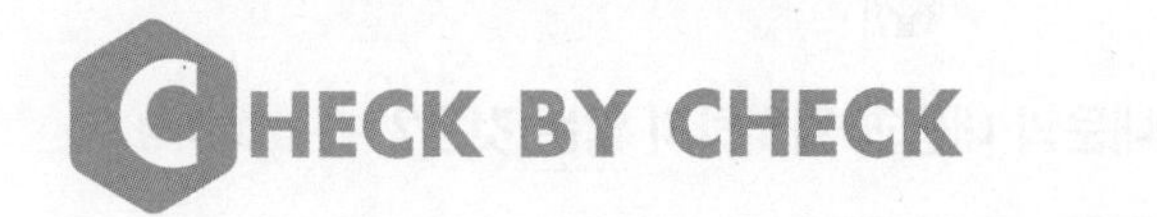

A

다음 문장에서 목적어를 찾아 밑줄을 긋고, 문장을 해석해 보시오.

1 My grandparents love me.

____

2 Everyone wants to live a happy life.

____

3 Josh failed to keep his promise.

____

4 My father gave up smoking a long time ago.

____

5 Would you mind playing the piano for me?

____

6 Nobody knows that I met you.

____

7 Ms. Faith showed me her golden medal.

____

8 I asked David to come to my birthday party.

____

B

밑줄 친 (A), (B)에서 목적어를 찾아 쓰고, 해당 문장을 해석해 보시오.

You had a dream during the night, but you don't remember it the next morning. (A) Why do you fail to remember your dream? Your brain usually makes a special chemical that promotes memory, but it doesn't while you're dreaming. However, you may remember a dream if you wake up in the middle of it. (B) That's because your brain starts making the chemical again as soon as you wake up.

(A) 목적어: ______________________________

해석: ______________________________

(B) 목적어: ______________________________

해석: ______________________________

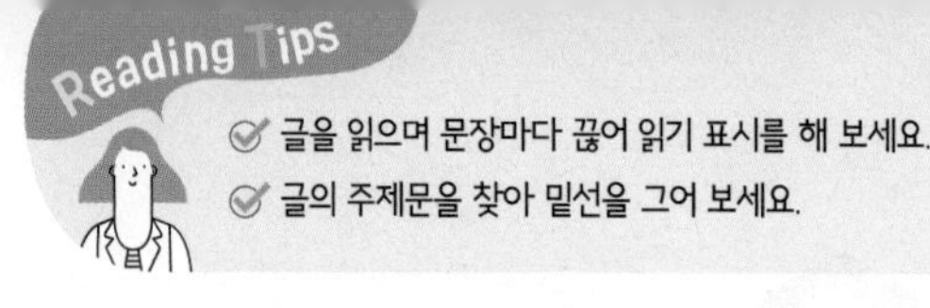

Eco-Adventure Camp에 관한 다음 안내문의 내용과 일치하지 않는 것은?

고1 학평 3월

어휘 수 74
난이도 ★☆☆

2018 Eco-Adventure Camp

We'll begin **to explore the woods** in Tennessee! All middle school and high school students are welcome!

- Dates: March 23 – 25 (3 days and 2 nights)
- Fee: $150 per person (All meals are included.)
- Activities: Nature Class, Hiking and Climbing, and Treasure Hunt
- Every participant will receive **a camp backpack.**
- Registration starts from March 12 and ends on March 16 on our website.

For more information, please visit **us** at www.ecoadventure.com.

① 중·고등학생이 참가할 수 있다.
② 2박 3일 동안 진행된다.
③ 참가비에 식사 비용이 포함된다.
④ 참가자에게 캠프 배낭을 준다.
⑤ 등록은 3월 16일에 시작된다.

More & More

구문 해석 연습

1 주어진 문장에서 목적어에 밑줄을 긋고, 문장을 해석해 보시오.

We'll begin to explore the woods in Tennessee!

〈해석〉 ______________________

내신형

2 윗글을 통해 대답할 수 없는 질문으로 알맞은 것은?

① Who can join the camp?
② How can the participants go to the camp place?
③ How much is the fee for the camp?
④ What will the participants do during the camp?
⑤ When does registration end?

어휘 adventure 모험 explore 탐험하다 woods 숲 welcome 환영받는 fee 비용; 참가비 meal 식사 include ~을 포함하다 activity 활동, 행동 treasure hunt 보물찾기 receive ~을 받다 registration 등록 information 정보

다음 글에서 필자가 주장하는 바로 가장 적절한 것은?

중3 학업성취도 평가

어휘 수 98
난이도 ★★☆

Do you want **to have good relationships** with your co-workers? Let **me** tell **you my story.** I was good at my work and proud of it. But my co-workers did not care about my success. They seemed to hate **listening** to my stories. 3 I really wanted **to be** their friend. So, I started **to talk** less about myself and **listen** more to my co-workers. They were excited to tell **me** about their achievement and our relationship got better. If you really want **to have** 6 **good relationships** with others, listen first to their stories before you talk about yourself.

① 당신의 실수를 먼저 이야기하라.
② 친구들과 같은 취미 활동을 즐기라.
③ 당신의 성공을 다른 사람과 공유하라.
④ 동료와 협력을 할 때는 자신의 장점을 드러내라.
⑤ 나의 이야기를 하기보다는 남의 이야기를 들어라.

More & More

구문 해석 연습

1 주어진 문장에서 목적어에 밑줄을 긋고, 문장을 해석해 보시오.

If you really want to have good relationships with others, listen first to their stories before you talk about yourself.

〈 해석 〉 ____________________

내신형

2 윗글의 내용과 일치하도록 질문에 알맞은 대답을 완성하시오.

Q: How did the relationship with your co-workers get better?
A: I started to talk less about myself and ____________________.

어휘 **relationship** 관계 **co-worker** 동료 **be good at** ~을 잘하다 **be proud of** ~을 자랑스러워하다 **care about** ~을 신경 쓰다 **hate** 싫어하다 **achievement** 성취

밑줄 친 she(her)가 가리키는 대상이 나머지 넷과 다른 것은?

고1 학평 3월

어휘 수 106
난이도 ★★☆

Six-month-old Angela is sitting in her high chair and sees **her bottle** on the table. ① She is pretty tired — it's been a long day! — and she wants **her bottle.** She looks at it when her mother, Sophie, feeds ② her. Angela gets more and more frustrated. Finally, Angela turns away from her baby food. Then, she bends **her back** and turns around in her high chair. ③ She makes **sounds** and looks ready to cry. Sophie is clueless about **what Angela wants.** When Sophie looks at the table, ④ she notices **the bottle** on it. "That's what you **want**," she says, and gives **Angela** ⑤ **her bottle.** Success at last!

* be clueless about: ~에 대해 아무것도 모르다

아기들에게 젖병이란?
유아기의 아이들은 12개월이 되면 변화를 가장 잘 받아들이기 때문에 돌 무렵에 젖병 떼기를 시도해야 합니다. 돌 무렵의 아이는 구강 욕구를 강하게 보이고, 젖병을 빨며 정서적 안정감을 느껴서 이 시기에 강제로 젖병을 떼려고 하면 아이는 준비가 되어 있지 않아 젖병 떼기에 많은 힘이 든다고 합니다. 아울러 부모에게 거부당한다는 부정적 감정을 가질 수 있습니다.

More & More

구문 해석 연습

1 주어진 문장들에서 동사의 목적어에 밑줄을 긋고, 문장을 해석해 보시오.

She is pretty tired and she wants her bottle. She looks at it when her mother, Sophie, feeds her.

〈해석〉

내신형

2 윗글의 내용과 일치하지 않는 것은?

① Angela는 몹시 피곤한 하루를 보냈다.
② Angela는 젖병을 원했기 때문에 젖병 쪽을 바라본다.
③ Angela는 등을 구부리고 소리 내어 운다.
④ Sophie는 Angela가 원하는 것을 처음엔 몰랐다.
⑤ Sophie는 식탁에서 젖병을 보고 가져다준다.

어휘 **bottle** 젖병 **feed** 젖을 먹이다, 음식을 주다 **frustrated** 실망한 **turn away** 고개를 돌리다 **baby food** 이유식 **bend** 구부리다 **turn around** (반대쪽으로) 방향을 바꾸다 **notice** ~을 알아채다; ~에 주의하다 **at last** 마침내

세부 정보 파악하기

특정 인물이나 특정 사항에 대한 글을 읽고 글에 제시된 정보를 정확히 이해했는지 묻는 유형으로, 본문의 내용 순서대로 실린 선택지를 먼저 읽어 본 후 본문과 선택지를 대조해 가며 일치하거나 일치하지 않는 것을 찾도록 한다.

어휘 수 113

Mae C. Jemison에 관한 다음 글의 내용과 일치하지 않는 것은? 고1 학평 3월

Mae C. Jemison always hoped that she could fulfill her dreams. She eventually became the first black woman astronaut in 1987. On September 12, 1992, she boarded the space shuttle *Endeavor* as a science mission specialist on the historic eight-day flight. Jemison left the National Aeronautic and Space Administration (NASA) in 1993. She was a professor of Environmental Studies at Dartmouth College from 1995 to 2002. Jemison was born in Decatur, Alabama. She moved to Chicago with her family when she was three years old. She graduated from Stanford University in 1977 with a degree in chemical engineering and Afro-American studies. Jemison received her medical degree from Cornell Medical School in 1981.

* environmental: 환경의

① 1992년에 우주 왕복선에 탑승했다.
② 1993년에 NASA를 떠났다.
③ Dartmouth 대학의 환경학과 교수였다.
④ 세 살 때 가족과 함께 Chicago로 이주했다.
⑤ Stanford 대학에서 의학 학위를 받았다.

빈칸을 채워 보며 지문의 흐름을 파악해 봅시다.

Summing Up

도입	첫 흑인 1 __________가 된 여성, Mae C. Jemison
경력1	1992년: 2 __________ 동안 우주를 비행함
경력2	1993년: 3 __________
경력3	1995~2002년: Dartmouth 대학에서 환경학을 가르침
성장 과정	Alabama 주 Decatur 태생 – 3살 때 시카고로 이사 – 1977년 Stanford 대학 졸업 – 1981년 Cornell 대학에서 4 __________ 학위 취득

어휘 fulfill 완료하다, 성취하다 eventually 드디어, 결국 astronaut 우주 비행사 board (탈것에) 올라타다 space shuttle 우주선 mission 임무, 사명 specialist 전문가 historic 역사적인 flight 비행 professor 교수 graduate from ~을 졸업하다 degree 학위 chemical engineering 화학 공학 medical 의학의

문장의 의미를 보충해 주지!

수능 필수 어휘 600

이번 Unit의 핵심 어휘입니다. 학습을 하기 전에 수능 필수 어휘 중 아는 어휘에 ☑ 체크해 보고 모르는 어휘는 미리 익혀 보세요.
(Unit을 마친 후 체크하지 않았던 어휘를 완전히 알고 있는지 다시 확인하세요.)

어휘	뜻	어휘	뜻
☐ nervous	신경성의	☐ gentle	점잖은, 부드러운
☐ laughter	웃음; (큰) 웃음소리	☐ create	만들다, 창조하다
☐ respond	반응하다, 대응하다	☐ pour	붓다, 따르다
☐ relaxed	편안한, 긴장이 풀린	☐ canvas	캔버스
☐ situation	상황, 입장, 상태	☐ technique	기술, 테크닉
☐ painting	그림, 페인팅	☐ become known as	~으로 알려지다
☐ few	거의 없는, 소수의	☐ generation	세대
☐ available	쓸 만한, 유용한	☐ abstract	추상적인
☐ have trouble -ing	~하는 데 어려움을 겪다	☐ finally	결국, 드디어
☐ advance	앞으로 나아가다, 발전하다	☐ turn	순번, 차례

어휘	뜻	어휘	뜻
☐ give a speech	연설하다	☐ overweight	비만의
☐ come out	밖으로 나오다	☐ nearby	근처의, 인근의
☐ prepare	준비하다, 대비하다	☐ allow	허용하다, 인정하다
☐ follow	따라오다, 따르다	☐ owner	소유자, 주인
☐ audience	관객, 청중	☐ addition	부가, 첨가
☐ judge	(각종 경연 대회의) 심사 위원	☐ consideration	고려, 이해, 배려
☐ crowd	군중, 대중	☐ chef	요리사, 주방장
☐ bored	지루한	☐ challenge	도전
☐ jealous	질투하는, 시기하는	☐ participant	참가자, 참여자
☐ mayor	시장, 군수	☐ beforehand	미리, 사전에

문장의 의미를 보충해 주지!

보어란 주어나 목적어의 부족한 부분을 보충 설명해 주는 역할을 하는 것으로, 주어를 보충 설명해 주는 것을 주격보어, 목적어를 보충 설명해 주는 것을 목적격보어라고 해요. 주로 형용사나 명사(구)가 보어 역할을 하고, 동작의 의미를 강조하는 분사도 보어 역할을 대신할 수 있다는 점에 주목하도록 해요.

보어로 올 수 있는 것 ❶

형용사 / 명사

형용사나 명사가 동사나 목적어 뒤에 쓰여 의미를 보충해 주는 보어로 쓰일 수 있다.

- The bottle / is / nearly **empty**. 〈주격보어: 형용사〉
  그 병은 거의 비어 있다.
- Soyeon and Eric / became / **our friends**. 〈주격보어: 명사〉
  소연과 Eric는 우리의 친구들이 되었다.
- I / painted / my room / **pink**. 〈목적격보어: 형용사〉
  나는 내 방을 분홍색으로 칠했다.
- We / named / our daughter / **Jimin**. 〈목적격보어: 명사〉
  우리는 딸 이름을 지민이라고 지었다.

보어로 올 수 있는 것 ❷

to부정사 / 동명사 / 명사절

to부정사나 동명사와 같은 명사어구와 명사절도 보어로 쓰일 수 있다.

- Her dream / was / **to be a star**. 〈주격보어: to부정사〉
  그녀의 꿈은 스타가 되는 것이었다.
- My hobby / is / **watching a baseball game** / on TV. 〈주격보어: 동명사〉
  내 취미는 TV로 야구 경기를 보는 것이다.
- They / called / me / **a *walking dictionary***. 〈목적격보어: 명사구〉
  그들은 나를 '걸어다니는 사전'이라 불렀다.
- My hope / is / **that I win / the swimming contest / this year**. 〈주격보어: 명사절〉
  내 희망은 내가 올해 수영 대회에서 우승하는 것이다.

보어로 올 수 있는 것 ❸

현재분사 / 과거분사

각각 「동사원형+-ing」와 「동사원형+-ed」 형태로 쓰이는 현재분사와 과거분사는 형용사 역할을 하므로 보어로 올 수 있다. 현재분사는 동작을 스스로 하는 '능동(~하고 있는, ~하게 만드는)'의 의미를, 과거분사는 남에게 동작을 받는 '수동(~당한, ~해진)'의 의미를 나타낸다.

- The end of the drama / was / **shocking**. 〈주격보어: 현재분사〉
  그 드라마의 결말이 충격적이었다.
- I / was / **bored** / by the novel. 〈주격보어: 과거분사〉
  나는 그 소설이 지루했다.
- My brother / got / his computer / **fixed** 〈목적격보어: 과거분사〉
  나의 오빠는 그의 컴퓨터를 수리받았다.
- I / felt / myself / **lifted up**. 〈목적격보어: 과거분사〉
  나는 내 자신이 들어 올려지는 것을 느꼈다.

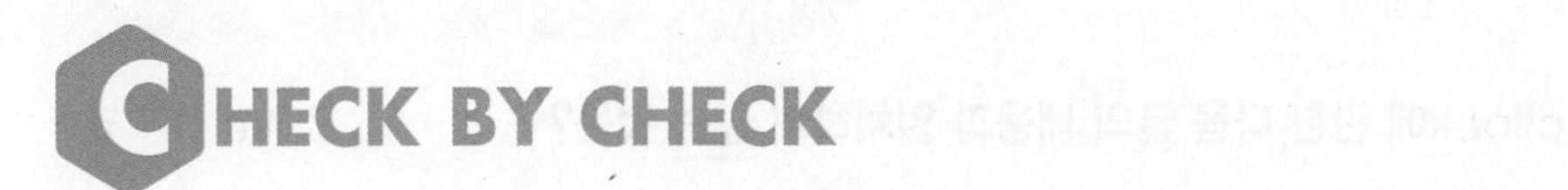

A

다음 문장에서 보어를 찾아 밑줄을 긋고, 문장을 해석해 보시오.

1 My goal is to travel all around the world.

____

2 These gloves will keep your hands warm.

____

3 I saw Charlie playing the guitar.

____

4 She felt someone touching her hair.

____

5 I didn't hear my name called.

____

6 Bill found his wallet stolen.

____

7 The leaves turned red and yellow.

____

8 The child remains silent for an hour.

____

B

다음 글에서 보어를 모두 찾아 밑줄을 그어 보시오.

Have you ever found yourself laughing when you are not supposed to laugh? You didn't decide to laugh. It just happened. People call it nervous laughter. When you're embarrassed, nervous or even angry, your body may respond with laughter. Laughing helps you relax. By laughing in a bad situation, you want to believe that the terrible thing isn't really that bad.

Reading Tips

- 글을 읽으며 문장마다 끊어 읽기 표시를 해 보세요.
- 글의 주제문을 찾아 밑선을 그어 보세요.

1

어휘 수 87
난이도 ★☆☆

Jackson Pollock에 관한 다음 글의 내용과 일치하지 않는 것은? 중3 학업성취도 평가

Jackson Pollock was born in Wyoming, U.S. in 1912. When he was 18, he moved to New York and studied painting. When he finished art school, there were very few jobs available. So, he had trouble finding a job. But eventually, Pollock found work and advanced as an artist. Pollock was not **a gentle painter**. He did not create his works carefully. Instead, he poured paint right onto his canvas. Over time, this technique became **known** as action painting. Pollock influenced the next generation of abstract artists.

* advance: 앞으로 나아가다, 발전하다

① 1912년 미국 Wyoming에서 태어났다.
② New York으로 이주하여 그림을 공부했다.
③ 학교를 졸업하기 전에 직장을 구했다.
④ 페인트를 부어서 작품을 만들었다.
⑤ 후대의 추상 미술가들에게 영향을 주었다.

More & More

구문 해석 연습
1 주어진 문장에서 보어에 밑줄을 긋고, 문장을 해석해 보시오.

Pollock was not a gentle painter.

〈해석〉 ______________________

내신형
2 윗글을 통해 대답할 수 없는 질문으로 알맞은 것은?

① When was Pollock born?
② What did Pollock study in New York?
③ Why did Pollock have trouble finding a job?
④ Who helped Pollock to become a painter?
⑤ What technique did Pollock have?

어휘 **painting** 그림, 페인팅 **few** 거의 없는, 소수의 **available** 쓸 만한, 유용한 **have trouble -ing** ~하는 데 어려움을 겪다 **eventually** 결국 **gentle** 점잖은, 부드러운 **create** 만들다, 창조하다 **pour** 붓다, 따르다 **canvas** 캔버스 **over time** 시간이 흘러 **technique** 기술, 테크닉 **become known as** ~으로 알려지다 **influence** ~에 영향을 주다[미치다] **generation** 세대 **abstract** 추상적인

다음 글에 드러난 Amber의 심경으로 가장 적절한 것은?

고1 학평 3월

어휘 수 82
난이도 ★☆☆

Finally, it was **Amber's turn** to give a speech. When she opened her mouth, only air came out of her mouth. Then she tried to speak again, but she didn't know what to say. She prepared to talk about time and she started 3 with the word: 'Time....' But nothing followed. Amber could not find the words. The audience started laughing. Even the judges looked **disappointed.** She couldn't say anything. She just looked around. The whole crowd was 6 now laughing at her loudly.

① proud ② bored ③ jealous
④ satisfied ⑤ embarrassed

More & More

구문 해석 연습

1 주어진 문장에서 보어에 밑줄을 긋고, 문장을 해석해 보시오.

Even the judges looked disappointed.

〈해석〉

내신형

2 윗글을 통해 대답할 수 없는 질문을 두 개 고르면?

① Where was Amber giving a speech?
② What was Amber's first word?
③ What did Amber prepare to talk about?
④ How long did the audience laugh at Amber?
⑤ How did the judges look when Amber said nothing?

어휘 **finally** 결국, 드디어 **turn** 순번, 차례 **give a speech** 연설하다 **air** 공기 **come out** 밖으로 나오다 **prepare** 준비하다, 대비하다 **follow** 따라오다, 따르다 **audience** 관객, 청중 **judge** (각종 경연 대회의) 심사 위원 **disappointed** 실망한 **crowd** 군중, 대중 **proud** 자랑스러운 **bored** 지루한 **jealous** 질투하는, 시기하는

다음 글의 목적으로 가장 적절한 것은? 중3 학업성취도 평가

어휘 수 104
난이도 ★★☆

Dear Mayor,

I am writing about a problem in this community. My dog Rocky is **overweight.** I live in an apartment. There is a park nearby, but dogs are not allowed. Rocky needs exercise, but there is no field for him. Many dog owners in my community have the same problem. My goal is **to help** all dogs in this community. A dog park would be **a great way** to keep dogs **healthy.** It would be **a beautiful addition** to our town, too. Thank you for your consideration on this important issue. I hope that you will be able to help.

Sincerely,
Joy North

① 주택 부족 문제를 호소하기 위해
② 친절한 동물 병원을 소개하기 위해
③ 개를 위한 공원 조성을 제안하기 위해
④ 마을 주변의 환경 파괴를 신고하기 위해
⑤ 아파트 주민 간 갈등 해결을 요구하기 위해

반려견 산책 의무화
수백 년이란 긴 시간 동안 우리 곁을 지킨 반려견. 이제는 가족이란 인식이 강해졌습니다. 그런데 최근 독일 정부는 '하루에 최소 2번, 총 1시간 이상 반려견 산책 의무화'와 같은 반려견 관련 법안을 내놓았습니다. 해당 법안을 입안하며 독일의 장관은 "반려동물은 장난감이 아니다. 그들의 욕구도 고려되어야 한다."라는 의견을 표현하기도 했습니다. 사람도, 반려견도 더불어 행복한 세상이었으면 좋겠습니다.

More & More

(구문 해석 연습)
1 주어진 문장에서 목적격보어에 밑줄을 긋고, 문장을 해석해 보시오.

A dog park would be a great way to keep dogs healthy.

〈 해석 〉 ______________________

(내신형)
2 윗글에서 7행의 It이 가리키는 것으로 알맞은 것은?

① a problem ② an apartment ③ a dog
④ a great way ⑤ a dog park

어휘 mayor 시장, 군수 community 지역 사회 overweight 비만의 nearby 근처의, 인근의 allow 허용하다, 인정하다 field 뜰, 운동장 owner 소유자, 주인 addition 부가, 첨가 consideration 고려, 이해, 배려 issue 문제, 이슈

실용문 정보 파악하기

주로 행사 안내문, 광고문과 같은 실용문을 읽고 해당 내용을 정확히 이해했는지 묻는 유형으로, 보통 선택지의 내용은 본문의 순서 그대로이므로 선택지를 먼저 읽어 본 후 본문과 선택지를 대조해 가며 일치하거나 일치하지 않는 것을 찾도록 한다.

어휘 수 82

Green Chef Cooking Contest에 관한 다음 안내문의 내용과 일치하는 것은?

고1 학평 3월

Green Chef Cooking Contest

Welcome to our cooking contest! This is a community event. Your challenge is to use a seasonal ingredient to create a delicious dish. 3

- When: Sunday, April 10, 2016, 3 p.m.
- Where: Hill Community Center
- Prizes: Gift cards to three winners 6

Register at www.hillgreenchef.com

Sign up by April 6

Participants should prepare their dishes beforehand and bring them to 9 the event. Can't cook? Come eat! Join us by tasting the dishes and helping us judge them for just $3.

* ingredient: (혼합물의) 성분, 재료, 요소

① 일요일 오전에 개최된다.
② 우승자에게 요리 기구를 준다.
③ 온라인으로 등록할 수 없다.
④ 출품할 요리를 미리 만들어 와야 한다.
⑤ 무료로 시식과 심사에 참여할 수 있다.

빈칸을 채워 보며 지문의 흐름을 파악해 봅시다.

Summing Up

대회 소개	Green Chef 요리 경연 대회: 1 ________________로 맛있는 요리를 만드는 지역 행사
행사 세부 정보	일시, 장소, 상금, 등록 안내
참가자 준비물	참가자들은 2 ________________를 미리 준비해서 갖고 와야 함
행사 참가 독려	요리를 못해도 3 ________________를 지불하면 요리를 맛보고 심사를 도울 수 있음

어휘 chef 요리사, 주방장 challenge 도전 seasonal 계절적인, 어느 계절에 한정된 sign up 등록하다, 신청하다 participant 참가자, 참여자 prepare 준비하다 beforehand 미리, 사전에 bring 가져오다 taste 맛을 보다, 시식하다 judge 심사하다

어제의 나와 오늘의 나와 내일의 내가!

수능 필수 어휘 600

이번 Unit의 핵심 어휘입니다. 학습을 하기 전에 수능 필수 어휘 중 아는 어휘에 ☑ 체크해 보고 모르는 어휘는 미리 익혀 보세요.
(Unit을 마친 후 체크하지 않았던 어휘를 완전히 알고 있는지 다시 확인하세요.)

어휘	뜻	어휘	뜻
☐ **scientist**	과학자	☐ **ocean**	해양, 바다
☐ **outer**	외부의, 바깥쪽의	☐ **wave**	파도
☐ **planet**	행성	☐ **horrible**	무시무시한, 끔찍한
☐ **solar**	태양의	☐ **strike**	강타하다, 덮치다
☐ **launch**	발사하다	☐ **coast**	해안
☐ **spacecraft**	우주선	☐ **sweep away**	~을 휩쓸다, 완전히 없애다
☐ **alien**	외계인	☐ **contest**	공모전, 대회
☐ **greeting**	인사말	☐ **celebrate**	기리다, 축하하다
☐ **earthquake**	지진	☐ **island**	섬
☐ **occur**	발생하다, 일어나다	☐ **hold**	주최하다, 열다

Let's hold on
for this moment.

어휘	뜻	어휘	뜻
☐ annually	매년	☐ at once	동시에
☐ including	~을 포함하여	☐ honest	솔직한
☐ view	경치, 전망	☐ break	휴식
☐ visitor	방문객	☐ pastime	취미, 소일거리
☐ entry	참가	☐ urban	도시의
☐ winning	우승한, 이긴	☐ attraction	매력
☐ display	전시	☐ gather	모이다
☐ distraction	집중을 방해하는 것	☐ lively	생기 있는
☐ instant	즉각적인	☐ empty	텅 빈
☐ multi-task	한꺼번에 여러 일을 처리하다	☐ offer	주다, 제공하다

어제의 나와 오늘의 나와 내일의 내가!

시제는 어떤 일이 언제 일어났는지 또는 언제 일어날 것인지 알려 주는 역할을 합니다. 현재 일어나고 있는 일도 있고, 과거에 일어났던 일도 있고, 과거부터 지금까지 계속 이어지는 일도 있어요. 과거와 현재를 비교하는 글이나 연대순으로 작성된 역사적 사실에 관한 글은 시제를 정확히 파악하는 것이 글의 내용을 이해하는 데 도움이 돼요.

현재 시제

현재 시제는 현재의 상태, 습관이나 반복되는 행동을 나타낸다. 시간과 관계없이 변하지 않는 사실이나 진리를 나타낼 때도 사용한다. 현재 시제지만 미래를 나타내는 경우도 있다.

- I / **have** / a headache. 〈현재의 상태〉
  나는 두통이 있다.
- The sun / **rises** / in the east. 〈진리〉
  태양은 동쪽에서 뜬다.
- Annie / **works** / every day. 〈반복되는 행동〉
  Annie는 매일 일한다.
- The movie / **starts** / soon. 〈미래〉
  그 영화는 곧 시작한다.

과거 시제

과거 시제는 과거의 상태나 동작을 나타낸다. 과거 시제는 주로 과거를 나타내는 부사(구)와 함께 쓰인다.

- I / **had** / a headache / last night. 〈상태〉
  나는 어젯밤에 두통이 있었다.
- Annie / **worked** hard / yesterday. 〈동작〉
  Annie는 어제 열심히 일했다.

미래 시제

미래 시제는 미래의 일을 나타내며 will이나 be going to를 사용해 표현한다.

- I / **will call** / him / later. 〈I will call = I am going to call〉
  나는 그에게 나중에 전화할 것이다.
- Jason / **will send** / you / an e-mail / tomorrow. 〈Jason will send = Jason is going to send〉
  Jason은 내일 너에게 이메일을 보낼 것이다.

현재진행 / 과거진행 시제

현재 진행 시제는 현재 말하는 시점에 일어나는 일을 나타내며, 〈be동사의 현재형+현재분사〉의 형태이다. 가까운 미래를 나타내는 부사(구)와 함께 쓰여 미래를 나타내기도 한다. 과거 진행 시제는 〈be동사의 과거형+현재분사〉의 형태이다.

- Matt and his friends / **are playing** / basketball. 〈현재 진행 중인 일〉
  Matt과 친구들은 농구를 하는 중이다.
- We / **are leaving** / tomorrow morning. 〈가까운 미래〉
  우리는 내일 아침에 떠날 것이다.
- What / **were** you **doing** / at 8 o'clock / yesterday? 〈과거에 진행 중이었던 일〉
  너는 어제 8시에 무엇을 하고 있었니?

현재완료 시제

과거에 일어난 일이 현재까지 영향을 미칠 때 사용하며, 〈have[has]+과거분사〉의 형태로 쓴다.

- Lisa / **has lived** / in Seoul / since 2015. 〈2015년부터 말을 하는 현재 시점까지 계속 살고 있음을 의미함〉
  Lisa는 2015년부터 서울에서 살아왔다.
- Lisa / **lived** / in Seoul / in 2015. 〈2015년에는 서울에서 살았지만 현재는 어디서 사는지 알 수 없음〉
  Lisa는 2015년에 서울에서 살았다.

A 밑줄 친 동사의 시제를 쓰고, 문장을 해석해 보시오.

1 I get up at 7 every morning.

____

2 Everybody read the notice about summer camp.

____

3 She put milk in her coffee.

____

4 When will your parents take a vacation?

____

5 Billy and Mina are watching a movie in the theater.

____

6 The dog is running after the ball.

____

7 He hasn't finished his homework yet.

____

8 The twin brothers have never spent some time apart.

____

B 밑줄 친 ⓐ~ⓔ 중 어법상 어색한 것을 찾아 바르게 고친 뒤, 해당 문장을 해석해 보시오.

NASA scientists wanted to study the outer planets of our solar system. In 1977, they ⓐ launch the twin spacecrafts *Voyager 1* and *Voyager 2*. *Voyager 1* ⓑ is about 13.9 billion miles away from Earth today! If aliens find the spacecrafts, what will they ⓒ get? The spacecrafts ⓓ are carrying a gold-plated disk with music, sounds, greetings in 55 languages, and photos of astronauts, airplanes, and kids in the classroom. Through the contents, aliens ⓔ will hear the story of our world.

(　　　　) ____________ → ____________

해석: ______________________________

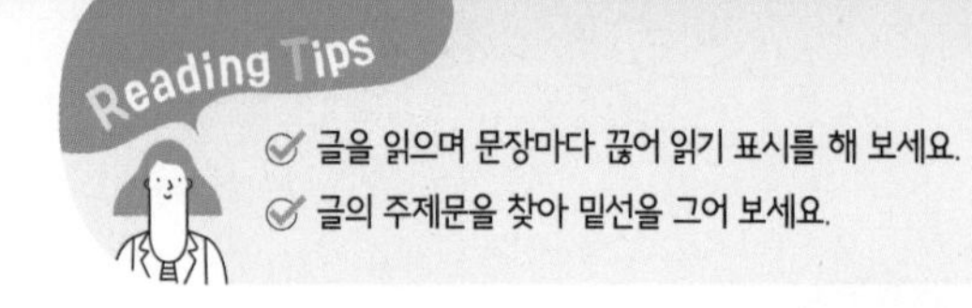

어휘 수 93
난이도 ★★☆

다음 빈칸에 들어갈 말로 가장 적절한 것은?

중3 학업성취도 평가

When an earthquake **occurs** under the ocean, it often **moves** a huge amount of water above it. This **creates** a fast-moving wave. It's called a tsunami. Out at sea, the wave may be only a meter high. __________, as it **reaches** shore, the wave can grow into a horrible giant. In 1960, Earth's largest earthquake **struck** Chile. This earthquake **produced** tsunami waves along the coast, and they **were** up to 25 meters high. The 2011 Japan earthquake **produced** tsunami waves more than 10 meters high. The waves **swept** away buildings, cars, and roads.

* tsunami: 쓰나미, 해일

① However
② Likewise
③ In addition
④ As a result
⑤ For example

배경 지식 쏙!쏙!

쓰나미 징조 알아 두기!
쓰나미가 일어난다는 징조는 어떻게 알 수 있을까요? 우선 강력한 지진이 발생한 경우 쓰나미가 발생할 가능성이 높아요. 해안가에 있다면 바닷물의 모습이 평소와 다른지 관찰해 보세요. 쓰나미가 도달하기 전에 바닷물의 수위가 급격히 낮아지기도 하고, 천둥 같은 특이한 큰 소리가 들리기도 한답니다. 이러한 신호를 감지했다면 안내나 경보가 나올 때까지 기다리지 말고 바로 높은 곳으로 대피하세요.

More & More

구문 해석 연습
1 주어진 문장에서 과거 시제 동사에 밑줄을 긋고, 문장을 해석해 보시오.

The waves swept away buildings, cars, and roads.

〈해석〉 ______________________________

내신형
2 윗글의 내용과 일치하지 않는 것은?

① 지진이 바다 밑에서 일어나면 엄청난 양의 물이 솟구친다.
② 바다 밑의 지진으로 빠르게 움직이는 파도가 생긴다.
③ 쓰나미 파도는 먼 바다에서 시작될 때는 1미터에 불과할 수 있다.
④ 1960년에 칠레에서 지구상 최대의 지진이 발생했다.
⑤ 2011년에 일본에서는 최고 25미터 높이의 쓰나미 파도가 발생했다.

어휘 **earthquake** 지진 **occur** 발생하다, 일어나다 **ocean** 해양, 바다 **wave** 파도 **high** 높이가 ~인 **reach** 도달하다 **shore** 해안가 **horrible** 무시무시한, 끔찍한 **strike** 강타하다, 덮치다 **coast** 해안 **sweep away** ~을 휩쓸다, 완전히 없애다

사진 공모전에 관한 다음 안내문의 내용과 일치하지 않는 것은?

중3 학업성취도 평가

어휘 수 94
난이도 ★☆☆

2015 Photograph Contest

Celebrating Summer on Malla Island

There **will be** a photo contest again this year. It **has been held** annually. Our goal is to promote the natural beauty of Malla Island including:

★The people of Malla

★The animals and plants of Malla

★The views around Malla

• Open to: Any visitors of Malla Island

• Entry fee: Free

• Prizes: 1st prize \$ 500 / 2nd prize \$ 250 / 3rd prize \$ 100

• Entry due by: July 31, 2015

The winning photos **will be** part of a display at Malla Museum and may be used to advertise the island.

① 섬의 동식물 사진을 출품할 수 있다.
② 참가비를 내야 한다.
③ 1등을 하면 \$ 500의 상금을 받는다.
④ 7월 31일까지 출품할 수 있다.
⑤ 수상 작품은 박물관에 전시될 예정이다.

More & More

구문 해석 연습

1 다음 밑줄 친 부분의 시제를 쓰고, 문장을 해석해 보시오.

The winning photos will be part of a display at Malla Museum.

〈 정답 〉

〈 해석 〉

내신형

2 윗글을 읽고 답할 수 있는 것끼리 바르게 짝지어진 것은?

ⓐ How often is the photo contest held?
ⓑ What is the goal of the photo contest?
ⓒ Who can enter the photo contest?
ⓓ Who will judge the photos?

① ⓐ, ⓑ, ⓒ ② ⓑ, ⓒ, ⓓ ③ ⓐ, ⓒ ④ ⓑ, ⓓ ⑤ ⓒ, ⓓ

어휘 **contest** 공모전, 대회 **celebrate** 기리다, 축하하다 **island** 섬 **hold** 주최하다, 열다 **annually** 매년 **goal** 목표 **promote** 홍보하다 **natural** 자연의 **including** ~을 포함하여 **view** 경치, 전망 **visitor** 방문객 **entry** 참가 **fee** 요금, 비용 **prize** 상 **winning** 우승한, 이긴 **display** 전시 **advertise** 광고하다

다음 글에서 필자가 주장하는 바로 가장 적절한 것은?

고1 학평 3월

어휘 수 98
난이도 ★★★

It can be tough to settle down to study when there **are** so many distractions. Most young people **like** to combine a bit of homework with other fun things to do. While they'**re studying**, they **send** instant messages 3 to their friends, **chat** on the phone, **update** profiles on social networking sites, or **check** e-mails. Maybe, you can multi-task and can focus on all these things at once. But **try** to be honest with yourself. You **will be** able to work 6 best if you **concentrate** on your studies but **take** regular breaks every 30 minutes for those other pastimes.

① 공부할 때는 공부에만 집중하라.
② 평소 주변 사람들과 자주 연락하라.
③ 피로감을 느끼지 않게 충분한 휴식을 취하라.
④ 자투리 시간을 이용하여 숙제를 하라.
⑤ 학습에 유익한 취미 활동을 하라.

More & More

구문 해석 연습

1 다음 밑줄 친 부분의 시제를 쓰고, 문장을 해석해 보시오.

While they're studying, they send instant messages to their friends.

〈 정답 〉

〈 해석 〉

내신형

2 윗글에서 distractions의 예시로 언급되지 않은 것은?

① 친구에게 문자 메시지 보내기
② 전화로 잡담하기
③ SNS에 신상 정보 업데이트하기
④ 유튜브 영상 시청하기
⑤ 이메일 확인하기

어휘 **tough** 힘든 **settle down to** ~에 전념하다, 집중하기 시작하다 **distraction** 집중을 방해하는 것 **combine *A* with *B*** A와 B를 결합하다 **instant** 즉각적인 **multi-task** 한꺼번에 여러 일을 처리하다 **focus on** ~에 집중하다 **at once** 동시에 **honest** 솔직한 **be able to** ~할 수 있다 **regular** 정기적인, 규칙적인 **break** 휴식 **every** ~마다 **pastime** 취미, 소일거리

• 정답과 해설 27쪽

글의 주제·제목 찾기

글의 주제 찾기 유형은 글이 '무엇'에 관해 이야기하는지를 찾는 유형이다. 첫 문장에서 보통 주제를 소개하는 경우가 많으므로 첫 문장을 주의 깊게 읽은 후 전반적인 흐름을 파악하는 데 집중한다. **제목 찾기 유형**에서는 글쓴이가 말하고자 하는 바를 간단하게 제시한 선택지를 골라야 한다. 너무 일반적이거나 구체적이지 않은, 글의 핵심을 담은 제목을 찾을 수 있도록 평소 핵심 내용을 스스로 요약해 보는 연습을 하는 것이 좋다.

어휘 수 97

다음 글의 제목으로 가장 적절한 것은? 고1 학평 3월

Life and activity as an urban attraction are important. People gather where things are happening and want to be around other people. If there are two kinds of streets: a lively street and an empty street, most people would choose to walk the street with life and activity. The walk will be more interesting and feel safer. We can watch people perform or play music anywhere on the street. This attracts many people to stay and watch. Also, most people prefer using seats providing the best view of city life and offering a view of other people.

① The City's Greatest Attraction: People
② Leave the City, Live in the Country
③ Make More Parks in the City
④ Feeling Lonely in the Crowded Streets
⑤ Ancient Cities Full of Tourist Attractions

빈칸을 채워 보며 지문의 흐름을 파악해 봅시다.

Summing Up

주제문	사람들의 1 ____________은 도시의 매력으로서 중요함
뒷받침 1	텅 빈 거리보다 2 ____________ 거리를 대부분 선택함
뒷받침 2	거리에서 공연을 하거나 음악을 연주하면 사람들이 와서 구경함
뒷받침 3	도시의 생활과 다른 사람들을 볼 수 있는 좌석을 3 ____________

어휘 **urban** 도시의 **attraction** 매력 **important** 중요한 **gather** 모이다 **lively** 생기 있는 **empty** 텅 빈 **interesting** 흥미로운 **perform** 공연하다 **attract** 끌다 **prefer** 선호하다 **provide** 제공하다 **offer** 주다, 제공하다 **country** 시골 **lonely** 외로운 **crowded** 붐비는 **ancient** 고대의

한 것보다 받는 게 더 중요할 때!

수능 필수 어휘 600

이번 Unit의 핵심 어휘입니다. 학습을 하기 전에 수능 필수 어휘 중 아는 어휘에 ☑ 체크해 보고 모르는 어휘는 미리 익혀 보세요.
(Unit을 마친 후 체크하지 않았던 어휘를 완전히 알고 있는지 다시 확인하세요.)

어휘	뜻	어휘	뜻
☐ **dragon**	용	☐ **battle**	전투
☐ **lizard**	도마뱀	☐ **shelter**	피신, 피난
☐ **model *A* after *B***	B를 본떠서 A를 만들다	☐ **cave**	동굴
☐ **rhinoceros**	코뿔소	☐ **enemy**	적
☐ **resemble**	닮다, 유사하다	☐ **spider**	거미
☐ **spit**	내뿜다, 내뱉다	☐ **climb**	올라가다
☐ **elementary**	초급의	☐ **bravely**	용감하게
☐ **object**	물건, 사물	☐ **collect**	모으다
☐ **realize**	깨닫다	☐ **soldier**	군사
☐ **defeat**	패배시키다, 물리치다	☐ **fight**	싸우다

어휘	뜻	어휘	뜻
☐ **regain**	되찾다	☐ **fellow**	동료의
☐ **kingdom**	왕국	☐ **involve**	연관시키다, 포함하다
☐ **decide**	결정하다	☐ **hundreds of**	수백의
☐ **communicate**	전하다; 소통하다	☐ **based on**	~에 근거하여
☐ **enroll**	입학시키다, 등록하다	☐ **trap**	가두다
☐ **require**	필요로 하다	☐ **certain**	특정한
☐ **depend on**	~에 의존하다, 달려 있다	☐ **go through**	겪다
☐ **textbook**	교과서	☐ **fear**	공포, 두려움
☐ **salesperson**	판매원	☐ **let go of**	~을 놓다
☐ **employee**	직원	☐ **thief**	도둑

한 것보다 받는 게 더 중요할 때!

수동태는 주어가 직접 동작을 하는 대신 동작을 받거나 당하는 것을 말해요. 보통 수동태보다 능동태로 쓰인 문장이 더 힘이 있고 간결한 경우가 많아요. 하지만 때에 따라서 수동태로 써야만 강조하고 싶은 의미를 제대로 전달할 수 있으며, 더 자연스럽기도 하답니다.

능동태와 수동태

문장의 주어가 동사의 동작을 직접 실행하는 것을 능동태라고 하며 '~가 …하다'로 해석한다. 반면에 주어가 동사의 행위나 동작을 받거나 당하는 것을 수동태라고 하며 '~가 …당하다', '~가 …되다'와 같이 해석한다. 이때 동사는 〈be동사+과거분사(+by+목적격)〉의 형태로 쓴다.

- Bong Joon Ho / **directed** / the movie *Parasite*. 〈능동태: 봉준호가 강조됨〉
  봉준호가 영화 〈기생충〉을 감독했다.
- The movie *Parasite* / **was directed** / **by** Bong Joon Ho. 〈수동태: 영화 〈기생충〉이 강조됨〉
  영화 〈기생충〉은 봉준호에 의해 연출되었다.

주로 수동태를 쓰는 경우

수동태는 동작을 하는 사람이나 사물보다 동작을 받거나 당하는 사람이나 사물을 더 중요하게 여길 때 주로 쓴다. 또한, 동작을 하는 주체가 명확하지 않거나 표현하고 싶지 않을 때도 사용한다. 동작을 한 행위자가 누군지 밝혀야 할 때는 by나 다른 전치사를 이용하여 알려 줄 수 있다.

- The Eiffel Tower / **was built** / in 1889. 〈The Eiffel Tower가 강조됨〉
  에펠탑은 1889년에 건축되었다.
- My smartphone / **has been stolen**. 〈누가 훔쳐 갔는지 알 수 없음〉
  내 스마트폰이 도난당했다.
- The game of basketball / **was invented** / **by** James Naismith.
  농구 경기는 James Naismith에 의해 만들어졌다. 〈The game of basketball이 강조됨〉

외우면 좋은 수동태 표현

일부 수동태 표현은 자주 사용되므로 숙어처럼 외워 두면 좋다.

be related to: ~와 관계있다
be married to: ~와 결혼하다
be interested in: ~에 관심이 있다
be involved in: ~에 연관되다
be covered with: ~로 뒤덮이다
be tired of: ~에 싫증이 나다
be surprised〔shocked/alarmed〕 at: ~에 놀라다

- He / **is married** / **to** the famous artist.
  그는 유명한 예술가와 결혼했다.
- **I'm interested** / **in** working for / global companies.
  나는 국제적인 회사에서 근무하는 것에 관심이 있다.
- The village / **is covered** / **with** snow / every winter.
  그 마을은 겨울이면 눈으로 덮인다.
- People / **were tired** / **of** staying home.
  사람들은 집에 머무르는 것에 싫증이 났다.

• 정답과 해설 32쪽

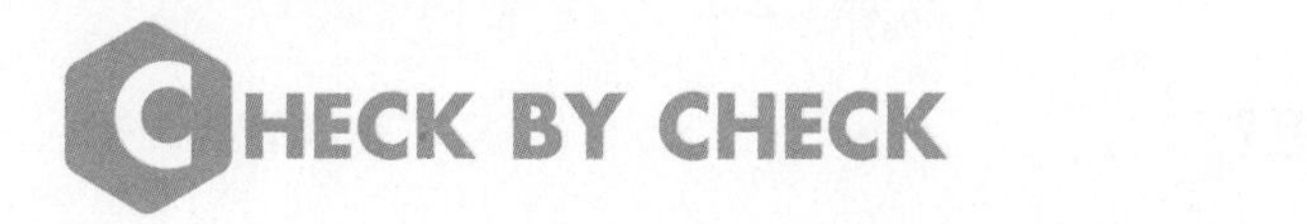

A

다음 문장이 능동태인지 수동태인지 쓰고, 문장을 해석해 보시오.

1 Mina ate the strawberry cake.

____

2 They invited me to their new house.

____

3 This letter was written in Greek.

____

4 I was born on the first day of January, 2007.

____

5 Apple was founded by Steve Jobs.

____

6 The doll was made by my grandmother.

____

7 The teacher was surprised at his smart answer.

____

8 I'm very interested in music and art.

____

B

(A), (B), (C)의 각 네모 안에서 어법에 맞는 표현으로 가장 적절한 것은?

Most dragons (A) [look / are looked] like snakes and lizards. But some dragons' heads were (B) [modeling / modeled] after those of the Ice Age rhinoceroses. Do other features also resemble real animals? How about dragons' fire breath? In the past, artists (C) [drew / were drawn] poison-spitting dragons and the poison looked like fire. People saw the pictures and started to think that dragons spat real fire.

	(A)		(B)		(C)
①	look	·····	modeling	·····	were drawn
②	look	·····	modeled	·····	drew
③	look	·····	modeling	·····	drew
④	are looked	·····	modeled	·····	drew
⑤	are looked	·····	modeled	·····	were drawn

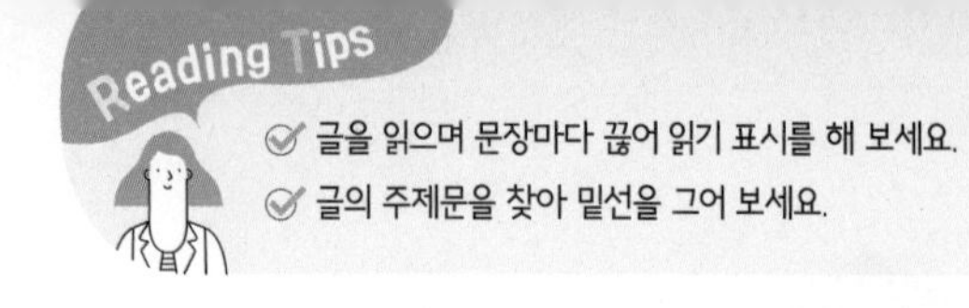

어휘 수 114
난이도 ★★☆

다음 글의 제목으로 가장 적절한 것은?

중3 학업성취도 평가

When I was in elementary school, my teacher Ms. Baker placed a round object in the middle of her desk. She asked my friend Daniel what color the object was. "White," he answered. I couldn't believe he said the object was white. For me, it was obviously black, so I answered, "Black." Then, Ms. Baker told me to go and stand where Daniel was standing. Then Daniel **was told** to come to where I was standing. Daniel and I changed places, and she asked me what the color of the object was. The second time, I had to answer, "White." I realized that an object could look different depending on your point of view.

① Different Perspectives
② Color-blindness in Childhood
③ The Rainbow Colors: Light Bends
④ Learning by Doing: The Best Teaching
⑤ Black and White Thinking Is Dangerous

배경 지식 쏙!쏙!

물체의 색깔이 사람마다 다르게 보이는 이유는?
우리 눈에는 빛을 받아들여 뇌에 그 정보를 보내는 세포가 있기 때문에 색을 볼 수 있어요. 하지만 같은 물체라도 태양 아래에 있는지, 그늘 아래에 있는지 등에 따라 색이 다르게 보여요. 장미의 색이 빨강이라고 말할 때는 그렇게 부르기로 했다는 의미이지 모든 사람이 같은 빨간색으로 느낀다는 뜻은 아니에요. 우리의 뇌는 받아들인 정보를 각자 다르게 해석하기 때문에 같은 색을 보더라도 서로 다르게 느낀답니다.

More & More

구문 해석 연습

1 다음 문장이 능동태인지 수동태인지를 쓰고, 문장을 해석해 보시오.

Daniel was told to come to where I was standing.

〈 정답 〉 ____________________

〈 해석 〉 ____________________

내신형

2 윗글의 내용과 일치하지 않는 것은?

① Ms. Baker는 'I'의 초등학교 때 선생님이었다.
② Ms. Baker는 책상 중앙에 둥근 물건을 두었다.
③ Daniel은 그 물건이 검은색이라고 말했다.
④ 'I'와 Daniel이 서로 자리를 바꾸었다.
⑤ 두 번째에는 'I'는 흰색이라고 대답할 수밖에 없었다.

어휘 elementary 초급의 place 놓다 round 둥근 object 물건, 사물 desk 책상 believe 믿다 obviously 분명히 realize 깨닫다 point of view 관점

다음 글의 요지로 가장 적절한 것은?

중3 학업성취도 평가

어휘 수 103
난이도 ★★☆

Long ago, a king **was defeated** in a battle. He was taking shelter in a cave from his enemy, and he saw a spider in it. It was trying to make a spider web. As it climbed up, a thread in its web broke and it fell down. But it did not give up. It tried to climb again and again. Finally, the spider successfully completed the web. The king thought, "If a small spider can face failure so bravely, why should I give up?" Then, he collected his soldiers and fought against his enemy again and again. Finally, he regained his kingdom.

* spider web: 거미줄

① 겸손은 최고의 미덕이다.
② 상대방 입장에서 생각해야 한다.
③ 포기하지 않고 계속 도전해야 한다.
④ 작은 일에도 감사하며 살아야 한다.
⑤ 노력하는 자는 즐기는 자를 이길 수 없다.

More & More

구문 해석 연습

1 주어진 문장에서 수동태에 밑줄을 긋고, 문장을 해석해 보시오.

Long ago, a king was defeated in a battle.

〈해석〉 ______________________________

수능 변형

2 a king에 관한 윗글의 내용과 일치하지 않는 것은?

① 전투에서 패한 후 동굴로 피신했다.
② 동굴 안에서 거미를 보았다.
③ 거미줄을 여러 번 끊었다.
④ 거미가 거듭 시도하여 거미줄을 완성하는 것을 보았다.
⑤ 다시 전투에 임하여 왕국을 되찾았다.

어휘 **defeat** 패배시키다, 물리치다 **battle** 전투 **shelter** 피신, 피난 **cave** 동굴 **enemy** 적 **spider** 거미 **climb** 올라가다 **thread** 실, 줄 **fall down** 떨어지다 **give up** 포기하다 **successfully** 성공적으로 **complete** 완성하다 **face** 직면하다, 직시하다 **bravely** 용감하게 **collect** 모으다 **soldier** 군사 **fight** 싸우다 **regain** 되찾다 **kingdom** 왕국

글의 흐름으로 보아, 주어진 문장이 들어가기에 가장 적절한 곳은?

고1 학평 3월

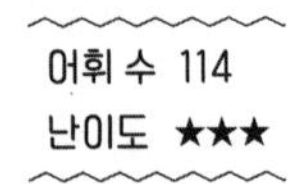

> Someone had to decide when the class would **be held** and in what room, communicate that information to you, and enroll you in that class. 3

Just think for a moment of all the people whose work has made your class possible. (①) Clearly, the class requires a teacher and students. (②) However, it also depends on many other people and organizations. (③) 6 Someone also had to write a textbook. (④) Many other people like printers, editors, salespeople, and bookstore employees help the textbook arrive in your hands. (⑤) Although it may seem that only you, your fellow 9 students, and your teacher **are involved** in the class, it is actually the product of the efforts of hundreds of people.

More & More

구문 해석 연습

1 다음 문장을 수동태로 바꾸고, 바꾼 문장을 해석해 보시오.

Someone wrote a textbook.

〈 정답 〉 ______________________________

〈 해석 〉 ______________________________

수능 변형

2 윗글의 요지로 가장 적절한 것은?

① Creating a textbook is a tough job.
② Teachers need to communicate with students.
③ Various organizations support private education.
④ Best students have the best classroom behavior.
⑤ A class can be held through the efforts of many people.

어휘 decide 결정하다 communicate 전하다; 소통하다 information 정보 enroll 입학시키다, 등록하다 require 필요로 하다 depend on ~에 의존하다, 달려 있다 organization 단체 textbook 교과서 salesperson 판매원 employee 직원 fellow 동료의 involve 연관시키다, 포함하다 product 산물, 결과물 effort 노력 hundreds of 수백의

글의 주장·요지 찾기

글의 주장 찾기 유형은 글쓴이가 무엇을 이야기하려고 하는지를 찾는 유형으로, 글의 초반에 배경이나 소재를 소개한 뒤 중반부에 글쓴이의 의도나 주장이 나타나는 경우가 많다. 명령문, 당위를 나타내는 표현, 강조하는 표현을 통해 주장을 확실히 드러내므로 이를 유의하며 글을 읽는다. **요지 찾기 유형**도 글쓴이가 말하고자 하는 바를 찾는 것이므로 유사한 유형이지만, 요지가 직접적으로 드러나기보다는 글 전체에 녹아 있는 경우가 많으므로 핵심을 요약하는 연습을 평소에 하는 것이 좋다.

어휘 수 105

다음 글에서 필자가 주장하는 바로 가장 적절한 것은? 고1 학평 3월

Many people think of what might happen in the future based on past failures. They might also get trapped by those failures. For example, let's say you failed in a certain area. When you go through the same situation later, you might expect to fail again. So, the fear of failing traps you in the past. Do not base your decision on what yesterday was. Your future is not your past and you have a better future. You must decide to forget and let go of your past. Your past experiences are the thief of today's dreams only when you allow them to control you.

① 꿈을 이루기 위해 다양한 경험을 하라.
② 미래를 생각할 때 과거의 실패에 얽매이지 말라.
③ 장래의 성공을 위해 지금의 행복을 포기하지 말라.
④ 자신을 과신하지 말고 실현 가능한 목표부터 세우라.
⑤ 결정을 내릴 때 남의 의견에 지나치게 의존하지 말라.

빈칸을 채워 보며 지문의 흐름을 파악해 봅시다.

Summing Up

도입(경향)	많은 사람들은 1 ____________에 근거하여 미래를 생각하는 경향이 있음
문제점	실패했던 상황을 또 마주했을 때 또 다시 실패할 것이라는 2 ____________이 생김
주장	결정을 내릴 때 3 ____________에 기반을 두면 안 됨

어휘 based on ~에 근거하여 failure 실패 trap 가두다 certain 특정한 area 분야 go through 겪다 expect 예상하다, 기대하다 fear 공포, 두려움 decision 결정 forget 잊다 let go of ~을 놓다 experience 경험 thief 도둑 allow 허락하다 control 통제하다, 지배하다

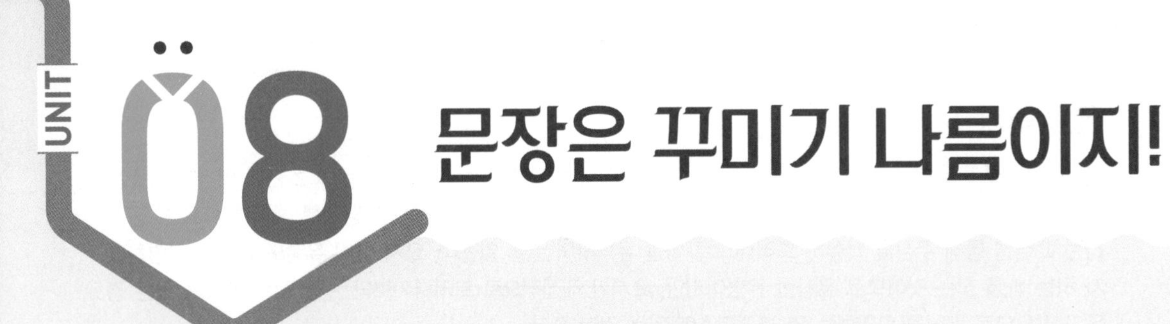

문장은 꾸미기 나름이지!

수능 필수 어휘 600

이번 Unit의 핵심 어휘입니다. 학습을 하기 전에 수능 필수 어휘 중 아는 어휘에 ☑ 체크해 보고 모르는 어휘는 미리 익혀 보세요.
(Unit을 마친 후 체크하지 않았던 어휘를 완전히 알고 있는지 다시 확인하세요.)

어휘	뜻	어휘	뜻
☐ past	과거	☐ light	불을 붙이다, (불이) 붙다
☐ factory	공장	☐ alive	살아 있는
☐ shift	교대 근무	☐ unpleasant	불쾌한
☐ hire	고용하다	☐ flame	불꽃
☐ tap	두드리다	☐ creep	살금살금 움직이다
☐ principal	교장 선생님	☐ crawl	기다
☐ pleased	기쁜	☐ tremble	떨다, 떨리다
☐ thankful	고마워하는	☐ workman	일꾼, 노동자
☐ classical	고전의	☐ trade	일
☐ match	성냥	☐ skilled	숙련된

어휘	뜻	어휘	뜻
☐ make a demand	요구하다	☐ era	시대
☐ support	부양하다	☐ deer	사슴
☐ earn a living	생계를 유지하다	☐ headlight	전조등
☐ sew	바느질하다	☐ personal	개인적인
☐ simple	단순한	☐ successful	성공한
☐ efficient	효율적인	☐ keep in mind	~을 명심하다
☐ productive	생산적인	☐ blind	눈먼
☐ technology	기술	☐ seemingly	겉보기에
☐ questionable	미심쩍은, 의심스러운	☐ impossible	불가능한
☐ advantage	장점	☐ intuition	직관

문장은 꾸미기 나름이지!

수식어는 문장의 각 요소들을 꾸며 주는 역할을 해요. 밋밋한 문장은 수식어로 인해 그 의미가 풍부해지기도 하죠. 하지만 수식어가 많아질수록 문장의 길이도 길어지기 때문에 문장의 핵심 요소를 파악하기 어려울 수도 있어요. 수식어의 다양한 형태와 적절한 위치를 익혀 긴 문장도 부담 없이 읽어 보도록 해요.

수식어로 쓰이는 형태 ❶

형용사와 부사

형용사는 명사를 앞에서 수식하는데, -thing, -one, -body로 끝나는 대명사의 경우 뒤에서 수식한다. 부사는 보통 -ly로 끝나는 형태이며, 형용사, 동사, 부사, 또는 문장 전체를 수식한다.

- Ben and I / took / **wonderful** pictures. 〈형용사: 명사 수식〉
  Ben과 나는 멋진 사진을 찍었다.
- I / have / something **special** / for you. 〈형용사: 대명사 something을 뒤에서 수식〉
  나는 너를 위해 특별한 무언가를 준비했다.
- Lisa / doesn't give up / **easily**. 〈부사: 동사 수식〉
  Lisa는 쉽게 포기하지 않는다.

수식어로 쓰이는 형태 ❷

분사

분사가 혼자서 명사를 수식할 때는 명사 앞에 온다. 현재분사는 어떤 영향이나 효과를 줄 때, 과거분사는 동작을 받는 것이나 사람의 감정을 나타낼 때 주로 사용한다. 분사가 다른 수식어와 함께 명사를 수식할 때는 명사 뒤에 온다.

- The **crawling** baby / is / so cute. 〈현재분사〉
  기어 다니고 있는 아기가 아주 귀엽다.
- The **fallen** leaves / covered / the pool. 〈과거분사〉
  낙엽이 웅덩이를 뒤덮었다.
- I / want / to read books / **written in English**. 〈다른 수식어와 함께 오는 과거분사〉
  나는 영어로 쓰인 책들을 읽고 싶다.

수식어로 쓰이는 형태 ❸

to부정사

to부정사는 명사를 뒤에서 수식할 수도 있고, 그 외 형용사나 문장 전체를 수식할 수도 있다.

- I / need / a bag / **to carry** these books. 〈명사 수식〉
  나는 이 책들을 나를 가방이 필요하다.
- Bob / is / happy / **to have** new shoes. 〈형용사 수식〉
  Bob은 새 신발을 갖게 되어 기쁘다.
- **To get** a refund, / you / should bring / the receipt. 〈문장 전체 수식〉
  환불을 받기 위해서, 당신은 영수증을 가져와야 한다.

수식어로 쓰이는 형태 ❹

전치사구

전치사구는 명사, 동사, 형용사 등 문장의 다양한 요소를 수식할 수 있으며 때로는 문장 전체를 수식하기도 한다.

- Nelly / found / a house / **with two bedrooms**. 〈명사 수식〉
  Nelly는 침실이 두 개인 집을 찾았다.
- We / first / met / **at a party**. 〈동사 수식〉
  우리는 파티에서 처음 만났다.
- **Until recently**, / no one / knew / about her works. 〈문장 전체 수식〉
  최근까지, 아무도 그녀의 작품을 알지 못했다.

A

수식어를 찾아 괄호로 묶고, 문장을 해석해 보시오.

1 An old man bought their beautiful house.

____

2 Can you get me something cold?

____

3 Be quiet! You may wake up the sleeping baby.

____

4 James fixed the window broken by a baseball.

____

5 Seoul is a good place to visit.

____

6 We felt sorry to hear the news.

____

7 I really like the picture on the wall.

____

8 They used to sit under the tree.

____

B

다음 글에서 수식어를 모두 찾아 밑줄을 그어 보시오.

How did people in the past wake up at the time they wanted? In the 1800s and early 1900s, British people worked in factories. Workers needed to wake up at a certain time for their shifts. But they didn't have enough money to buy an expensive alarm clock. So they hired walking human alarm clocks. These people walked through the street and tapped on their customers' bedroom windows with a wooden stick.

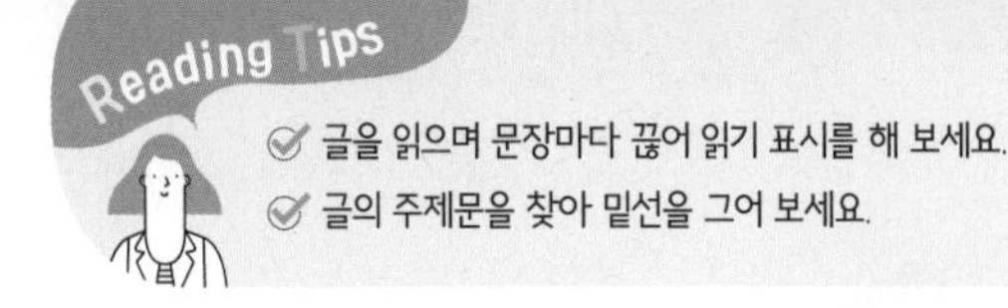

1

어휘 수 93
난이도 ★☆☆

다음 글의 목적으로 가장 적절한 것은? 중3 학업성취도 평가

Dear Principal,

I was very pleased that I had a chance to play the violin for your students. I am thankful that you had me at your school last week. It was my first time to play at a middle school. I was nervous because I was not sure if your students would like classical music. When I started playing, I realized that I did not have to worry. Your students were a wonderful audience. It is always encouraging to see young students interested in classical music. Thank you.

Best regards,
Clara Jung

① 클래식 음악회를 홍보하기 위해
② 학교 방문 계획을 취소하기 위해
③ 바이올린 연주회에 학생들을 초청하기 위해
④ 음악 경연 대회 수상 결과를 알려주기 위해
⑤ 바이올린 연주 기회를 준 것에 감사하기 위해

More & More

구문 해석 연습

1 주어진 문장에서 명사 수식어에 밑줄을 긋고, 문장을 해석해 보시오.

I was very pleased that I had a chance to play the violin for your students.

〈 해석 〉 ______________________

내신형

2 윗글의 'I'에 대한 내용과 일치하지 않는 것은?

① 학생들을 위해 바이올린 연주를 했다.
② 바이올린 연주를 위해 학교에 초대받았다.
③ 중학교에서 연주한 것은 처음이었다.
④ 학생들 앞에서 실수할까 봐 불안해했다.
⑤ 학생들이 훌륭한 청중이라고 말했다.

어휘 **principal** 교장 선생님 **pleased** 기쁜 **violin** 바이올린 **thankful** 고마워하는 **nervous** 긴장된 **classical** 고전의 **realize** 깨닫다, 인식하다 **audience** 청중, 관객 **encouraging** 고무적인, 격려하는

다음 글에 드러난 'I'의 심경으로 가장 적절한 것은?

고1 학평 3월

어휘 수 96
난이도 ★☆☆

I heard something moving **slowly along the walls.** I searched for a match **in the dark** and tried to strike it. But it wouldn't light. This time I was certain: Something **alive** was moving **in the tunnels.** It wasn't a rat. A **very unpleasant** smell came into my nostrils. **Finally,** I could light a match. At first I couldn't see anything because of the flame; then I saw something creeping toward me. **From all the tunnels. Shapeless** figures **crawling like spiders.** The match fell **from my trembling fingers.** I wanted to start running, but I couldn't.

* nostril: 콧구멍

① frightened ② delighted ③ depressed
④ jealous ⑤ relieved

More & More

구문 해석 연습
1 주어진 문장에서 분사에 밑줄을 긋고, 문장을 해석해 보시오.

The match fell from my trembling fingers.

〈해석〉

내신형
2 윗글의 'I'에 대한 내용과 일치하지 않는 것은?

① 뭔가가 벽을 따라 움직이는 소리를 들었다.
② 성냥을 한 번에 켰다.
③ 뭔가 터널 안에서 움직이는 것을 보았다.
④ 매우 불쾌한 냄새를 맡았다.
⑤ 뭔가가 자신 쪽으로 기어오는 것을 보고 성냥을 떨어뜨렸다.

어휘 match 성냥 strike (성냥을) 긋다 light 불을 붙이다, (불이) 붙다 certain 확신하는 alive 살아 있는 tunnel 터널 rat 쥐 unpleasant 불쾌한 flame 불꽃 creep 살금살금 움직이다 crawl 기다 tremble 떨다, 떨리다

다음 빈칸에 들어갈 말로 가장 적절한 것은?

고1 학평 3월

어휘 수 115
난이도 ★★★

In small towns, the same workman makes chairs, doors and tables. Often, the same man builds houses as well. Of course it isn't possible for a man of many trades to be skilled in all of them. In large cities, on the other hand, many people make demands on each trade. So, only one trade alone is enough to support a man. For example, one man makes men's shoes and another makes women's shoes. And there are places even where one man earns a living by only stitching shoes, another by cutting them out, and another by sewing the uppers together. Although skilled workers had simple tools, their __________ made them more efficient and productive.

* trade: 일

① specialization ② criticism ③ competition
④ diligence ⑤ imagination

배경 지식 쏙!쏙!

분업화란?
이 개념은 '보이지 않는 손'으로 유명한 Adam Smith가 1776년 집필한 <국부론>에 등장하여 유명해졌어요. Smith는 핀 공장을 예시로 들며 일꾼들이 각기 다른 역할을 맡아 핀을 만듦으로써 생산 효율성을 크게 높일 수 있다고 설명했지요. 포드 자동차 회사의 창립자인 Henry Ford는 1920년대 자동차 조립 공정에 분업화를 도입하여 생산성을 높인 인물로 유명해요.

More & More

구문 해석 연습
1 주어진 문장에서 수식어 두 가지를 찾아 밑줄을 긋고, 문장을 해석해 보시오.

One trade is enough to support a man.

〈 해석 〉 ______________________________

내신형
2 윗글의 내용과 일치하도록 빈칸에 알맞은 말을 쓰시오.

It depends on where you __________ how many __________ you should do.

어휘 workman 일꾼, 노동자 skilled 숙련된 make a demand 요구하다 support 부양하다 earn a living 생계를 유지하다 stitch 꿰매다 sew 바느질하다 upper 신발의 윗부분(갑피) simple 단순한 tool 도구 efficient 효율적인 productive 생산적인

밑줄 친 부분 의미 파악하기

글을 통해 밑줄 친 부분의 의미가 구체적으로 무엇인지 알아내는 유형이다. 글의 요지나 주제와 밀접한 연관이 있는 부분이 밑줄로 제시되는 경우가 많으므로 글의 핵심을 이해하는 것이 중요하다. 글의 핵심을 이해한 후 밑줄 친 부분의 앞뒤 내용을 파악하여 자신이 생각한 의미가 맞는지 다시 확인하도록 한다.

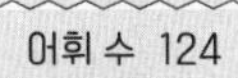

밑줄 친 information blinded가 다음 글에서 의미하는 바로 가장 적절한 것은?

고1 학평 3월

Technology has questionable advantages. In an era of too much information, it is difficult to use only the right information and keep the decision-making process simple. The Internet has made information freely available on many issues. We think we have to consider all the information in order to make a decision. So we keep searching for answers on the Internet. This makes us information blinded, like deer in headlights, when we try to make personal, business, or other decisions. To be successful in anything today, we have to keep in mind that in the land of the blind, a one-eyed person can achieve the seemingly impossible. With his one eye of intuition, the one-eyed person keeps analysis simple and will become the decision maker.

* intuition: 직관

① unwilling to accept others' ideas
② unable to access free information
③ unable to make decisions due to too much information
④ indifferent to the lack of available information
⑤ willing to take risks in decision-making

빈칸을 채워 보며 지문의 흐름을 파악해 봅시다.

Summing Up

도입(문제점)	현 시대에서는 올바른 정보만 사용하고, 의사 결정 과정을 단순하게 하기 어려움
이유1	인터넷에 1 ________________가 너무 많음
이유2	의사 결정을 할 때 2 ________________를 고려해야 한다고 생각함
결론(주장)	3 ________________으로 단순하게 분석하여 의사 결정을 해야 함

어휘 technology 기술 questionable 미심쩍은, 의심스러운 advantage 장점 era 시대 process 과정 issue 사안, 문제 consider 고려하다 deer 사슴 headlight 전조등 personal 개인적인 successful 성공한 keep in mind ~을 명심하다 blind 눈먼 seemingly 겉보기에 impossible 불가능한

문장과 문장을 이어 주는 것은 나!

수능 필수 어휘 600

이번 Unit의 핵심 어휘입니다. 학습을 하기 전에 수능 필수 어휘 중 아는 어휘에 ☑ 체크해 보고 모르는 어휘는 미리 익혀 보세요.
(Unit을 마친 후 체크하지 않았던 어휘를 완전히 알고 있는지 다시 확인하세요.)

어휘	뜻	어휘	뜻
□ own	자신의	□ millionaire	백만장자, 굉장한 부호
□ difference	차이, 다름	□ name after	이름을 따다
□ recognize	알아보다, 인식하다	□ sink	가라앉다, 빠지다
□ stranger	낯선 사람	□ expect	예상하다, 기대하다
□ treat	대접, 취급	□ slide	미끄러지다
□ ignore	무시하다	□ empire	제국
□ look like	~처럼 보이다	□ universe	우주, 은하계
□ at one time	한때; 동시에	□ isolated	외딴, 고립된
□ engineering	공학, 공학 기술	□ family name	성(姓)
□ expensive	비싼, 돈이 많이 드는	□ fisherman	어부, 낚시꾼

Even if the world falls,
I will do my job!

어휘	뜻	어휘	뜻
☐ **rest**	나머지	☐ **as a result**	결과적으로
☐ **first language**	모국어	☐ **state**	주; 국가, 나라
☐ **write down**	적어놓다, 기록하다	☐ **championship**	선수권 대회
☐ **calculation**	계산	☐ **exhausted**	기진맥진한, 진이 다 빠진
☐ **determine**	결정하다, 확정하다	☐ **afterward**	후에, 나중에
☐ **ingredient**	재료, 성분	☐ **gently**	부드럽게, 약하게
☐ **subject**	과목	☐ **ahead of**	~ 앞에, ~보다 앞선
☐ **recipe**	조리법, 요리법	☐ **deserve**	~을 받을 만하다
☐ **dozen**	다스, 12개	☐ **hometown**	고향
☐ **awful**	끔찍한, 지독한	☐ **in honor of**	~에게 경의를 표하며

문장과 문장을 이어 주는 것은 나!

문장과 문장을 이어 주는 것을 접속사라고 해요. 접속사의 의미를 정확히 안다면 글의 흐름을 파악하기 쉬워지겠죠? 접속사는 의미에 따라 서로 대등한 것을 연결해 주는 등위접속사, 주인에 해당하는 문장의 부속 문장을 이끄는 종속접속사, 그리고 숙어처럼 외워 둘 필요가 있는 상관접속사가 있다는 것을 기억해 두세요.

등위접속사

구나 절을 비슷한 관계로 이어 주는 접속사를 등위접속사라고 한다. 등위접속사로는 for, and, nor, but, or, yet, so가 있다.

- The hotel / is small / **but** / very cozy.
  그 호텔은 작지만 매우 아늑하다.
- The sun / shines / **and** / everybody / feels / happy.
  햇살이 빛나고 모두가 행복해 한다.

종속접속사

등위접속사가 비슷한 관계로 문장을 이어 주는 역할을 하는 것과 달리, 종속접속사는 주절(주요 문장)과 종속절(부속 문장)을 연결할 때 쓰는 접속사이다.

– 명사절을 이끄는 접속사: that, if[whether]
– 부사절을 이끄는 접속사: 〈시간〉 when, while, after, before, since, until, as
〈이유〉 because, as, since
〈조건 / 양보〉 if, though, although, even if[though]

- Soyeon and I / met / **when** we were at school. 〈시간〉
  소연과 나는 학교에 있을 때 만났다.
- **Because** I hate the fishy smell, / I / don't eat / fish. 〈이유〉
  나는 비린내가 싫기 때문에 생선을 먹지 않는다.
- **If** you try hard, / you'll / get / a better grade. 〈조건〉
  너는 열심히 노력한다면, 더 좋은 성적을 얻게 될 것이다.
- **Though** it is warm, / he / is still wearing / a coat. 〈양보〉
  날씨가 따뜻함에도 그는 여전히 코트를 입고 있다.

상관접속사

「both *A* and *B*(A와 B 둘 다)」와 같이 두 어구가 짝이 되어 두 개의 말을 연결하는 접속사 역할을 하는데, 이때 A와 B에는 명사, 형용사, 구, 절 등 대등한 요소가 와야 한다. 아래 어구들을 숙어처럼 외워 둘 필요가 있다.

either *A* or *B*: A 또는 B 둘 중 하나
neither *A* nor *B*: A와 B 둘 다 아닌
not *A* but *B*: A가 아니라 B
not only *A* (but) also *B*: A뿐만 아니라 B도

- He / is / **both** handsome **and** smart.
  그는 잘생기고 현명하다.
- You / can have / **either** a dog **or** a cat.
  너는 개나 고양이 둘 중 하나만 기를 수 있다.
- She / is / **neither** pretty **nor** clever, / but / everyone / likes / her.
  그녀는 예쁘지도 않고 똑똑하지도 않지만, 모두가 그녀를 좋아한다.
- He / is / **not only** handsome **(but) also** smart.
  그는 잘생길 뿐만 아니라 현명하기도 하다.

A

접속사를 찾아 밑줄을 긋고, 문장을 해석해 보시오.

1 I asked him if he was okay.

____

2 He was late because he missed the subway.

____

3 I had a stomachache and I went to hospital.

____

4 Jake hates swimming but Anne loves swimming.

____

5 Do you think that the pants look good on me?

____

6 I neither ate nor slept during the boat trip.

____

7 Nathan can speak both English and French.

____

8 My dream is not to fly a plane but to make a plane.

____

B

(A), (B), (C)의 각 네모 안에서 흐름상 맞는 표현으로 가장 적절한 것은?

Do pets know their own names? Yes, they do. A study shows (A) [that / what] pets know the difference between their names and similar-sounding words. Pets recognize their names even (B) [when / because] a stranger says them. Scientists think that pets learn to listen to their names in order to get praise or treats from their owners. Then why does your cat sometimes not come when it's called? Either it didn't hear it (C) [or / and] it is ignoring you!

	(A)		(B)		(C)
①	that	·····	when	·····	or
②	that	·····	when	·····	and
③	that	·····	because	·····	and
④	what	·····	because	·····	or
⑤	what	·····	because	·····	and

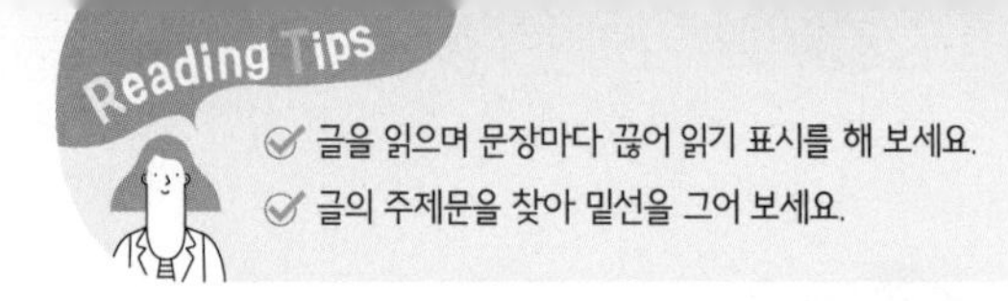

어휘 수 99
난이도 ★☆☆

다음 빈칸에 들어갈 말로 가장 적절한 것은? 중3 학업성취도 평가

Off the coast of Dubai, there are 300 man-made islands. **Since** the islands looked like a map, they were named "The World." At one time, they were a success of engineering. Today, they can only be called ______________. The islands were designed for expensive homes and hotels. Millionaires were invited to buy islands named after countries. **When** the islands were first built, sand in the Gulf of Oman was moved to build the islands. Today, the islands are sinking into the sea. The builders did not expect the islands to slide into the sea. They are now disappearing.

① a plan ② a failure ③ an empire
④ a victory ⑤ a universe

More & More

구문 해석 연습
1 주어진 문장에서 접속사에 밑줄을 긋고, 문장을 해석해 보시오.
Since the islands looked like a map, they were named "The World."
〈해석〉 ______________________________

수능 변형
2 'The World'에 관한 윗글의 내용과 일치하지 않는 것은?
① 두바이 해안에 있는 300개의 인공 섬이다.
② 지도처럼 보여서 그런 이름을 가졌다.
③ 비싼 주택과 호텔 용도로 설계되었다.
④ 백만장자들이 자신들의 이름을 딴 섬들을 구입하도록 초대받았다.
⑤ 건설하는 데 오만만의 모래가 사용되었다.

어휘 **coast** 해안 **look like** ~처럼 보이다 **at one time** 한때; 동시에 **engineering** 공학, 공학 기술 **expensive** 비싼, 돈이 많이 드는 **millionaire** 백만장자, 굉장한 부호 **name after** ~의 이름을 따다 **sink** 가라앉다, 빠지다 **expect** 예상하다, 기대하다 **slide** 미끄러지다 **disappear** 사라지다 **empire** 제국 **universe** 우주, 은하계

• 정답과 해설 42쪽

어휘 수 117
난이도 ★☆☆

Tristan da Cunha에 관한 다음 글의 내용과 일치하지 않는 것은? 중3 학업성취도 평가

Tristan da Cunha is one of the most isolated islands on Earth. It is in the middle of the Atlantic Ocean. The weather is not cold, **but** the winds are strong. There are a lot of ocean birds. About 300 people live on Tristan da Cunha, **and** they share only eight family names. They are the families of the people who came to the island in 1816. They speak English. Most people are farmers or fishermen. There is no airport, **and** ships only visit a few times a year. In the past, it was hard for the people on the island to communicate with the rest of the world. Now, however, they have telephones and the Internet.

① 춥지는 않지만 바람이 강하다.
② 대략 300명의 사람들이 거주한다.
③ 주민들이 사용하는 언어는 영어다.
④ 공항이 있고 배가 수시로 출입한다.
⑤ 요즘은 전화와 인터넷이 있다.

More & More

(구문 해석 연습)
1 주어진 문장에서 접속사에 밑줄을 긋고, 문장을 해석해 보시오.

The weather is not cold, but the winds are strong.

〈해석〉 ______________________________

(내신형)
2 윗글을 통해 대답할 수 없는 질문으로 알맞은 것은?

① Where is Tristan da Cunha?
② How is the weather in Tristan da Cunha?
③ What langauge do the people in Tristan da Cunha speak?
④ What do the most people in Tristan da Cunha do?
⑤ How long does it take to Tristan da Cunha by ship?

어휘 **isolated** 외딴, 고립된 **ocean** 바다, 대양 **share** 나누다, 함께 쓰다 **family name** 성(姓) **fisherman** 어부, 낚시꾼 **communicate** 연락을 주고받다 **rest** 나머지 **first language** 모국어

글의 흐름으로 보아, 주어진 문장이 들어가기에 가장 적절한 곳은?

중3 학업성취도 평가

어휘 수 103
난이도 ★★☆

> **So**, this time, **before** I started baking again, I wrote down my calculations to determine the right amount of ingredients.

For me, math was only a school subject. (①) However, I changed my mind about math last month **when** my mom asked me to bake cookies for a big party. (②) My mom gave me her recipe for a dozen cookies, **but** she asked me to make six dozen. (③) I tried, **but** the cookies turned out as hard as rocks and tasted awful. (④) Suddenly, I realized **that** I made a mistake in my calculation! (⑤) As a result, math helped me bake the perfect chocolate cookies.

* ingredient: 재료

배경 지식 쏙!쏙!

맨홀 뚜껑은 왜 둥글까?
다른 도형들과 달리 원은 어느 방향으로 폭을 재어도 그 폭이 일정하기 때문이랍니다. 구멍 속에 맨홀 뚜껑이 쉽게 빠지지 않기 때문에 거의 모든 맨홀 뚜껑은 둥글둥글합니다. 이처럼 우리의 생활 곳곳에 수학의 원리가 들어 있기 때문에 성적이 아니라 생활의 지혜를 얻기 위해서라도 수학을 공부해야 합니다.

More & More

구문 해석 연습

1 주어진 문장에서 접속사에 밑줄을 긋고, 문장을 해석하시오.

My mom gave me her recipe for a dozen cookies, but she asked me to make six dozen.

〈해석〉 ____________________

내신형

2 윗글에서 글쓴이가 수학에 대한 생각을 바꾼 이유로 가장 적절한 것은?

① 요리에도 수학적 계산을 적용할 수 있음을 깨달아서
② 어려운 수학 문제를 우연히 해결하고 성취감을 느껴서
③ 요리를 통해 수학을 가르치는 선생님의 영향 때문에
④ 쿠키를 오래 보관하는 데 수학 지식이 도움이 되어서
⑤ 수학자들 중 미식가가 많다는 사실을 알게 되어서

어휘 **write down** 적어 놓다, 기록하다 **calculation** 계산 **determine** 결정하다, 확정하다 **subject** 과목 **recipe** 조리법, 요리법 **dozen** 다스, 12개 **awful** 끔찍한, 지독한 **as a result** 결과적으로

가리키는 대상 찾기

잘 알려지지 않은 흥미로운 이야기나 전기문과 같은 지문에서 대명사가 가리키는 대상을 정확히 이해하는지를 묻는 유형이다. 우선 글 초반에서 글의 전개 상황과 등장인물을 먼저 파악한 후, 대명사가 있는 앞뒤 문장을 살피며 읽으면 어렵지 않게 가리키는 대상을 찾아낼 수 있다.

어휘 수 122

밑줄 친 she[her]가 가리키는 대상이 나머지 넷과 다른 것은? 고1 학평 3월

Meghan Vogel was tired. She had just won the state championship in the 1,600-meter race. She was so exhausted afterward that she was in last place during the next 3,200-meter race. As she came close to the finish line, the runner in front of ① her, Arden McMath, fell to the ground. ② She stopped and helped McMath get up. Together, they walked the last 30 meters. Vogel guided ③ her to the finish line. And then she gently pushed McMath across the finish line, just ahead of Vogel herself. "If you work hard, you deserve to finish," she said. Later, Vogel's hometown held a parade in ④ her honor. It wasn't because of the race she won. It was because of the race where ⑤ she finished last.

빈칸을 채워 보며 지문의 흐름을 파악해 봅시다.

Summing Up

발단	Meghan Vogel은 1 ______________ 경주에서 우승한 후 지침
전개	3,200미터 경주에선 꼴찌가 유력했으나, Vogel 앞에서 McMath가 넘어짐
절정	Vogel은 McMath를 도와 자신보다 먼저 2 ______________
결말	Vogel의 고향 사람들이 3 ______________ 때문에 경의를 표함

어휘 **state** 주; 국가, 나라 **championship** 선수권 대회 **exhausted** 기진맥진한, 진이 다 빠진 **afterward** 후에, 나중에 **gently** 부드럽게, 약하게 **ahead of ~** 앞에, ~보다 앞선 **deserve** ~을 받을 만하다 **hometown** 고향 **hold** (행사 등을) 열다, 개최하다 **honor** 영예, 명예 **in honor of** ~에게 경의를 표하며

비교해 보니 내가 최고지!

수능 필수 어휘 600

이번 Unit의 핵심 어휘입니다. 학습을 하기 전에 수능 필수 어휘 중 아는 어휘에 ☑ 체크해 보고 모르는 어휘는 미리 익혀 보세요.
(Unit을 마친 후 체크하지 않았던 어휘를 완전히 알고 있는지 다시 확인하세요.)

어휘	뜻	어휘	뜻
☐ sleepy	졸린, 졸음이 오는	☐ collection	수집, 모음
☐ focus on	~에 집중하다	☐ ecosystem	생태계
☐ choice	선택	☐ habitat	서식지, 거주지
☐ take a rest	쉬다, 휴식하다	☐ natural resource	천연자원
☐ list	명단에 올리다	☐ tiny	아주 작은
☐ grow up	자라다, 성장하다	☐ seed	씨앗
☐ average	평균의	☐ scatter	뿌리다
☐ custom clothing	맞춤복	☐ nest	둥지, 보금자리
☐ height	키	☐ well-known	잘 알려진, 유명한
☐ reach	닿다, 도달하다	☐ dentist	치과 의사

어휘	뜻	어휘	뜻
☐ examine	조사하다, 검사하다	☐ mark	기록하다, 표시하다
☐ tooth decay	충치	☐ CEO	최고 경영자(= Chief Executive Officer)
☐ observation	관찰, 감시	☐ catalogue	목록, 카탈로그
☐ contain	~이 들어 있다	☐ fine	질 높은, 좋은
☐ grain	곡물, 낟알	☐ luxury	호화로운, 고급스러운
☐ mineral	미네랄	☐ acquire	얻다, 획득하다
☐ greet	인사하다, 환영하다	☐ customer	손님, 고객
☐ flight attendant	(비행기) 승무원	☐ courageous	용감한
☐ amazed	놀란	☐ loyal	충성스러운
☐ treatment	대우, 처우	☐ temporary	일시적인, 임시의

비교해 보니 내가 최고지!

우리말 지문과 마찬가지로 영어 지문을 읽을 때에도 비교와 관련된 표현을 많이 보게 되므로 비교 표현은 꼭 알아 두어야 해요. 특히, 도표 문제 등을 풀 때 꼭 알아야 하는 배수사 비교 표현은 기억해 두고, 원급 비교나 비교급을 활용한 관용 표현들은 숙어처럼 외워 두면 비교급이 있는 문장도 두렵지 않을 거예요.

원급 비교

「as+형용사나 부사의 원급+as」 형태로 비교 대상이 서로 동등함을 나타낸다. as와 so를 활용한 다양한 원급 비교 표현들은 숙어처럼 자주 쓰인다.

as ~ as possible: 가능한 한 ~
as long as: ~하는 한
not so much ~ as ...: ~라기보다는 오히려 …
as ~ as can be: 더할 나위 없이 ~

- I / am / **as tall as** / my sister.
  나는 내 언니와 키가 같다.
- You / should finish / the work / **as soon as** possible.
  너는 가능한 한 빨리 그 일을 끝마쳐야 한다.

비교 / 배수사 비교

「비교급+than+비교 대상」은 '~보다 ~ 더 ~한'의 의미를 나타낸다. 또한, 원급을 활용한 「배수사+as+형용사나 부사의 원급+as」 형태나 비교급을 활용한 「배수사+비교급+than」 형태로 쓰여 '~보다 ~배나 더 ~한'의 의미를 나타낸다.

* 비교급의 형태: 형용사나 부사의 원급에 -er이 붙거나 그 앞에 more, less가 있음(smarter, nicer, hotter, easier, more famous)

- Sangjin / looks / **younger than** / my brother.
  상진이는 내 동생보다 더 젊어 보인다.
- Gold / is / **more valuable than** / silver.
  금은 은보다 더 가치가 있다.
- This train / is / **four times longer than** / that car.
  이 기차는 저 차보다 네 배만큼 길다.

최상급 비교

형용사나 부사가 나타내는 크기나 양의 범위가 범위 내에서 최고나 최하의 수준임을 나타낼 때 쓰며, '가장 ~한'의 의미를 나타낸다.

* 최상급의 형태: 형용사나 부사의 원급에 -est가 붙거나 그 앞에 most가 있음(smartest, nicest, hottest, easiest, most famous)

- Usain Bolt / is / **the fastest** man / in the world.
  Usain Bolt는 세계에서 가장 빠른 사람이다.
- This / is / **the most difficult** math problem / for me.
  이것이 내게 가장 어려운 수학 문제이다.

비교 표현을 활용한 관용 표현

비교 표현을 활용한 다양한 표현들이 숙어처럼 쓰이니 반드시 외워 둬야 한다.

the+비교급 ~, the+비교급 ...: ~하면 할수록 더 …한
비교급+and+비교급: 점점 더 ~한
not more than: 미만의, 겨우
no less than: ~만큼이나
no longer[not any more]: 더 이상 ~ 아닌

- **The more** / we / learn, **the wiser** / we / are.
  더 많이 배울수록, 더 현명해진다.
- Everything / will get / **better and better**.
  모든 것이 점점 더 나아질 거다.

A **밑줄 친 부분에 유의하여, 문장을 해석해 보시오.**

1 Call me back as soon as possible.

____

2 The chair is as comfortable as the sofa.

____

3 My brother's bedroom is twice as big as mine.

____

4 He makes three times more money than others.

____

5 She gave me the worst advice.

____

6 Cathy is the most popular student in our school.

____

7 The more we have, the more we want.

____

8 It is getting hotter and hotter every year.

____

B **(A), (B), (C)의 각 네모 안에서 어법상 맞는 표현으로 가장 적절한 것은?**

> There is a saying that too much is as (A) [bad / worse] as too little. A study shows that drinking too much energy drink can be very hard on your heart and send you to the hospital. It also makes you feel sleepy and you may not focus on your work. An energy drink is not the (B) [safest / the most safe] choice for your body. It's (C) [best / better] to take a rest when you feel tired than to get unnaturally energized.

	(A)		(B)		(C)
①	bad	·····	safest	·····	best
②	worse	·····	the most safe	·····	best
③	bad	·····	safest	·····	better
④	worse	·····	safest	·····	better
⑤	bad	·····	the most safe	·····	best

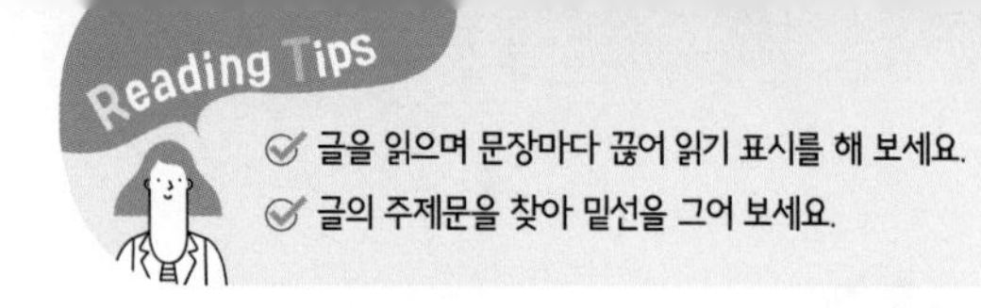

어휘 수 93
난이도 ★☆☆

Robert Pershing Wadlow에 관한 다음 글의 내용과 일치하지 <u>않는</u> 것은? 중3 학업성취도 평가

Robert Pershing Wadlow is listed by Guinness World Records as **the tallest** person who ever lived. He was born in 1918 in Alton, Illinois in the United States. When he was born, he was just a normal-sized baby. He grew up quickly, and at age 13, he was already 7 feet 4 inches tall, and weighed 270 pounds. His clothing size was **larger than** the average clothing size. So he needed custom clothing, and his feet became large enough to wear size 19 shoes. His full height reached 8 feet 11.1 inches tall.

① Guinness World Records에 올라 있다.
② 1918년에 Illinois에서 태어났다.
③ 태어날 때부터 남다르게 컸다.
④ 13살에 몸무게가 270파운드였다.
⑤ 키가 8피트 11.1인치까지 자랐다.

배경 지식 쏙!쏙!

기네스북은 누가 만들었을까?
기네스는 세계적으로 유명한 맥주 회사이다. 기네스북은 해당 회사에서 1년에 한 번 세계의 최고 기록들을 모아 발간하는 책자이다. 1951년 기네스의 사장인 Hugh Beaver 경이 새 사냥을 하던 도중에 검은가슴물떼새가 너무 빨라 한 마리도 잡지 못했다. 그는 그 새가 유럽에서 가장 빠를 거라 생각했지만 해당 자료를 찾지 못하자 이를 계기로 세계 기록을 모아서 책으로 만들었다.

More & More

구문 해석 연습

1 주어진 문장에서 비교급이 쓰인 곳에 밑줄을 긋고, 문장을 해석해 보시오.

His clothing size was larger than the average clothing size.

〈해석〉 ______________________________

내신형

2 윗글의 내용과 일치하도록 할 때 빈칸에 알맞은 말을 쓰시오.

Robert Pershing Wadlow was born as a ______________ baby, but grew up to ______________.

어휘 list 명단에 올리다 normal-sized 보통 크기의 grow up 자라다, 성장하다 weigh 무게가 나가다 average 평균의 custom clothing 맞춤옷 enough to ~하기에 충분한 height 키 reach 닿다, 도달하다

다음 글의 빈칸에 들어갈 말로 가장 적절한 것은?

중3 학업성취도 평가

어휘 수 113
난이도 ★★☆

Our world is a collection of all kinds of ecosystems. An ecosystem is a community of all the living things, their habitats, and the climate. Everyone in these communities shares food and natural resources. Ecosystems can be **as big as** the whole world. They can be **as tiny as** a rock, too. A ________ is a great example of an ecosystem. It provides a habitat for small animals, birds, and insects. It provides shade for plants on the ground. It drinks in sunlight to grow **bigger** and makes seeds. The small animals and birds eat its seeds and scatter them around. And when it dies, it becomes a part of the ground again.

*habitat: 서식지, 거주지

① cloud ② desert ③ nest
④ river ⑤ tree

More & More

구문 해석 연습

1 주어진 문장에서 비교급이 쓰인 곳에 밑줄을 긋고, 문장을 해석해 보시오.

It drinks in sunlight to grow bigger and makes seeds.

〈 해석 〉 ________________

내신형

2 윗글의 내용과 일치하지 않는 것은?

① 모든 생태계의 집합체가 우리의 세계이다.
② 생태계는 모든 생물, 그들의 서식지, 기후의 공동체이다.
③ 생태계는 전 세계만큼 클 수 있다.
④ 생태계는 바위처럼 작을 수 없다.
⑤ 작은 동물들과 새들이 나무의 씨앗을 먹고 여기저기 뿌린다.

어휘 **collection** 수집, 모음 **all kinds of** 모든 종류의 **ecosystem** 생태계 **community** 지역 사회 **natural resource** 천연자원 **tiny** 아주 작은 **shade** 그늘 **seed** 씨앗 **scatter** 뿌리다 **nest** 둥지, 보금자리

다음 글의 내용을 한 문장으로 요약하고자 한다. 빈칸 (A), (B)에 들어갈 말로 가장 적절한 것은?

중3 학업성취도 평가

어휘 수 120
난이도 ★★☆

Dr. Weston Price was a well-known dentist. He was traveling to small villages in the Swiss Alps. He found that very few of the people he examined had tooth decay. **More surprisingly**, none of them had ever used a toothbrush! After careful observation, Dr. Price found that the key to their strong teeth was in their food. People in the village ate natural food, and it did not contain any colorings or sugar. They ate a lot of vegetables, and drank a lot of fresh milk and grain drinks every day. Their mineral and vitamin rich diet helped them have healthy teeth.

People in the Swiss Alps didn't have ___(A)___ because their food didn't ___(B)___ any colorings or sugar.

	(A)		(B)
①	a good dentist	·····	take
②	healthy teeth	·····	take
③	healthy teeth	·····	include
④	tooth decay	·····	include
⑤	tooth decay	·····	bring

More & More

구문 해석 연습

1 주어진 문장에서 비교급이 쓰인 곳에 밑줄을 긋고, 이를 해석해 보시오.

More surprisingly, none of them had ever used a toothbrush!

〈해석〉 ______________________________

수능 변형

2 Swiss Alps 마을 사람들에 관한 윗글의 내용과 일치하지 않는 것은?

① 치과 의사에게 검사를 받았다.
② 충치가 거의 없다.
③ 양치질을 열심히 한다.
④ 색소나 설탕이 들어 있지 않은 자연 식품을 먹는다.
⑤ 매일 채소를 많이 먹고 우유를 많이 마신다.

어휘 well-known 잘 알려진, 유명한 dentist 치과 의사 village 마을, 부락 examine 조사하다, 검사하다 tooth decay 충치 toothbrush 칫솔 observation 관찰, 감시 contain ~이 들어 있다 grain 곡물, 낟알 mineral 광물, 미네랄

• 정답과 해설 47쪽

빈칸 내용 완성하기

글을 읽고 글의 흐름에 알맞도록 빈칸에 들어갈 말을 파악하는 유형이다. 빈칸에 들어갈 말은 글의 주제나 요지와 관계가 있거나 중요한 세부 사항과 관련이 있다. 빈칸이 있는 부분의 앞뒤 문장을 집중해서 읽는다면 답을 쉽게 찾을 수 있다.

어휘 수 124

다음 빈칸에 들어갈 말로 가장 적절한 것은? 고1 학평 3월

I was on a flight to Asia and I met a woman named Debbie. She was warmly greeted by the flight attendants and even by the pilot. I was amazed by the special treatment. So I asked if she worked for the airline, but she did not. They gave her special treatment because this flight marked the point she flew 4 million miles with the same airline. During the flight I learned that the airline's CEO personally called her to thank her for using their service for a long time and she received a catalogue of fine luxury gifts to choose from. Debbie was able to acquire this most special treatment for one very important reason: she was a __________ customer to that one airline.

① courageous ② loyal ③ complaining
④ dangerous ⑤ temporary

빈칸을 채워 보며 지문의 흐름을 파악해 봅시다.

Summing Up

발단	비행기에서 승무원들과 기장에게 환대받는 Debbie를 봄
전개	Debbie가 한 항공사에서 1 __________ 마일을 비행한 것을 알게 됨
절정	Debbie에게 2 __________가 감사 전화를 하고 선물을 고를 수 있는 목록을 줌
결말	Debbie가 3 __________이기 때문에 특별한 대우를 받은 것을 깨달음

어휘 **flight** 비행, 여행 **greet** 인사하다, 환영하다 **flight attendant** (비행기) 승무원 **amazed** 놀란 **treatment** 대우, 처우 **mark** 기록하다, 표시하다 **CEO** 최고 경영자(= Chief Executive Officer) **catalogue** 목록, 카탈로그 **fine** 질 높은, 좋은 **luxury** 호화로운, 고급스러운 **acquire** 얻다, 획득하다 **customer** 손님, 고객 **courageous** 용감한 **loyal** 충성스러운 **temporary** 일시적인, 임시의

주제를 알아야 요지가 보인다!

수능 필수 어휘 600

이번 Unit의 핵심 어휘입니다. 학습을 하기 전에 수능 필수 어휘 중 아는 어휘에 ☑ 체크해 보고 모르는 어휘는 미리 익혀 보세요.
(Unit을 마친 후 체크하지 않았던 어휘를 완전히 알고 있는지 다시 확인하세요.)

어휘	뜻	어휘	뜻
☐ bitter	쓴	☐ exist	존재하다
☐ background	배경의	☐ turn *A* into *B*	A를 B로 바꾸다
☐ pollution	오염, 공해	☐ necessary	필요한
☐ serious	심각한	☐ vitamin	비타민
☐ stomach	위장	☐ bone	뼈
☐ edible	먹을 수 있는	☐ apart from	~을 제외하고
☐ make friends	친구를 사귀다	☐ electric	전기의
☐ heat	뜨겁게 만들다	☐ candle	양초, 촛불
☐ temperature	온도	☐ source	원천, 근원
☐ freeze	얼다	☐ advise	조언하다

어휘	뜻	어휘	뜻
☐ **stair**	계단	☐ **culture**	문화
☐ **workout**	운동	☐ **popularity**	인기
☐ **sidewalk**	보도, 인도	☐ **membership**	회원 수
☐ **lane**	차선	☐ **go beyond**	~을 넘어서다
☐ **inconvenient**	불편한	☐ **vehicle**	차량
☐ **modern**	현대의	☐ **replace**	대체하다
☐ **public**	공공의	☐ **have an impact on**	~에 영향을 미치다
☐ **facility**	시설	☐ **driverless**	운전사가 필요 없는
☐ **movement**	운동, 동향, 움직임	☐ **license**	면허증, 자격증
☐ **resident**	거주자	☐ **operate**	작동하다

주제를 알아야 요지가 보인다!

글을 쓰는 목적은 글쓴이가 글을 읽는 사람에게 특정한 메시지를 전달하기 위해서입니다. 메시지의 의미를 제대로 파악하려면 글을 읽을 때 글의 제목, 주제, 요지가 무엇인지 알아야 해요. 더욱이 수능에서는 이를 묻는 문제가 많이 나오기 때문에 이 세 가지를 잘 구분할 수 있어야 한답니다.

제목, 주제, 요지의 의미

다음 표를 통해 제목, 주제, 요지의 차이를 알아봅시다.

구분	의미	예시
제목 (title)	주제와 요지를 압축적으로 표현한 것	Do Faked Smiles Also Help Reduce Stress? (꾸며 낸 미소도 스트레스를 완화하도록 돕는가?)
주제 (topic)	글에서 다루고 있는 중심 소재	the effects of a smile (미소의 효과)
요지 (main idea)	주제에 관해 글쓴이가 전하고자 하는 특정한 메시지	기분이 좋지 않을 때에도 억지로 미소 지어라. (Force your face to smile even when you feel unhappy.)

일반적인 글에서 글의 주제와 요지의 위치

첫 문장이 주제를 나타내는 동시에 글의 핵심을 아우르는 경우는 요지를 파악하기 매우 쉬운 형태예요. 대부분의 글은 오른쪽의 〈일반적인 글의 구조〉와 같이 글의 도입부에서 중심 소재인 주제를 소개한 후, 글쓴이가 말하고자 하는 내용을 뒷받침해 줄 수 있는 설명이나 사례가 이어지죠. 글쓴이가 글을 통해 말하고자 하는 핵심 내용인 요지는 주로 후반부에 제시되지만 때로는 글 전체에 걸쳐 함축적으로 표현되어 있기도 해요.

〈도입〉 중심 소재[주제] 소개

〈본문〉 구체적인 사례 및 설명

〈결론〉 요지

〈일반적인 글의 구조〉

People are likely to imitate the attitudes of their peers. They tend to pick up on their thoughts, beliefs, and even their behavior. When a worker does something good for his or her team, others are likely to do the same thing. When a leader doesn't lose hope in a difficult situation, others will respect that attitude and want to be like the leader. When an athlete does his best by following the rules of the game well, other athletes will copy him. Good attitude spreads. People are motivated by the example of their peers.

도입(주제 소개)
동료의 태도를 모방하려는 경향

본문(구체적 사례)
① 직장 동료가 팀을 위해 좋은 일을 함
② 지도자가 어려운 상황에서 희망을 잃지 않는 태도를 보임
③ 운동선수가 규칙에 따라 최선을 다함

요지
사람들은 동료의 본보기를 보고 의욕을 얻는다.

• 정답과 해설 52쪽

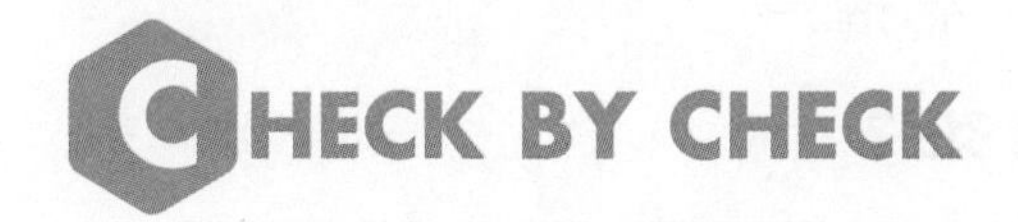

A 다음 글에서 중심 소재(주제)를 나타내는 단어를 찾아 쓴 다음, 글의 요지를 우리말로 간단히 쓰시오.

Sound can help food taste better. According to a study at Oxford University, people thought that food was more bitter or sweeter depending on background sounds. Scientists were not sure what happened in the brain and why people thought that way. However, some companies already have started testing the effect that sound has on food taste. For example, with background music, one company wants its coffee to taste sweeter without too much sugar. Who knows, in the future we'll choose music to make food taste better?

⇒ 중심 소재(주제) ______________________

글의 요지 ______________________

B 다음 글의 요지로 가장 적절한 것은?

Plastic pollution is a serious problem. Millions of tons of plastic is thrown into oceans, and sea animals are eating the waste. You can guess what happens next. It ends up in our own stomachs. Many scientists, governments and companies work together to reduce plastic products. One of the solutions is edible food packaging. You start with a bowl of rice and then eat the bowl made of mushrooms for dessert. Similarly, there are edible water bottles made out of water plants. We hope there will be more edible packaging in the future that helps reduce plastic pollution.

① 해양 동물들은 심각한 먹이 부족에 시달린다.
② 플라스틱 오염은 심각한 환경 문제 중 하나이다.
③ 환경을 위해 플라스틱 제품 생산을 중단해야 한다.
④ 미래에는 식량과 물 부족이 심각한 문제가 될 수 있다.
⑤ 먹을 수 있는 음식 포장이 플라스틱 오염을 줄일 수 있다.

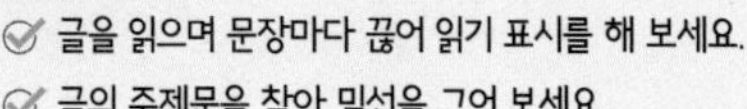

- 글을 읽으며 문장마다 끊어 읽기 표시를 해 보세요.
- 글의 주제문을 찾아 밑선을 그어 보세요.

주어진 글 다음에 이어질 글의 순서로 가장 적절한 것은?

중3 학업성취도 평가

어휘 수 75
난이도 ★☆☆

Being a good listener is the most important skill for making new friends. When you first meet someone, try to spend more time listening than talking about yourself. 3

(A) By asking these questions rather than talking about yourself, you are showing that you are interested in the other person.

(B) To do that, just ask questions to the other person. 6

(C) For example, ask, "Do you play any sports?" or "What kinds of music do you listen to?"

① (A) – (C) – (B)
② (B) – (A) – (C)
③ (B) – (C) – (A)
④ (C) – (A) – (B)
⑤ (C) – (B) – (A)

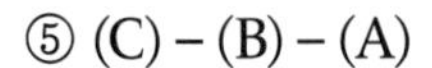

More & More

내신형

1 4행의 these questions와 6행의 that이 가리키는 것을 본문에서 각각 찾아 쓰시오.

〈these questions〉 ______

〈that〉 ______

수능 변형

2 윗글의 요지로 가장 적절한 것은?

① 처음 만났을 때는 질문을 자제해야 한다.
② 상대방의 관심사에 관해 묻지 않는 것이 좋다.
③ 다양한 질문을 통해 친구의 관심을 끌어야 한다.
④ 친구와 친해지려면 공통의 취미 생활을 하는 게 좋다.
⑤ 상대방의 말을 잘 들어주기 위해서는 질문을 하면 된다.

어휘 important 중요한 skill 기술 make friends 친구를 사귀다 question 질문 rather than ~보다는 be interested in ~에 관심이 있다 for example 예를 들어 play a sport 운동 경기를 하다

다음 글의 제목으로 가장 적절한 것은?

중3 학업성취도 평가

어휘 수 99
난이도 ★★☆

Without the Sun, none of us would be here. It heats our planet to the right temperature. The planet would freeze if the Sun did not exist. The Sun helps plants to grow. Plants turn light from the Sun into energy. 3 Without sunlight, plants would not live. It is necessary for our health as well. The Sun helps our bodies produce vitamin D. This keeps our bones, skin, and hair healthy. It gives us light. The Sun is really important because 6 it helps us to see things. Apart from electric lights and candles, it is our only light source.

① Why Do We Need the Sun?
② Where Do Plants Grow Best?
③ What Does the Sun Look Like?
④ How Does the Sun Make Energy?
⑤ When Do We Use Electric Lights?

비타민 D가 풍부한 식품은?
일조량이 부족하고 날씨가 추운 겨울에는 바깥 활동 시간이 줄어들기 때문에 햇볕을 쬐어 비타민 D를 합성하기가 쉽지 않아요. 이를 보충하려면 비타민 D를 함유한 식품을 섭취해야 해요. 비타민 D는 기름기가 많은 생선인 연어, 고등어, 정어리, 청어에 풍부하게 들어 있어요. 붉은 빛을 띠는 육류나 계란 노른자, 또는 비타민 D가 첨가된 우유 등을 섭취하는 것도 한 방법입니다.

More & More

1 윗글의 내용과 일치하도록 빈칸에 알맞은 말을 쓰시오.

We produce ________________ thanks to the Sun, and it helps us keep ________________.

(수능 변형)

2 태양에 관한 윗글의 내용과 일치하지 않는 것은?

① 지구를 알맞은 온도로 가열한다.
② 식물의 성장을 돕는다.
③ 인간의 건강을 위해 필요하다.
④ 사물을 볼 수 있게 해 준다.
⑤ 인류의 유일한 광원이다.

어휘 **heat** 뜨겁게 만들다 **planet** 행성 **temperature** 온도 **freeze** 얼다 **exist** 존재하다 **turn *A* into *B*** A를 B로 바꾸다 **necessary** 필요한 **produce** 생산하다 **vitamin** 비타민 **bone** 뼈 **skin** 피부 **apart from** ~을 제외하고 **electric** 전기의 **candle** 양초, 촛불 **source** 원천, 근원

다음 글의 요지로 가장 적절한 것은?

고1 학평 3월

어휘 수 111
난이도 ★★★

Experts advise people to "take the stairs instead of the elevator" or "walk or bike to work." These are good ways: climbing stairs provides a good workout, and people can get exercise from walking or riding a bicycle. (3) However, the environment makes it difficult for many people to do so. Few people would choose roadways without safe sidewalks or marked bicycle lanes and with fast cars or polluted air. Few would walk up stairs in (6) inconvenient and unsafe stairwells in modern buildings. In contrast, safe biking and walking lanes, public parks, and exercise facilities allow people to exercise. People who live near them use them often. Their surroundings (9) encourage physical activity.

* stairwell: 계단을 포함한 건물의 수직 공간

① 자연환경을 훼손시키면서까지 운동 시설을 만들어서는 안 된다.
② 일상에서의 운동 가능 여부는 주변 여건의 영향을 받는다.
③ 운동을 위한 시간과 공간을 따로 정해 놓을 필요가 있다.
④ 자신의 건강 상태를 고려하여 운동량을 계획해야 한다.
⑤ 짧더라도 규칙적으로 운동하는 것이 건강에 좋다.

More & More

내신형
1 4행의 to do so가 의미하는 것을 우리말로 구체적으로 쓰시오.

____

수능 변형
2 신체 활동에 관한 윗글의 내용과 일치하지 않는 것은?

① 전문가들은 통근 시 걷거나 자전거를 타라고 조언한다.
② 계단 오르기나 자전거 타기를 통해 신체 활동을 할 수 있다.
③ 차가 빨리 오가는 도로를 걷는 사람들은 거의 없을 것이다.
④ 불편한 계단은 운동 효과로 인해 자주 활용된다.
⑤ 주변에 산책로나 공원이 있으면 신체 활동을 자주 한다.

어휘 **expert** 전문가 **advise** 조언하다 **stair** 계단 **bike** 자전거로 가다; 자전거 **workout** 운동 **environment** 환경 **sidewalk** 보도, 인도 **mark** 표시하다 **lane** 차선 **polluted** 오염된 **inconvenient** 불편한 **modern** 현대의 **public** 공공의 **facility** 시설 **encourage** 장려하다, 격려하다 **physical** 신체의

무관한 문장 찾기

글의 흐름을 잘 이해하고 있는지 평가하기 위해 출제되는 유형으로, 글의 전체 흐름과 관계 없는 문장을 찾아야 한다. 글 전체의 내용적, 논리적 흐름에 근거해서 글의 통일성을 방해하는 문장을 찾은 뒤 그 문장을 제외하고 읽었을 때 흐름이 자연스러운지 확인해 본다.

어휘 수 120

다음 글에서 전체 흐름과 관계 <u>없는</u> 문장은? 고1 학평 3월

Today car sharing movements have appeared all over the world. In many cities, car sharing has made a strong impact on how city residents travel. ①Even in strong car-ownership cultures, car sharing has gained popularity. ②In the U.S. and Canada, membership in car sharing now goes beyond one in five adults in many urban areas. ③As each shared vehicle replaces around 10 personal cars, car sharing has a big impact on traffic jams and pollution from Toronto to New York. ④The best thing about driverless cars is that people won't need a license to operate them. ⑤The popularity of car sharing has grown especially with city governments that are having problems such as traffic jams and lack of parking lots.

빈칸을 채워 보며 지문의 흐름을 파악해 봅시다.

Summing Up

도입(주제문)	차량 공유 운동이 전 세계적으로 나타나 인기를 얻고 있음
사례1	차량 1 ____________ 문화가 강한 곳에서조차 인기를 얻음
사례2	미국과 캐나다의 여러 도시에서 차량 공유 회원 수가 성인 2 ____________ 중 1명 이상임
장점1	차량 공유가 뉴욕과 토론토에서의 교통 체증과 오염에 긍정적 영향을 줌
장점2	시 정부는 교통 체증과 3 ____________ 문제를 차량 공유로 해결하려 함

어휘 **movement** 운동, 동향, 움직임 **resident** 거주자 **travel** 이동하다, 여행하다 **culture** 문화 **popularity** 인기 **membership** 회원 수 **go beyond** ~을 넘어서다 **vehicle** 차량 **replace** 대체하다 **have an impact on** ~에 영향을 미치다 **traffic jam** 교통 체증 **pollution** 오염, 공해 **driverless** 운전사가 필요 없는 **license** 면허증, 자격증 **operate** 작동하다 **government** 정부

글의 주제문을 찾아라!

수능 필수 어휘 600

이번 Unit의 핵심 어휘입니다. 학습을 하기 전에 수능 필수 어휘 중 아는 어휘에 ☑ 체크해 보고 모르는 어휘는 미리 익혀 보세요.
(Unit을 마친 후 체크하지 않았던 어휘를 완전히 알고 있는지 다시 확인하세요.)

어휘	뜻	어휘	뜻
☐ integration	통합	☐ harmful	해로운
☐ have a hard time -ing	~하는 데 어려움을 겪다	☐ salary	봉급, 월급
☐ option	옵션, 선택권	☐ fountain	분수
☐ look into	조사하다, 살펴보다	☐ complete	완성하다, 완료하다
☐ improve	개선하다, 향상시키다	☐ emperor	황제
☐ remove	제거하다, 치우다	☐ body	시신
☐ cheap	값이 싼	☐ forever	영원히
☐ trendy	최신 유행의	☐ uniform	유니폼, 제복
☐ environment	환경	☐ emergency room	응급실
☐ unsafe	불안전한	☐ protect *A* from *B*	B로부터 A를 보호하다

어휘	뜻	어휘	뜻
☐ germ	병균, 세균	☐ expression	표현
☐ ordinary	평범한	☐ do the laundry	세탁하다
☐ occupation	직업	☐ feel like -ing	~하고 싶다
☐ perform	행하다, 공연하다	☐ matter	중요하다
☐ frequently	자주, 빈번히	☐ partner	짝, 파트너
☐ tend to	~하는 경향이 있다	☐ dishonor	불명예, 모욕
☐ overcome	극복하다, 이기다	☐ sunset	해넘이, 일몰
☐ shyness	수줍음, 겁많음	☐ shine	빛나다, 반짝이다
☐ remind *A* of *B*	A에게 B를 연상시키다	☐ scale	눈금, 저울
☐ at a time	한번에	☐ amusement park	놀이공원

글의 주제문을 찾아라!

주제문(Topic Sentence)은 글쓴이가 말하고자 하는 핵심 내용이 담긴 문장이에요. 따라서 주제문을 찾아 해당 문장이 무슨 내용인지 이해하면 글 전체를 이해한 것이나 다름없죠. 주제문의 위치는 글의 전개 방식에 따라 달라질 수 있으므로 이를 염두에 두고 글을 읽으면 글을 파악하는 데 도움이 된답니다.

글의 주제문은 글의 앞, 뒤, 중간에 올 수 있요. 주제문을 뒷받침하는 문장으로는 예시나 근거가 많이 오죠. 주제문 앞에는 주제를 소개하기 위한 배경이나 주제문과 반대되는 내용이 나와요. 아래 지문들을 읽어 보며 주제문의 위치를 확인해 보도록 해요.

주제문이 앞부분에 등장

주제문
뇌가 과열되는 것을 막기 위해 하품을 한다.

↓

뒷받침
하품을 할 때 찬 공기가 몸에 들어와 피를 차갑게 하며, 그 차가운 피가 뇌의 온도를 떨어뜨린다.

Scientists from a North American university discovered that we yawn to protect our brain from overheating. That is, when we yawn, the temperature of the brain falls. The breath increases blood flow and brings in cool air. Then cool blood is delivered to the brain. In fact, our brain heats up as it burns as much as a third of all the calories we use. In order to work well, it needs to be cool.

주제문이 중간에 등장

소재 도입 및 반대되는 내용 제시
예술은 문제를 해결하지 못한다.

↓

주제문
예술 교육은 문제를 해결해 준다.

↓

뒷받침
예술 교육은 성적을 향상시키며 동기, 집중력, 자신감, 팀워크를 향상한다.

An artist once said that art does not solve problems, but lets us know there are problems. Arts education, on the other hand, does solve problems. According to years of studies, children get better grades in math, reading, or speaking when they learn the arts. Learning the arts can also improve motivation, concentration, confidence, and teamwork.

주제문이 뒷부분에 등장

소재 도입 및 반대되는 내용 제시
계획이 없는 날이 있으면 불만족스러울 수 있다.

↓

주제문
계획이 없는 시간은 목표를 달성하게 해 주고 예상치 못한 업무 상황에 대처하게 해 준다.

When there is blank space on your calendar, are you unhappy about it? Don't be. Thanks to unscheduled time, you may reach your goal when you have a lucky chance. Unscheduled time also enables you to finish a project that takes longer than you expected. Unscheduled time helps you achieve your goals and deal with the an unexpected working situation.

• 정답과 해설 57쪽

A 다음 글에서 주제문을 찾아 밑줄을 그은 다음, 해석해 보시오.

A human-technology integration specialist will be one of the most popular jobs in the next twenty years. People will use more and more technologies in their work places. However, they may have a hard time choosing the right technology among too many options. In that case, they can get help from these specialists. They will look into their customers' jobs and available technologies. They will improve customers' working conditions by teaching them which technology to use or remove.

* integration: 통합

해석 ________________

B 다음 글에서 주제문을 찾아 밑줄을 그은 다음, 아래 빈칸을 채워 보시오.

Fast fashion means cheap and trendy clothing. You can get fashionable clothes at low prices. However, it is harmful in many ways like fast food. First, it is not good for the environment. Large amounts of clothing items are produced and thrown away easily. It takes a lot of natural resources to produce them and too much energy to manage waste. Apart from environmental problems, fast fashion brings about poor working conditions in factories. Workers are forced to work in unsafe conditions with very low salaries.

⇒

주제문	________________이 나쁜 영향을 미친다.
뒷받침	1. 그것은 ________________에 좋지 않다. 많은 양의 옷이 생산되고 쉽게 버려져서 천연자원과 ________________가 낭비된다. 2. 그것은 공장에 열악한 ________________을 가져온다. 노동자들이 낮은 임금을 받고 ________________ 환경에서 일한다.

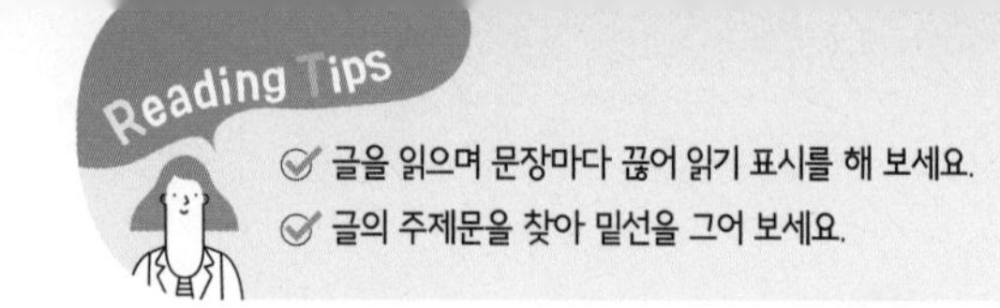

1

글의 흐름으로 보아, 주어진 문장이 들어가기에 가장 적절한 곳은? 중3 학업성취도 평가

> Shah Jahan was very sad, so he built the Taj Mahal to remember her.

어휘 수 95
난이도 ★☆☆

The Taj Mahal is in India. It is one of the most beautiful buildings in the world. (①) There are gardens and fountains around the building. (②) It was built about 400 years ago, and it took 22 years to complete the building. (③) The Emperor Shah Jahan built it for his wife, Mumtaz Mahal. (④) She died when she had her 14th baby. (⑤) When Shah Jahan died, people put his body in the Taj Mahal, so that he could be with his wife forever.

More & More

내신형
1 Shah Jahan이 매우 슬펐던 이유를 본문에서 찾아 우리말로 쓰시오.

____

내신형
2 윗글의 내용과 일치하지 않는 것은?

① Taj Mahal은 인도에 있다.
② Taj Mahal은 세계에서 가장 아름다운 건축물 중 하나이다.
③ Taj Mahal은 약 400여 년 전에 지어졌다.
④ Taj Mahal을 완공하는 데 14년이 걸렸다.
⑤ Shah Jahan은 아내와 함께 Taj Mahal에 묻혔다.

어휘 fountain 분수 complete 완성하다, 완료하다 emperor 황제 body 시신 forever 영원히

어휘 수 113
난이도 ★★☆

다음 글의 제목으로 가장 적절한 것은?

중3 학업성취도 평가

Some jobs require special clothing or uniforms. Sometimes these special clothes are meant to protect workers or the people that they work with. For instance, an emergency room doctor may wear special clothes to protect themselves from blood and dangerous agents. The special clothing also protects patients from the germs that may be present on ordinary clothing. Most often, though, special clothes or uniforms are worn so that workers can be easily recognized by other people. Occupations that require uniforms are frequently service jobs. These types of workers help others or perform services for other people. Workers in stores and restaurants frequently wear uniforms so that customers know who to ask for help.

* agent: 약품, 작용제

① Who Designs Uniforms?
② Where Do Used Uniforms Go?
③ What Should We Do to Get a Job?
④ How Can We Recognize Good Workers?
⑤ Why Do Some Jobs Require Special Clothing?

배경 지식 쏙!쏙!

프로 스포츠에서 홈팀과 원정팀의 유니폼 색이 다른 이유는?

미국인들과 유럽인들의 여유 생활 중 하나였던 야구나 축구 관람 즐기기가 어느덧 우리 생활의 일부분이 되었어요. 이렇듯 많은 사람들이 즐기는 프로 스포츠에서 홈팀은 밝은 계열을, 원정팀은 어두운 계열을 입는 이유는 무엇일까요? 오래 전에 땀에 찌들고 흙에 뒹굴어 더러워진 유니폼을 예전에는 세탁하는 게 어려웠기 때문입니다.

More & More

내신형
1 윗글의 내용과 일치하도록 빈칸에 알맞은 말을 쓰시오.

If workers don't ______________________, they are hard to recognize.

수능 변형
2 특수복이나 유니폼에 관한 윗글의 내용과 일치하지 않는 것은?

① 특정 직업의 사람들이 착용한다.
② 자신이나 함께 있는 사람을 보호하기 위해 착용한다.
③ 다른 사람들의 눈에 띄도록 만들어졌다.
④ 가게나 레스토랑의 노동자들이 자주 입는다.
⑤ 가게 점원은 손님을 더 유치하기 위해 유니폼을 입는다.

어휘 require ~을 요구하다 uniform 제복, 유니폼 emergency room 응급실 protect *A* from *B* B로부터 A를 보호하다 germ 병균, 세균 ordinary 평범한 recognize 인지하다, 인식하다 occupation 직업 perform 행하다, 공연하다 frequently 자주, 빈번히

밑줄 친 puts his pants on one leg at a time이 다음 글에서 의미하는 바로 가장 적절한 것은?

중3 학업성취도 평가

어휘 수 123
난이도 ★★☆

All of us tend to be shy or nervous when we are talking to someone we have not met before. The best way to overcome shyness is to remind yourself of the old saying that the person that you are talking to puts his pants on one leg at a time. That expression shows that we are all human. You don't have to be nervous when you are talking to a professor with four degrees or an astronaut who has been in space. They feel like crying when things go wrong and do the laundry after work just the same as you. Always remember this: People you are talking to will enjoy the conversation more if they see that you are enjoying it.

① 규칙을 잘 지킨다.
② 똑같은 보통 사람이다.
③ 옷을 특이하게 입는다.
④ 전문 지식을 갖추고 있다.
⑤ 한 번에 한 가지 일만 한다.

More & More

내신형
1 9행의 it이 가리키는 것을 본문에서 찾아 두 단어로 쓰시오.

____

수능 변형
2 윗글의 내용을 한 문장으로 요약하고자 한다. 빈칸 (A), (B)에 들어갈 말로 가장 적절한 것은?

In order to overcome ____(A)____ during conversation, you should remember the people you are talking to are ____(B)____ people as you.

① shyness ····· ordinary
② boldness ····· common
③ pride ····· especial
④ shyness ····· odd
⑤ dishonor ····· ordinary

어휘 tend to ~하는 경향이 있다 overcome 극복하다, 이기다 shyness 수줍음, 겁 많음 remind *A* of *B* A에게 B를 연상시키다 at a time 한번에 expression 표현 astronaut 우주 비행사 do the laundry 세탁하다 feel like -ing ~하고 싶다 matter 중요하다 partner 짝, 파트너 odd 특별한, 이상한 dishonor 불명예, 모욕

글의 순서 배열하기

순서가 뒤섞여 있는 문장들을 글의 흐름에 맞도록 배열하는 유형으로 주로 논리적 전개가 명확한 글이 출제된다. 연결어나 대명사 등이 순서를 정하는 단서가 될 수 있다.

어휘 수 102

주어진 글 다음에 이어질 글의 순서로 가장 적절한 것은? 고1 학평 3월

Maybe you have watched the sunset in the sky. Sometimes the sun looks as though it is on fire, especially when it is shining through the clouds.

(A) But you may be surprised even more with this fact: There are many stars in the universe that are thousands of times hotter than the sun.

(B) The reason it looks that way is that the sun is on fire. How hot is the fire at the center of the sun?

(C) It is more than 25 million degrees on the Fahrenheit scale! That's 250,000 times hotter than the hottest summer day at your favorite amusement park.

* Fahrenheit: 화씨의

① (A) – (C) – (B)
② (B) – (A) – (C)
③ (B) – (C) – (A)
④ (C) – (A) – (B)
⑤ (C) – (B) – (A)

빈칸을 채워 보며 지문의 흐름을 파악해 봅시다.

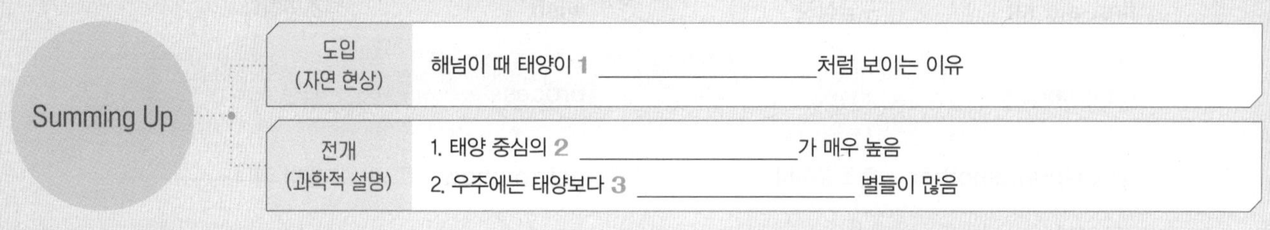

Summing Up
도입
(자연 현상)
해넘이 때 태양이 1 ____________ 처럼 보이는 이유
전개
(과학적 설명)
1. 태양 중심의 2 ____________ 가 매우 높음
2. 우주에는 태양보다 3 ____________ 별들이 많음

어휘 **sunset** 해넘이, 일몰 **shine** 빛나다, 반짝이다 **universe** 우주, 은하계 **scale** 눈금, 저울 **amusement park** 놀이공원

글을 꼼꼼히 읽어라!

수능 필수 어휘 600

이번 Unit의 핵심 어휘입니다. 학습을 하기 전에 수능 필수 어휘 중 아는 어휘에 ☑ 체크해 보고 모르는 어휘는 미리 익혀 보세요.
(Unit을 마친 후 체크하지 않았던 어휘를 완전히 알고 있는지 다시 확인하세요.)

어휘	뜻	어휘	뜻
☐ **penguin**	펭귄	☐ **on fire**	불타는
☐ **South Pole**	남극	☐ **get out**	나가다
☐ **lay**	낳다	☐ **neighbor**	이웃
☐ **hunt**	사냥하다	☐ **pet**	애완동물
☐ **return**	돌아오다	☐ **straight**	곧장
☐ **skinny**	깡마른, 비쩍 여윈	☐ **adopt**	입양하다
☐ **emergency**	비상, 응급 상황	☐ **abandon**	버리다
☐ **first-aid kit**	구급상자	☐ **wish**	소망하다
☐ **ambulance**	구급차	☐ **process**	과정
☐ **great-grandmother**	증조할머니	☐ **get to know**	알아 가다

어휘	뜻	어휘	뜻
☐ **ultimately**	궁극적으로, 결국	☐ **confidently**	자신 있게
☐ **beneficial**	유익한, 이로운	☐ **merit**	장점
☐ **numerous**	많은	☐ **fairy tale**	동화
☐ **blood pressure**	혈압	☐ **conflict**	갈등
☐ **relieve**	완화하다	☐ **permanently**	영원히, 영구히
☐ **energize**	활력을 주다	☐ **settle**	해결하다
☐ **childhood**	어린 시절	☐ **horror**	공포
☐ **sound**	건강한, 건전한	☐ **play**	연극, 희곡
☐ **around the clock**	24시간 내내, 밤낮으로	☐ **marriage**	결혼
☐ **worth**	가치가 있는	☐ **force**	(어쩔 수 없이) ~하게 하다

글을 꼼꼼히 읽어라!

글을 꼼꼼히 읽는다는 것은 글을 빠르게 훑으며 핵심 내용만 찾아 읽는 것과 달리, 한 문장씩 읽으며 글의 주제뿐만 아니라 구체적인 설명과 사례 등 세부적인 내용을 모두 파악하며 읽는 것을 말해요. 제품 설명서나 행사 안내문, 여러 가지 사회 현상에 대한 도표와 함께 제시된 글, 인물의 삶을 다룬 일대기 등을 읽을 때 사용하면 좋은 읽기 전략이랍니다.

글의 종류에 따른 읽기 전략

수능에서는 주어진 글의 내용과 선택지가 일치하는지를 묻는 유형의 문제가 많이 나와요. 글의 종류에 따라 어떤 점에 유의하며 읽어야 되는지 알아봅시다.

- **일대기, 안내문:** 특정 인물이 한 행동, 시간, 나이, 장소, 유의점 등의 일치 여부 등을 물으므로 이 부분을 유의하며 읽는다.
- **도표[표]와 함께 제시된 글:** 도표[표]에 나온 비교 대상과 각 수치가 의미하는 바를 파악한 뒤, 글 속의 비교급·최상급 등의 표현이 도표[표]의 정보와 일치하는지를 확인한다.

이러한 유형을 '세부 내용 파악' 유형이라 하는데 이 유형의 문제를 풀 때, 선택지를 먼저 읽고 어떤 내용에 초점을 맞출지 정한 후 글을 읽는 것이 더 효율적이에요. 다음 예시를 통해 선택지 내용을 글에서 찾아보고 일치 여부를 확인해 봅시다.

Matthew Henson에 관한 다음 글의 내용과 일치하지 않는 것은?

Matthew Henson was a poor African-American boy born in Maryland in 1866. ❶He went to Washington, D.C. when he was eleven. He worked in a cafe in the city for a while and then became a sailor. In 1887, Robert Peary, an explorer, hired him. ❷When Peary planned to go to Greenland, Matthew volunteered to join. Matthew could talk with the Inuit, the native people of the North. They taught him how to survive in the North. ❸They showed him ways to build snow houses and train sled dogs. ❹On their third attempt on April 6, 1909, Matthew and Peary finally became the first men to reach the North Pole. ❺In 1947, a biography of Matthew Henson came out.

① 11세에 Washington D.C로 갔다.
② Greenland에 갈 것을 자원했다.
③ Peary로부터 썰매개 훈련 방법을 배웠다.
④ 세 번의 시도 끝에 북극에 도달했다.
⑤ 1947년에 그의 전기가 출판되었다.

❶ 11세에 Washington D.C.로 갔다. (O)

❷ Greenland에 갈 것을 자원했다. (O)

❸ Peary로부터 썰매개 훈련 방법을 배웠다.
⇨ They(북극의 원주민인 Inuit 사람들)가 Matthew에게 썰매개 훈련 방법을 보여 주었으므로 내용과 일치하지 않는다.

❹ 세 번의 시도 끝에 북극에 도달했다. (O)

❺ 1947년에 그의 전기가 출판되었다. (O)

A

다음 글의 내용과 일치하는 문장에 ○, 일치하지 않는 문장에 ×를 하시오.

Emperor penguins are strong enough to survive and raise their babies on the ice of the South Pole. During winter, a mother penguin lays one egg and gives it to the father. The egg will not survive on the ice, so the father puts the egg on top of his feet and keeps it warm for two months. During this time, he doesn't eat anything. While he protects the egg, the mother goes out to sea and hunts for the baby's food. After she returns, the skinny father goes to sea to feed himself.

1 남극의 여름 동안에 엄마 황제펭귄은 알을 낳는다. (　　　)

2 아빠 황제펭귄은 알을 그의 발 위에 놓고 따뜻하게 유지한다. (　　　)

3 알을 지키는 두 달 동안 아빠 황제펭귄은 아무것도 먹지 않는다. (　　　)

4 엄마 황제펭귄은 바다로 나가 새끼의 먹이를 사냥해 온다. (　　　)

5 엄마 황제펭귄이 돌아온 후 아빠 황제펭귄은 가족의 먹이를 구하기 위해 바다로 간다. (　　　)

B

다음 글의 내용과 일치하는 문장에 ○, 일치하지 않는 문장에 ×를 하시오.

Drones are used in various areas. In the Netherlands, drones are used even in medical emergency situations. The Ambulance Drone is designed to carry two-way audio communication devices and a first-aid kit. When an accident happens, the first few minutes are the most important to save lives. So the Ambulance Drone gets to the scene of the accident first before the real ambulance arrives. Then, it tells the injured person or someone nearby what to do with the first-aid kit. Thanks to the Ambulance Drone, many people can have a better chance of surviving an accident.

1 네덜란드에서는 앰뷸런스 드론이 사용되고 있다. (　　　)

2 앰뷸런스 드론에는 구급상자만 있다. (　　　)

3 사고가 발생하면 앰뷸런스 드론과 구급차가 동시에 사고 현장에 도착한다. (　　　)

4 앰뷸런스 드론은 부상자나 근처에 있는 사람에게 구급상자로 할 일을 알려 준다. (　　　)

5 앰뷸런스 드론 덕분에 사람들은 사고에서 살아남을 가능성이 더 커졌다. (　　　)

Reading Tips
- 글을 읽으며 문장마다 끊어 읽기 표시를 해 보세요.
- 글의 주제문을 찾아 밑선을 그어 보세요.

1

어휘 수 75
난이도 ★☆☆

주어진 글 다음에 이어질 글의 순서로 가장 적절한 것은? 중3 학업성취도 평가

Robert Vick, 11 years old, was at home with his great-grandmother, sister, and baby brother. He smelled smoke and shouted, "The house is on fire! Get out!" 3

(A) Boy Scout Robert Vick was a member of Troop 17 in Newsoms, Virginia. He received an Honor Medal for his brave actions.

(B) He then returned to his home to get his great-grandmother safely away 6 from the fire.

(C) Robert quickly took his sister and brother to a neighbor's house.

① (A) – (C) – (B)
② (B) – (A) – (C)
③ (B) – (C) – (A)
④ (C) – (A) – (B)
⑤ (C) – (B) – (A)

배경 지식 쏙!쏙!

미국 보이 스카우트가 받는 상의 종류는?
미국 보이 스카우트 단원이 자신의 목숨을 걸고 생명을 구했을 때 받는 상에는 세 종류가 있어요. 상황의 위험성과 단원의 기량의 뛰어난 정도에 따라 '교차된 야자나무 잎사귀 명예 메달', '명예 메달', '영웅적인 행동 상' 중 하나를 받아요. 이외에도 타인을 위한 봉사 정신이 뛰어나면 '가치 메달'을, 국가적 인정을 받을 만큼의 봉사 행위를 했을 경우 '가치 국가 증서'를 받아요.

More & More

내신형
1 윗글의 내용과 일치하도록 질문에 알맞은 대답을 완성하시오.

Q: Why did Robert Vick receive an Honor Medal?
A: ______________________________

수능 변형
2 화재 사건에 관한 윗글의 내용과 일치하지 <u>않는</u> 것은?
① 당시 Robert의 집에는 4명이 있었다.
② Robert가 불이 난 것을 가장 빨리 알아챘다.
③ Robert는 여자 형제와 남동생을 이웃집으로 피신시켰다.
④ 증조할머니는 가족 중에 제일 먼저 피신했다.
⑤ Robert는 이 사건으로 명예 메달을 받았다.

어휘 **great-grandmother** 증조할머니 **smoke** 연기 **on fire** 불타는 **get out** 나가다 **member** 회원 **troop** 분대 **receive** 받다 **brave** 용감한 **return** 돌아오다 **neighbor** 이웃

어휘 수 107
난이도 ★☆☆

다음 글의 요지로 가장 적절한 것은? 중3 학업성취도 평가

When people want a pet, many of them go straight to a pet store. I made that mistake, too. Now, I think it is much better to adopt from a shelter because so many animals have been badly treated, abandoned, or just really need a home. They can be just as cute, amazing, and sweet as the little puppy or cat in the pet store. I wish people would give them a chance. I know it is hard sometimes because you do not know their past. But that is just part of the process of getting to know them. Through this process, you will ultimately love them.

① 유기 동물 보호소를 늘려야 한다.
② 애완동물의 건강을 위해 산책이 필요하다.
③ 애완동물을 공공장소에 풀어놓아서는 안 된다.
④ 유기 동물 보호소에 있는 동물을 입양하는 것이 좋다.
⑤ 애완동물을 잃어버리지 않도록 대책을 마련해야 한다.

More & More

내신형
1 2행의 that mistake가 의미하는 것을 우리말로 쓰시오.

____

수능 변형
2 애완동물 입양에 관한 윗글의 내용과 일치하지 않는 것은?
① 많은 사람들이 애완동물을 가게에서 산다.
② 많은 동물들이 나쁜 대우를 받거나 버려진다.
③ 보호소 동물들은 귀엽고 사랑스러울 수 있다.
④ 보호소 동물들을 키우는 것은 매우 쉽다.
⑤ 보호소 동물들을 알아 가는 과정에서 사랑하게 된다.

어휘 **pet** 애완동물 **straight** 곧장 **adopt** 입양하다 **shelter** 보호소 **treat** 대하다 **abandon** 버리다 **wish** 소망하다 **part** 일부, 부분 **process** 과정 **get to know** 알아 가다 **through** ~을 통하여 **ultimately** 궁극적으로, 결국

다음 글의 내용을 한 문장으로 요약하고자 한다. 빈칸 (A), (B)에 들어갈 말로 가장 적절한 것은?

중3 학업성취도 평가

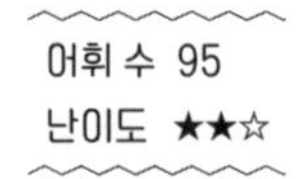

어휘 수 95
난이도 ★★☆

Walking in the morning regularly is beneficial to everyone and anyone can do it. The benefits of a morning walk for your health are numerous. Science says that walking regularly in the morning controls blood pressure, relieves stress, and energizes you. If you walk in the morning from childhood, you are more likely to develop a sound body and mind. We live a very fast-paced life. We work around the clock. We rarely have time to care for our health, but if we walk each morning, we can enjoy all the benefits that it provides.

A morning walk is worth taking ___(A)___ because of many ___(B)___ for keeping your body and mind healthy.

	(A)		(B)
①	confidently	……	faults
②	habitually	……	faults
③	slowly	……	merits
④	habitually	……	merits
⑤	confidently	……	effects

More & More

수능 변형
1 윗글에 언급된 활동을 통해 얻을 수 있는 혜택의 구체적인 예를 우리말로 쓰시오.

____

내신형
2 윗글의 제목으로 가장 적절한 것은?

① Benefits of Regular Exercises
② Slowing Down in a Fast-paced Life
③ A Healthy Habit: Walking in the Morning
④ Sound Body and Mind: A Basis for Hard Work
⑤ Stress Management: Not an Option, But a Must

어휘 **beneficial** 유익한, 이로운 **benefit** 혜택, 이득 **numerous** 많은 **control** 조절하다 **blood pressure** 혈압 **relieve** 완화하다 **energize** 활력을 주다 **childhood** 어린 시절 **sound** 건강한, 건전한 **around the clock** 24시간 내내, 밤낮으로 **care for** 돌보다 **worth** 가치가 있는 **confidently** 자신 있게 **merit** 장점

주어진 문장 위치 파악하기

글의 논리적 흐름에 맞도록 주어진 문장을 넣기에 알맞은 위치를 찾는 유형으로, 문장 간의 연결성을 파악할 수 있는 단서인 연결사나 지시대명사, 부사구 등을 유심히 살피며 글을 읽는다.

어휘 수 127

글의 흐름으로 보아, 주어진 문장이 들어가기에 가장 적절한 곳은? 고1 학평 3월

> By contrast, many present-day stories have a less definitive ending.

In the classical fairy tale the conflict is often permanently settled. The hero and heroine always live happily ever after. (①) Often the conflict in those stories is only partly settled, or a new conflict appears and makes the audience think further. (②) This is particularly true of thriller and horror genres since they keep the audience thrilled. (③) Consider Henrik Ibsen's play, *A Doll's House*. At the end, Nora leaves her family and marriage. (④) Nora disappears out of the front door and we are left with many unanswered questions such as "Where did Nora go?" and "What will happen to her?" (⑤) An open ending is a powerful tool that forces the audience to think about what might happen next.

* definitive: 확정적인

빈칸을 채워 보며 지문의 흐름을 파악해 봅시다.

Summing Up

도입	고전 동화에서는 갈등이 1 ___________ 해결되고 주인공이 행복하게 삶
대조	현대의 이야기는 갈등이 2 ___________ 해결되거나 새로운 갈등이 나타남
예시	연극 〈인형의 집〉의 결말을 본 후 관객들은 답이 나오지 않은 여러 질문들을 떠올리게 됨
결론	3 ___________은 관객이 그 후의 일을 생각하게 만드는 강력한 도구임

어휘 **ending** 결말 **classical** 고전의 **fairy tale** 동화 **conflict** 갈등 **permanently** 영원히, 영구히 **settle** 해결하다 **thriller** 스릴러 **horror** 공포 **genre** 장르 **thrilled** 아주 흥분한 **consider** 생각해 보다, 고려하다 **play** 연극, 희곡 **marriage** 결혼 **disappear** 사라지다 **unanswered** 답이 나오지 않은 **force** (어쩔 수 없이) ~하게 하다

글의 흐름을 파악하라!

수능 필수 어휘 600

이번 Unit의 핵심 어휘입니다. 학습을 하기 전에 수능 필수 어휘 중 아는 어휘에 ☑ 체크해 보고 모르는 어휘는 미리 익혀 보세요.
(Unit을 마친 후 체크하지 않았던 어휘를 완전히 알고 있는지 다시 확인하세요.)

어휘	뜻	어휘	뜻
☐ excuse	변명	☐ light bulb	전구
☐ fine	벌금, 연체료	☐ theory	이론
☐ exception	예외	☐ suspect	의심하다
☐ funeral	장례식	☐ path	길
☐ regulation	규정	☐ confused	당황한, 혼란한
☐ octopus	문어	☐ attract	끌다, 유혹하다
☐ amazing	놀라운, 굉장한	☐ ancient	고대의
☐ shape	모양, 형태	☐ direction	방향
☐ squeeze	(물건을) 밀어 넣다	☐ native	원주민의, 토착민의
☐ backyard	뒤뜰	☐ elderly	연로한, 나이가 지긋한

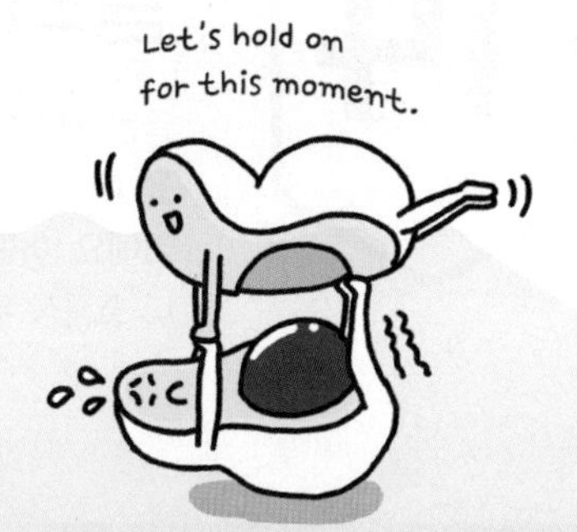
Let's hold on
for this moment.

어휘	뜻	어휘	뜻
☐ carpenter	목수	☐ distributor	배급 업체
☐ retire	은퇴하다	☐ impression	인상
☐ boss	고용주, 사장	☐ promising	가망 있는, 유망한
☐ leisurely	느긋한, 여유 있는	☐ executive	임원
☐ paycheck	봉급, 임금	☐ firmly	굳게, 단단히
☐ effort	노력	☐ bow	머리를 숙이다, 허리를 굽히다
☐ lifelong	일생의, 생애의	☐ informal	비공식적인
☐ career	경력, 이력, 생애	☐ setting	상황, 배경
☐ hand	건네주다	☐ essential	기본적인
☐ manufacturer	제조업자, 생산자	☐ inappropriate	부적절한

글의 흐름을 파악하라!

글은 시간의 흐름이나 논리적 흐름에 따라 전개된답니다. 지문이 길어서 내용을 이해하기 어렵고 흐름을 파악하기 힘들 때에는 연결어, 겹치는 단어, 지시어나 대명사 등을 이용하여 흐름을 찾으면 좀 쉬울 거예요. 어떤 유형의 수능 문제를 풀든 글의 흐름을 파악하는 것은 중요하지만, 특히 글의 순서를 찾거나 흐름상 무관한 문장을 찾는 유형의 문제를 푸는 데 아래 내용들이 도움이 될 거예요.

연결어로 흐름 파악하기

연결어는 지문 안의 문장과 문장을 자연스럽게 이어주는 역할을 합니다. 연결어를 통해 앞 문장과 뒤 문장의 관계를 추론할 수 있습니다. 지문 안에서 중요한 역할을 하는 아래 연결어를 염두에 두고 지문을 읽어 보세요.

- **원인과 결과:** therefore, thus, as a result 등
- **예시와 열거:** for example, for instance, in addition, besides, other than 등
- **비교와 대조:** however, instead, in contrast, on the other hand 등

Children watch and learn from their parents' shopping habits. For instance, a child learns by watching the father save and use sales coupons while shopping. Therefore, we may say that most of the consumers' shopping habits are copies of those of their parents.

겹치는 단어와 지시어, 대명사로 흐름 파악하기

글의 순서를 배열하는 문제에서는 특히 겹치는 단어가 무엇인지 찾아보고, 지시어와 대명사가 가리키는 것이 무엇일지 생각하며 글을 읽어야 합니다. 이 요소들에 집중해 글을 읽으며 아래 (A)~(C)의 순서를 바르게 배열해 봅시다.

(A) The food that humans and animals eat is not very similar. The only diffence is that humans cook their food. But why do humans do this?

(B) This means cooking was necessary for human evolution because it made digestion much easier and increased the amount of energy human bodies could produce. He concludes that humans passed on cooking techniques to their children as well as bigger brains.

(C) The question is answered by Harvard professor, Richard Wrangham. He says that humans in the past ate heated foods, which made their brains grow bigger. The bigger brains enabled humans to become smarter than animals.

① (C)의 The question은 (A)의 질문 But why do humans do this?을 가리키므로 (A) 다음에 (C)가 올 것이라는 것을 예상할 수 있다.

② (B)와 (C)의 대명사 He는 (C)의 Richard Wrangham을 가리킨다.

③ (B)의 This는 인간이 음식을 데워 먹으면서 뇌가 커졌기 때문에 동물보다 현명해 졌다는 (C)의 뒷부분 내용을 가리킨다. 따라서 (C) 다음에 (B)가 온다는 것을 알 수 있다.

↓

(A)-(C)-(B)의 순서가 되어야 한다.

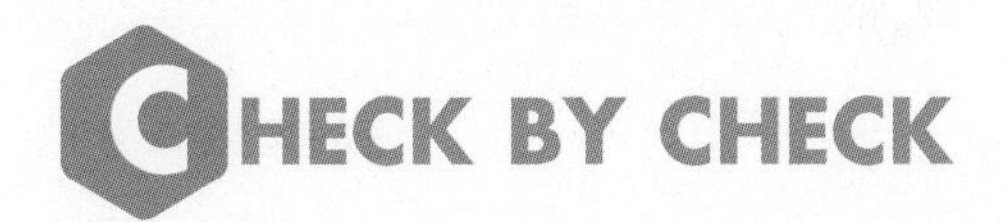

A **다음 글에서 연결어를 찾아보고, 주어진 글 다음에 이어질 (A)~(C)를 바르게 배열하시오.**

It's quite difficult to smile when you don't feel good.

(A) Other than those cases, there is no excuse for being sad and quiet. If you break the law, you will get a fine.

(B) Luckily, there are some exceptions. You may not smile when you go to a funeral, work in a hospital, or take care of sick family members.

(C) However, in Milan, Italy, you must smile at all times because it is the law. It has been written in a city regulation from Austro-Hungarian times.

연결어: ______________________

글의 순서: ______________________

B **글의 흐름에 맞게 (A)~(C) 안에 알맞은 말을 〈보기〉에서 골라 쓰시오.**

보기

Thus However Besides For example Nevertheless

The octopus is an amazing and clever animal. It has nine brains: a central brain and eight smaller ones at the base of each arm. It protects itself from its enemies very well. ____(A)____, when a shark tries to attack it, it changes its shape and squeezes through a tiny space. It may change its color from blue to pink, to green, or gray. ____(B)____, it can shoot black ink to hide. ____(C)____, it is sometimes attacked and may lose its arm. Even in that case, the octopus can regrow one later.

(A) ______________ (B) ______________ (C) ______________

✓ 글을 읽으며 문장마다 끊어 읽기 표시를 해 보세요.
✓ 글의 주제문을 찾아 밑선을 그어 보세요.

1

어휘 수 99
난이도 ★☆☆

다음 글의 제목으로 가장 적절한 것은? 중3 학업성취도 평가

Have you ever sat out in a backyard at night and turned on a light? What happens? Within moments, many insects start flying around the bright light bulb. Why do these insects go toward light at night? There are a (3) number of theories about this. Most scientists suspect that when an insect flies at night, it uses a light source, such as the moon, to keep on a straight path. If there is a closer source of light, such as a street lamp or a light bulb, (6) the insect gets confused, causing it to fly to the nearest light.

* light bulb: 전구

① When Do Insects Sleep?
② What Can We Use Insects for?
③ Where Are the Smallest Insects?
④ How Do We Make Insects Go Away?
⑤ Why Are Insects Attracted to Light?

More & More

내신형
1 윗글에서 광원(a light source)으로 언급된 3가지를 모두 찾아 쓰시오.

____

내신형
2 윗글에서 5행의 it이 가리키는 것으로 알맞은 것은?

① a light ② night ③ an insect
④ a bulb ⑤ a path

어휘 backyard 뒤뜰 theory 이론 suspect 의심하다 path 길 source 근원, 원천 confused 당황한, 혼란한 attract 끌다, 유혹하다

• 정답과 해설 67쪽

주어진 글 다음에 이어질 글의 순서로 가장 적절한 것은?

중3 학업성취도 평가

어휘 수 88
난이도 ★★☆

About 2,500 years ago, builders in ancient Greece thought of a way to use the sun's free energy. The south was the sunniest direction. So they built houses facing south. 3

(A) In the American Southwest, native peoples such as the Hopis, Pueblos, and Navajos had the same idea.

(B) As a result, sunlight came in through the windows and warmed the houses of Greek people during all winter. 6

(C) For nine hundred years, they have used solar power to provide sunlight and heat to their homes just as the Greeks did. 9

① (A) – (C) – (B)
② (B) – (A) – (C)
③ (B) – (C) – (A)
④ (C) – (A) – (B)
⑤ (C) – (B) – (A)

배경 지식 쏙!쏙!

태양열만으로 살아갈 수 있는 세상이 곧 옵니다!

태양 에너지는 지구의 기후에 힘을 불어 넣어 주고 우리의 생명을 지탱해 주는 태양에서 오는 열과 빛을 활용하는 복사 에너지입니다. 햇빛에서 열이나 전력을 얻으므로 재생 가능 에너지로도 분류가 됩니다. 세계적으로 첨단 시스템을 활용하여 태양열을 에너지로 변환시키는 연구가 활발한데, 미국에서는 우주여행을 위해 꼭 필요한 에너지 수단으로 태양열 에너지를 꼽고 있기도 합니다.

More & More

내신형
1 윗글을 읽고, 5행의 the same idea가 가리키는 것이 무엇인지 우리말로 쓰시오.

____

내신형
2 윗글의 내용과 일치하지 않는 것은?

① 900여 년 전에 그리스에서 처음 태양 에너지를 사용했다.
② 그리스인들은 집들을 남향으로 건설했다.
③ 겨울에 창을 통해 들어오는 햇빛 덕분에 그리스 사람들의 집이 따뜻했다.
④ Hopis, Pueblos, Navajos는 미국 남서부에 거주하는 원주민이었다.
⑤ 미국 남서부 원주민들도 태양 에너지로 집에 햇빛과 열을 공급했다.

어휘 **ancient** 고대의 **direction** 방향 **native** 원주민의, 토착민의 **Greek** 그리스의, 그리스인의 **solar** 태양의

밑줄 친 he[his]가 가리키는 대상이 나머지 넷과 다른 것은?

중3 학업성취도 평가

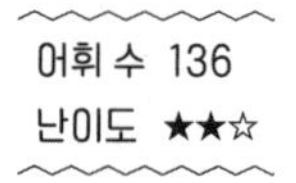

어휘 수 136
난이도 ★★☆

An elderly carpenter was ready to retire. He told his boss of his retirement to live a more leisurely life with ①his family. He would miss the paycheck each week, but he wanted to retire. The boss was sorry to see his good worker go and asked if ②he could build just one more house as a personal favor. The carpenter said yes, but over time it was easy to see that ③his heart was not in his work. He used poor materials and didn't put much time or effort into his last work. It was an unfortunate way to end his lifelong career. When ④he finished his work, his boss came to check out the house. Then ⑤he handed the front-door key to the worker and said, "This is your house, my gift to you."

* paycheck: 봉급, 임금

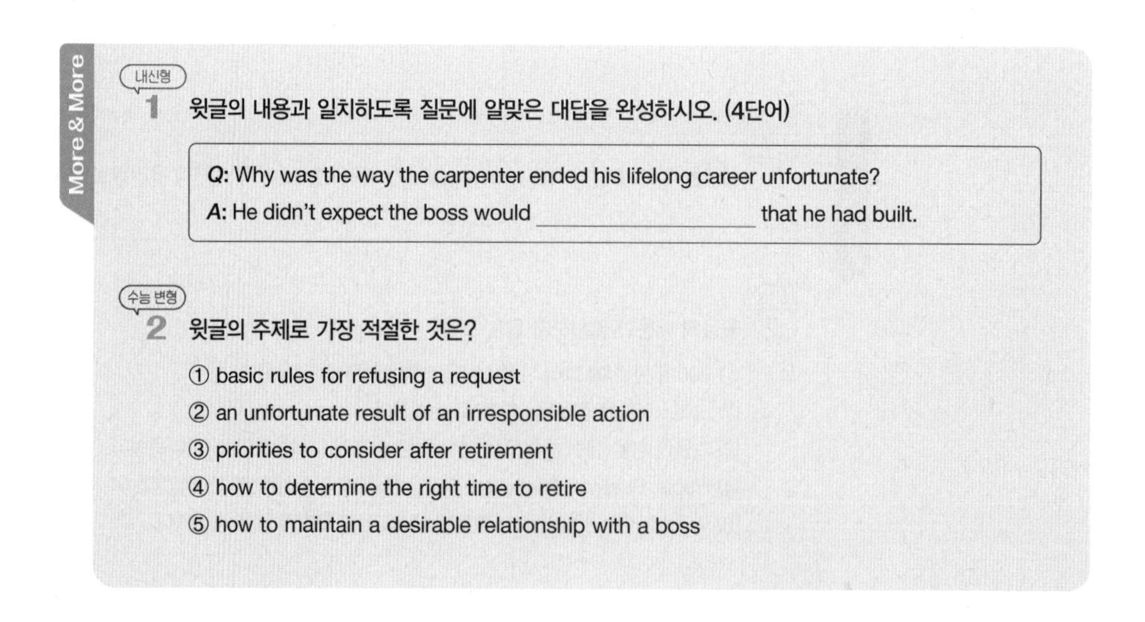

More & More

내신형
1 윗글의 내용과 일치하도록 질문에 알맞은 대답을 완성하시오. (4단어)

Q: Why was the way the carpenter ended his lifelong career unfortunate?
A: He didn't expect the boss would ______________ that he had built.

수능 변형
2 윗글의 주제로 가장 적절한 것은?

① basic rules for refusing a request
② an unfortunate result of an irresponsible action
③ priorities to consider after retirement
④ how to determine the right time to retire
⑤ how to maintain a desirable relationship with a boss

어휘 **elderly** 연로한, 나이가 지긋한 **carpenter** 목수 **retire** 은퇴하다 **boss** 고용주, 사장 **retirement** 은퇴 **leisurely** 느긋한, 여유 있는 **favor** 부탁, 호의 **material** 재료, 자재 **effort** 노력 **lifelong** 일생의, 생애의 **career** 경력, 이력, 생애 **hand** 건네주다 **priority** 우선 사항

요약문 완성하기

요약문은 글의 전체 내용을 요약한 문장이므로 해당 문장은 글의 주제문이기도 하다. 대부분의 경우, 요약문은 지문에 있는 문장을 일부 단어만 바꿔서 다시 쓰는 경우가 많으므로 본문을 집중해서 읽으면 본문에서 답을 찾을 수 있다.

어휘 수 113

다음 글의 내용을 한 문장으로 요약하고자 한다. 빈칸 (A), (B)에 들어갈 말로 가장 적절한 것은? 고1 학평 3월

A large American hardware manufacturer was invited to introduce its products to a famous distributor in Germany. To make the best possible impression, the American company sent its most promising young executive, Fred Wagner. When Fred first met his German hosts, he shook hands firmly, greeted everyone in German, and even bowed the head slightly as Germans do. Fred began his presentation with a few humorous jokes. However, his presentation was not very well received by the German executives. Although Fred thought he had studied the culture, he made one mistake. Fred did not win any favor by telling jokes. It was viewed as too informal and unprofessional in a German business setting.

* distributor: 배급 업체

This story shows that using ____(A)____ in a business setting can be considered ____(B)____ in Germany.

	(A)		(B)
①	humor	·····	essential
②	humor	·····	inappropriate
③	gestures	·····	essential
④	gestures	·····	inappropriate
⑤	first names	·····	useful

빈칸을 채워 보며 지문의 흐름을 파악해 봅시다.

Summing Up

발단	미국 회사의 젊은 임원 Fred Wagner가 제품 설명을 위해 독일 업체로 감
전개	Fred Wagner는 독일의 관례대로 예의 바르게 인사함
절정	Fred Wagner가 1 __________과 함께 발표를 시작했는데 잘 받아들여지지 않음
결말	Fred Wagner는 사업적인 자리에서 농담을 하지 않는 2 __________의 관례를 놓쳐 좋은 결과를 얻지 못함

어휘 manufacturer 제조업자, 생산자 impression 인상 promising 가망 있는, 유망한 executive 임원 host 주최자, 호스트 firmly 굳게, 단단히 bow 머리를 숙이다, 허리를 굽히다 informal 비공식적인 setting 상황, 배경 essential 기본적인 inappropriate 부적절한

단서로 짐작하라!

수능 필수 어휘 600

이번 Unit의 핵심 어휘입니다. 학습을 하기 전에 수능 필수 어휘 중 아는 어휘에 ☑ 체크해 보고 모르는 어휘는 미리 익혀 보세요.

(Unit을 마친 후 체크하지 않았던 어휘를 완전히 알고 있는지 다시 확인하세요.)

어휘	뜻	어휘	뜻
☐ frequency	진동수, 주파수	☐ boost	북돋우다
☐ intense	강렬한	☐ therapy	심리 치료
☐ rustle	바스락거리다	☐ make the team	팀에 들어가다
☐ steady	꾸준한	☐ positive	긍정적인
☐ heartbeat	심장 박동	☐ fuel	연료
☐ honk	경적을 울리다	☐ quality	품질
☐ bark	짖다	☐ appearance	외양, (겉)모습
☐ stimulate	자극하다	☐ delightful	정말 기분 좋은
☐ even	차분한	☐ experience	경험
☐ relax	긴장을 풀다, 진정하다	☐ advertise	광고하다

어휘	뜻	어휘	뜻
□ have ~ in common	~을 공통적으로 지니다	□ saint	성인, 성자
□ doubt	의심, 의문	□ prayer	기도
□ appealing	매력적인, 흥미로운	□ regret	후회하다
□ present	주다, 나타내다	□ comics	(신문·잡지 등의) 만화란
□ meet	충족시키다	□ worthwhile	가치가 있는
□ cover up	숨기다	□ wisdom	지혜
□ play down	~을 깎아내리다	□ nature	본질, 본성
□ aspect	측면	□ routine	통상적 순서, 일과
□ rely on	~에 의지하다	□ post	게시하다
□ original	원본	□ spirit	정신, 활기

단서로 짐작하라!

하나의 글을 이루는 문장과 문장은 서로 긴밀하게 연결되어 있어요. 그래서 중간에 비어 있는 부분이 있더라도 글의 흐름과 앞뒤 내용을 이용해 추측해 볼 수 있답니다. 수능에서는 글에 있는 빈칸에 들어갈 말을 찾는 유형의 문제가 출제돼요. 이때 빈칸 외의 부분에서 단서를 찾아 빈칸에 들어갈 말이 무엇인지 짐작해야 해요. 그럼 이제부터 단서가 되는 것들에는 어떤 것들이 있는지 살펴봐요.

단서의 종류

주로 글의 핵심이 되는 내용이 빈칸에 들어가도록 출제되므로 다음 예시와 함께 어떤 단서를 이용하면 좋을지 알아봅시다.

• **단서 1. 핵심어 찾기**
반복해서 등장하는 단어나 표현을 통해 핵심어를 찾아요.

• **단서 2. 대조되는 내용 찾기**
글쓴이는 자신의 주장을 효과적으로 강조하기 위해서 자신의 주장과 대조되는 내용(주로 기존에 널리 알려진 내용)을 제시하는 경우가 많아요. 글의 어구나 문장이 두 내용 중 어디에 속하는지를 분류해 보면 글의 핵심을 파악하는 데 도움이 돼요.

• **단서 3. 연결사 활용하기**
어떤 연결사가 사용되었는지에 따라 빈칸에 들어갈 말이 앞과 비슷한 내용인지, 반대되는 내용인지를 짐작할 수 있어요.

다음 글의 빈칸에 들어갈 말로 가장 적절한 것은?

Group laughter is a kind of a social cue that we send to others. It helps explain why laughter spreads to others. Seeing funny things, people are likely to laugh more when they are with others than when they are alone. Why do they laugh when other are laughing? People hate feeling like an outsider and want to be accepted by others. It's part of human nature. Thus, ______________ is a good way to show others that you feel the same way they do.

① telling funny jokes
② mirroring others' laughter
③ holding back your laughter
④ listening to others' opinions
⑤ making eye contact while talking

1 반복되는 단어(핵심어)
laughter, laugh 등 웃음과 관련된 단어가 반복해서 등장

2 대조되는 내용
혼자 vs 함께 alone과 with others, an outsider와 be accepted by others를 통해 혼자인 것과 타인과 함께 있는 것을 대조하고 있음을 알 수 있다.

3 연결사
결론을 말할 때 쓰는 Thus가 빈칸이 있는 문장을 이끌고 있으므로, 앞에서 설명한 내용을 정리하는 말이 빈칸에 올 거라고 짐작할 수 있다.

⇨ 다른 선택지는 글에 등장한 핵심어(웃음)나 내용(혼자 또는 함께)이 일부만 사용되었지만, ②에서는 핵심어 laughter와 대조되는 내용 mirroring others'(타인을 따라하는 것)가 둘 다 사용되었으며, 앞의 내용을 정리하고 있으므로 답이 된다.

A

다음 빈칸에 들어갈 말로 가장 적절한 것은?

Do you have trouble falling asleep? Pink noise can help you sleep deeply. Pink noise consists of all frequencies we can hear, but its energy is more intense at lower frequencies. Nature is full of pink noise. The sound of rustling leaves, steady rain, wind, or heartbeats is all pink noise. Some noises, like honking cars or barking dogs, stimulate your brain and prevent deep sleep. However, pink noise sounds "flat" or "even" to your ear and it helps ______________________. Why don't you listen to pink noise before sleeping tonight?

① save nature
② relax your brain
③ boost your energy
④ focus on your study
⑤ build up your health

B

다음 빈칸에 들어갈 말로 가장 적절한 것은?

Reframing is a technique used in therapy to help people change ______________________. It's like looking through a camera lens. The picture seen through the lens can be changed to a view that is closer or further away. In this way, the picture is both viewed and experienced differently. Take a boy's situation as an example. He's upset because he didn't make the basketball team. A therapist tries to reframe how the boy views his failure by asking, "What positive things can come from not making the team?" The boy can say he will have more free time and with more practice, he might make the team next year.

① the relationship with others
② the team they are joining
③ their free time activities
④ the way they think
⑤ their eating habits

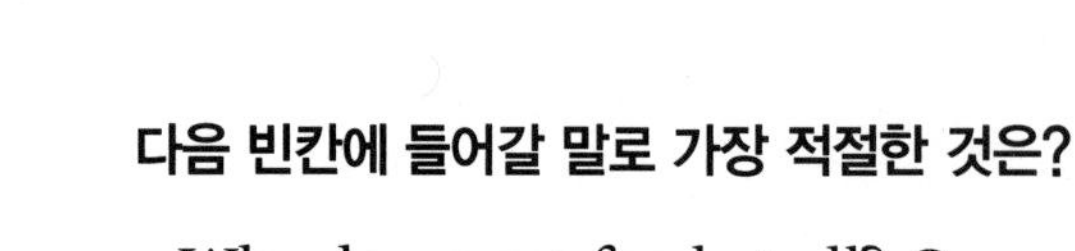

Reading Tips
- 글을 읽으며 문장마다 끊어 읽기 표시를 해 보세요.
- 글의 주제문을 찾아 밑선을 그어 보세요.

1

어휘 수 86
난이도 ★★☆

다음 빈칸에 들어갈 말로 가장 적절한 것은? 중3 학업성취도 평가

Why do we eat food at all? One answer is obvious: to stay alive. Food is a fuel for our bodies. It keeps us moving and working. The better the quality of the food, the better our bodies work. But is there another answer? Preparing and eating good food is the ________ of life. We can get great enjoyment from the taste, appearance, and smell of a well-cooked dish. If we eat a well-prepared meal that looks good and delicious, it can be a delightful experience.

① birth ② waste ③ length
④ pleasure ⑤ question

More & More

내신형
1 윗글의 내용과 일치하도록 빈칸에 알맞은 말을 쓰시오.

Food is a ________ for our bodies to stay ________ and its taste, ________, and smell give us great enjoyment.

수능 변형
2 윗글의 목적으로 가장 적절한 것은?

① 몸에 좋은 음식을 추천하려고
② 건강 유지의 비결을 알려 주려고
③ 음식을 섭취하는 이유를 설명하려고
④ 음식 섭취의 즐거움을 널리 알리려고
⑤ 신체 활동의 원리를 설명하려고

어휘 fuel 연료 quality 품질 prepare 준비하다 enjoyment 즐거움 taste 맛 appearance 외양, (겉)모습 dish 요리, 접시 meal 식사 delicious 맛있는 delightful 정말 기분 좋은 experience 경험 length 길이 pleasure 기쁨

다음 빈칸에 들어갈 말로 가장 적절한 것은?

고1 학평 3월

어휘 수 91
난이도 ★★☆

What do advertising and map-making have in common? Without doubt, they both share the need to communicate a limited version of the truth. An advertisement must create an appealing image and a map must present a clear image. However, neither can meet its goal by ____________. Ads will cover up or play down negative aspects of the company or service they advertise. In this way, they can compare their products with similar products and promote their better features. Likewise, the map must remove details that would be confusing.

① reducing the amount of information
② telling or showing everything
③ listening to people's voices
④ relying on visual images only
⑤ making itself available to everyone

다양한 광고 전략
광고는 어떤 전략을 통해 소비자의 마음을 사로잡을까요?
• 연상: 좋은 이미지를 가진 만화 캐릭터 등을 이용해 광고하는 제품에도 좋은 이미지를 갖도록 만드는 방법
• 과장: '최고의', '특별한' 같은 과장된 표현을 사용하여 제품을 더 좋아 보이도록 하는 방법
• 추천 및 보증: 연예인이나 유명 인사가 제품이 효과가 있다고 말함으로써 신빙성을 높이는 방법

More & More

내신형
1 6행의 In this way가 의미하는 것을 우리말로 쓰시오.

____

수능 변형
2 윗글의 주제로 가장 적절한 것은?

① 광고의 주된 목적
② 지도 제작시 어려운 점
③ 광고를 잘 만드는 방법
④ 광고 제작과 지도 제작의 공통점
⑤ 광고와 지도가 이미지를 사용하는 이유

어휘 advertise 광고하다 have ~ in common ~을 공통적으로 지니다 doubt 의심, 의문 advertisement 광고 appealing 매력적인, 흥미로운 present 주다, 나타내다 neither 어느 것도 ...아니다 meet 충족시키다 cover up 숨기다 play down ~을 깎아내리다 negative 부정적인 aspect 측면 compare 비교하다 promote 홍보하다 remove 제거하다 rely on ~에 의지하다

다음 빈칸에 들어갈 말로 가장 적절한 것은? 고1 학평 3월

어휘 수 125
난이도 ★★☆

A lovely technique for helping children create their own, unique story, is to ask them to ______________________. I usually use a story called St. Benno and the Frog. In the original, the saint meets a frog in a marsh and tells it to be quiet in case it disturbs his prayers. Later, he regrets this, in case God was enjoying listening to the sound of the frog. I invite children to think of different animals for the saint to meet and different places for him to meet them. I then tell children the story including their own ideas. It is a most effective way of involving children in creating stories and they love hearing their ideas used.

* marsh: 늪

① help you complete a story before you tell it
② choose some books they are interested in
③ read as many book reviews as possible
④ listen to a story and write a summary
⑤ draw a picture about their experience

More & More

수능 변형
1 8행의 involving children in creating stories의 예시를 본문에서 찾아 우리말로 쓰시오.

____

내신형
2 윗글의 제목으로 가장 적절한 것은?
① Read Stories to Your Kids at Their Bedside
② Participation: A Way of Creating a Child's Own Story
③ The Importance of Making Interesting Main Characters
④ The Reason Why All Stories Have a Lesson
⑤ The Role of Parents in Developing Children's Creativity

어휘 **technique** 기술 **unique** 독특한 **original** 원본 **saint** 성인, 성자 **frog** 개구리 **in case** ~할 경우에 대비해서 **disturb** 방해하다 **prayer** 기도 **regret** 후회하다 **invite** 초대하다, 청하다 **including** ~을 포함하여 **effective** 효과적인 **involve** 참여시키다, 관련시키다 **summary** 요약

알맞은 어법·어휘 찾기

밑줄 친 부분이 지문의 내용에 맞는 적절한 어휘인지, 혹은 문법적으로 정확하게 사용되었는지를 파악하는 유형이다. 어법의 경우 수의 일치나 시제 등 기본적인 문법 지식을 익힌 뒤 풀고, 어휘의 경우 앞뒤 문장 및 전체 글의 흐름을 파악하여 풀도록 한다.

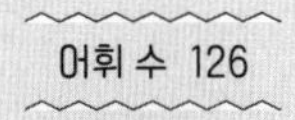

다음 글의 밑줄 친 부분 중, 어법상 틀린 것은? 고1 학평 3월

Reading comics is worthwhile. It's not just because they will make you laugh but ① because they contain wisdom about the nature of life. *Charlie Brown* and *Blondie* are part of my morning routine and help me ② to start the day with a smile. When you read the comics section of the newspaper, ③ cutting out a cartoon which makes you laugh. Post it wherever you need it most, such as on your refrigerator or at work — so that every time you see it, you will smile and feel your spirit ④ lifted. Share your favorites with your friends and family so that everyone can get a good laugh, too. Take your comics with you when you go to visit sick friends ⑤ who can really use a good laugh.

빈칸을 채워 보며 지문의 흐름을 파악해 봅시다.

Summing Up

주장	1 ____________를 읽는 것은 가치 있는 일이다.
근거	2 ____________ 만들고 삶의 본질에 관한 ____________가 담겨 있다.
활용 방안1	재미있는 만화를 잘라 필요한 곳에 3 ____________.
활용 방안2	가장 좋아하는 만화는 친구와 가족과 4 ____________.

어휘 **comics** (신문·잡지 등의) 만화란 **worthwhile** 가치가 있는 **contain** ~이 들어 있다 **wisdom** 지혜 **nature** 본질, 본성 **routine** 통상적 순서, 일과 **section** 부분 **newspaper** 신문 **cartoon** 만화 **post** 게시하다 **refrigerator** 냉장고 **spirit** 정신, 활기 **lift** 들어 올리다 **favorite** 가장 좋아하는 것

memo

memo

memo

memo

memo

" 실전과 기출문제를 통해
어휘와 독해 원리를 익히며 "

단계별로 단련하는 수능 학습!

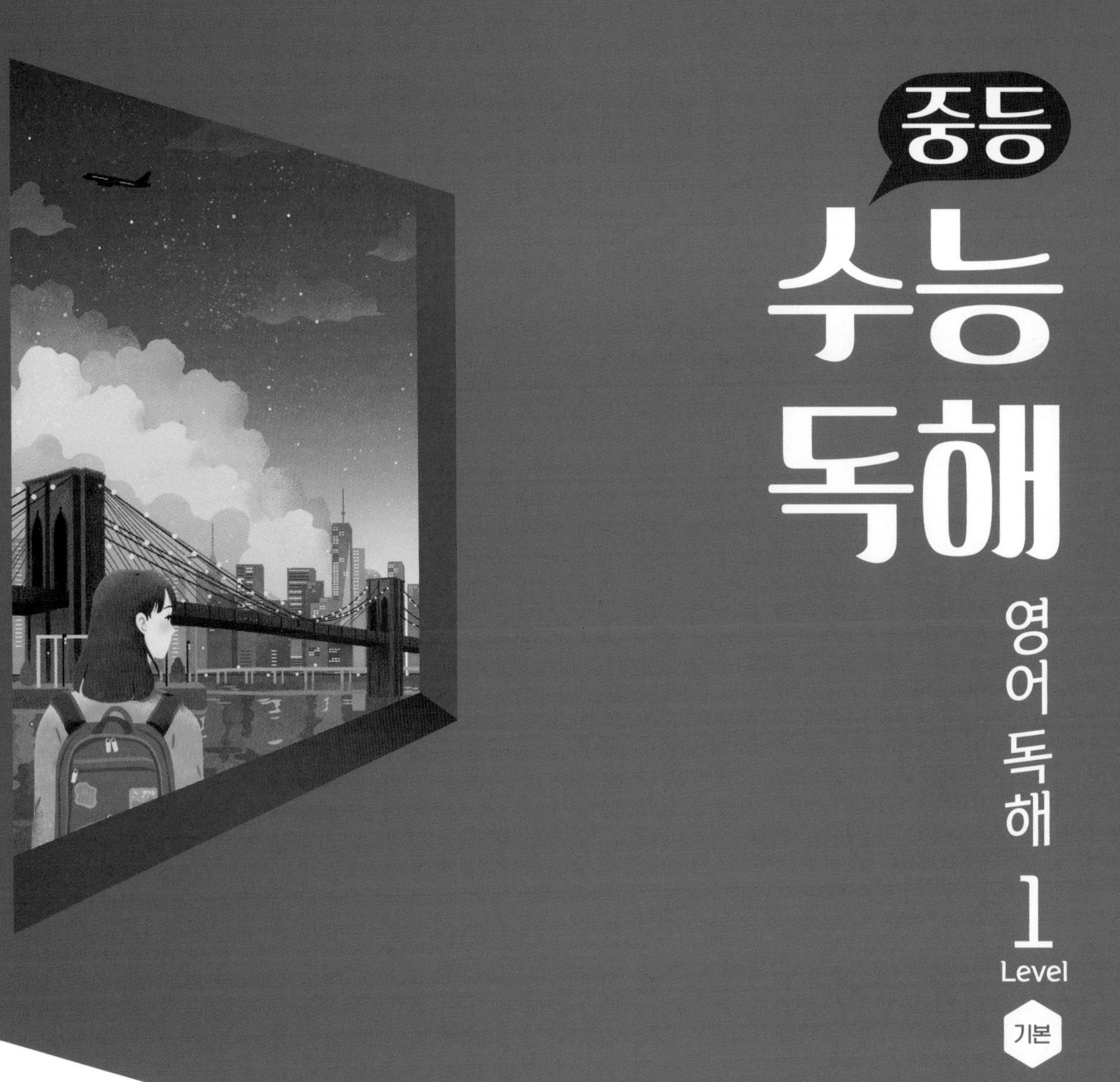

워크북

visang

ABOVE IMAGINATION

우리는 남다른 상상과 혁신으로
교육 문화의 새로운 전형을 만들어
모든 이의 행복한 경험과 성장에 기여한다

중등

수능 독해

영어 독해

Level 1

워크북

UNIT 01

문장의 주인은 나야 나!

WORD TEST

A 다음 영어에 해당하는 우리말을 쓰시오.

1 achieve ____________

2 goal ____________

3 entertaining ____________

4 well-being ____________

5 household ____________

6 common ____________

7 make up ____________

8 amount ____________

9 obviously ____________

10 daylight ____________

11 design ____________

12 darkness ____________

13 gather ____________

14 auditorium ____________

15 brain ____________

16 wildlife ____________

17 on behalf of ____________

18 work on ____________

19 project ____________

20 jobless ____________

B 다음 우리말에 해당하는 영어를 쓰시오.

1 창조인, 크리에이터 ____________

2 내용, 콘텐츠 ____________

3 화제, 토픽 ____________

4 정기적인, 규칙적인 ____________

5 충실한 ____________

6 해치다, 상처를 입히다 ____________

7 속담, 격언 ____________

8 편안한 ____________

9 확인하다, 확신하다 ____________

10 습관 ____________

11 발표, 프레젠테이션 ____________

12 초대하다 ____________

13 참석하다 ____________

14 (무게가) 나가다 ____________

15 소개하다 ____________

16 다양한 ____________

17 개발하다 ____________

18 영예, 명예 ____________

19 행사, 이벤트 ____________

20 ~을 기대하다 ____________

• 정답과 해설 47쪽

WRITING TEST

A **다음 우리말과 일치하도록 주어진 말을 바르게 배열하시오.**

1 우리는 일상생활에서 어떤 유형의 쓰레기를 만들어 낼까? 〈Reading 1〉

→ ______________________________

(waste, what kinds of, we, produce, our daily lives, in, do)

2 어떤 습관들은 우리가 목표를 달성하는 것을 돕는다. 〈Reading 2〉

→ ______________________________

(some habits, us, achieve, our goals, help)

3 야행성 동물의 눈은 어둠을 위해 다르게 고안되었다. 〈Reading 3〉

→ ______________________________

(are, differently, night animals' eyes, desaigned, for, darkness)

4 저는 Lockwood 고등학교 학생들을 대신해 편지를 쓰는 중입니다. 〈수능 유형〉

→ ______________________________

(I, on behalf of, am writing, at, the students, Lockwood High School)

B **다음 우리말과 일치하도록 주어진 표현을 이용하여 문장을 쓰시오.**

1 정원 쓰레기는 전체 쓰레기의 18%를 구성한다. (make up) 〈Reading 1〉

→ ______________________________

2 좋은 습관은 우리가 목표에 나아갈 수 있도록 돕는 충실한 친구이다. (faithful, toward) 〈Reading 2〉

→ ______________________________

3 날다람쥐는 낮 동안에 당신이 보는 나무다람쥐보다 훨씬 작다. (much smaller, during) 〈Reading 3〉

→ ______________________________

4 이번 발표회는 4월 16일에 강당에서 열릴 것입니다. (be held) 〈수능 유형〉

→ ______________________________

• 정답과 해설 47쪽

TRANSLATION TEST

다음 문장을 끊어 읽고, 우리말로 해석하시오.

1 The above graph shows the percentage of different types of household wastes that come from people's homes. 〈Reading 1〉

→ ____________________

2 The amount of metal waste is the same as that of food waste. 〈Reading 1〉

→ ____________________

3 If your goal is physical well-being, get in the habit of regular exercise and healthy diet. 〈Reading 2〉

→ ____________________

4 In fact, some habits are very powerful and can harm us. 〈Reading 2〉

→ ____________________

5 One reason that makes night animals special is their big eyes. 〈Reading 3〉

→ ____________________

6 An owl's eyes are huge, so they weigh more than its brain. 〈Reading 3〉

→ ____________________

7 During the presentation, students will introduce a variety of ideas for developing chances of getting a job for the young people in Lockwood. 〈수능 유형〉

→ ____________________

8 It would be a pleasure and honor to attend the event. 〈수능 유형〉

→ ____________________

문장은 내가 움직이는 대로! 1

• 정답과 해설 48쪽

WORD TEST

A 다음 영어에 해당하는 우리말을 쓰시오.

1 through ____________
2 stay ____________
3 special ____________
4 giraffe ____________
5 a number of ____________
6 endangered ____________
7 visit ____________
8 poke ____________
9 teenager ____________
10 share ____________
11 damage ____________
12 pain ____________
13 wrist ____________
14 bend ____________
15 activity ____________
16 parent ____________
17 result ____________
18 survey ____________
19 travel ____________
20 enjoy ____________

B 다음 우리말에 해당하는 영어를 쓰시오.

1 실 ____________
2 중앙 ____________
3 풀; 붙이다 ____________
4 묶다 ____________
5 연결하다 ____________
6 좁은 ____________
7 식당 ____________
8 집중하다 ____________
9 일어나다, 발생하다 ____________
10 겪다 ____________
11 오락 ____________
12 선호하다 ____________
13 대화 ____________
14 비슷한 ____________
15 취미 ____________
16 가리키다 ____________
17 운전하다 ____________
18 내리다 ____________
19 감사하는 ____________
20 행운의 ____________

WRITING TEST

A **다음 우리말과 일치하도록 주어진 말을 바르게 배열하시오.**

1 두 병뚜껑 사이에 실을 위한 좁은 공간을 남겨라. 〈Reading 1〉

→ ______________________________

(between, for the thread, leave, the caps, a narrow space, in)

2 다음은 전기 통신망에 연결된 생활 때문에 청소년들의 신체에 일어나는 일이다. 〈Reading 2〉

→ ______________________________

(is, what happens, here, because of, to teenagers' bodies, a plugged-in life)

3 사람들은 그들의 부모와 어떤 활동을 가장 하고 싶어 할까? 〈Reading 3〉

→ ______________________________

(with their parents, do, what activities, people, most, to do, want)

4 그는 길을 걸어가는 한 소녀를 가리켰다. 〈수능 유형〉

→ ______________________________

(walking, pointed, up the street, he, at a girl)

B **다음 우리말과 일치하도록 주어진 표현을 이용하여 문장을 쓰시오.**

1 종이 한 장을 두 조각으로 잘라라. (cut ~ into) 〈Reading 1〉

→ ______________________________

2 약 12.5%는 과도한 헤드폰 사용으로 심각한 청력 손상을 겪는다. (suffer, damage) 〈Reading 2〉

→ ______________________________

3 절반 이상의 사람들이 부모와 여행하고 싶어 한다. (half, travel with) 〈Reading 3〉

→ ______________________________

4 그녀의 얼굴을 보았을 때, 나는 그녀가 얼마나 고마워하는지를 알 수 있었다. (how grateful) 〈수능 유형〉

→ ______________________________

• 정답과 해설 48쪽

TRANSLATION TEST

다음 문장을 끊어 읽고, 우리말로 해석하시오.

1 Push the screw through the center of one cap from inside to outside. 〈Reading 1〉

→ ______________________________

2 Only 20% of teenagers get the recommended nine hours of sleep and 45% sleep fewer than 8 hours. 〈Reading 2〉

→ ______________________________

3 In addition, they can't concentrate on their homework for more than two minutes without checking their cell phones or computers. 〈Reading 2〉

→ ______________________________

4 Teenagers feel pain 50% more in their fingers and wrists when they play video games. 〈Reading 2〉

→ ______________________________

5 More people want to enjoy entertainment with their parents than to have family dinners with them. 〈Reading 3〉

→ ______________________________

6 Less people want to share similar hobbies with their parents than to have heart-to-heart conversations with them. 〈Reading 3〉

→ ______________________________

7 I asked the driver, "Where did you drop the last person off?" and I showed him the phone. 〈수능 유형〉

→ ______________________________

8 Her smile made me smile and feel really good inside. 〈수능 유형〉

→ ______________________________

UNIT 03

문장은 내가 움직이는 대로! 2

WORD TEST

A 다음 영어에 해당하는 우리말을 쓰시오.

1 mistake ____________
2 embarrassed ____________
3 fault ____________
4 mean ____________
5 perfect ____________
6 protect ____________
7 change ____________
8 fur ____________
9 disappear ____________
10 surroundings ____________
11 paint ____________
12 natural ____________
13 talented ____________
14 master ____________
15 influence ____________
16 produce ____________
17 fame ____________
18 fever ____________
19 search for ____________
20 wild ____________

B 다음 우리말에 해당하는 영어를 쓰시오.

1 완전히 ____________
2 실패자, 실패 ____________
3 ~에 따르면 ____________
4 혼란스럽게 하다 ____________
5 ~을 찾다 ____________
6 맛있는 ____________
7 예술 ____________
8 전문가 ____________
9 예술가 ____________
10 그리다 ____________
11 농사짓다; 농업 ____________
12 짓다, 건축하다 ____________
13 마을 ____________
14 강 ____________
15 돌아다니다 ____________
16 국제적인 ____________
17 관광 ____________
18 쓰다, 소비하다 ____________
19 10억 ____________
20 나라, 국가 ____________

• 정답과 해설 49쪽

WRITING TEST

A 다음 우리말과 일치하도록 주어진 말을 바르게 배열하시오.

1 여름에는 털색이 더 짙어져서 환경 속에 묻힌다. 〈Reading 1〉

→ ______________________________

(their fur, in the summer, darker, they, is, disappear, and, into the surroundings)

2 Raphael은 Leonardo와 Michelangelo의 작품으로부터 영향을 받았다. 〈Reading 2〉

→ ______________________________

(by, Leonardo and Michelangelo, Raphael, the works of, was influenced)

3 농사짓기 전에는 사람들은 먹을 식량을 찾아야만 했다. 〈Reading 3〉

→ ______________________________

(had to, before farming, people, food, search for, to eat)

4 위의 그래프는 2014년의 세계 최상위 국제 관광 소비 국가를 보여 준다. 〈수능 유형〉

→ ______________________________

(shows, top, the world's, international, spenders, tourism, the above graph, in 2014)

B 다음 우리말과 일치하도록 주어진 표현을 이용하여 문장을 쓰시오.

1 겨울에는 그들의 털이 눈만큼 희다. (as ~ as) 〈Reading 1〉

→ ______________________________

2 그러나 그의 명성이 최고조에 달했을 때 Raphael은 열병에 걸렸다. (at the height of) 〈Reading 2〉

→ ______________________________

3 사람들은 더 이상 식량을 찾기 위해 이동할 필요가 없었다. (no longer) 〈Reading 3〉

→ ______________________________

4 독일은 미국보다 200억 달러를 덜 썼다. (less than) 〈수능 유형〉

→ ______________________________

• 정답과 해설 49쪽

TRANSLATION TEST

다음 문장을 끊어 읽고, 우리말로 해석하시오.

1 In order to protect themselves from the cold, they need to move to warmer and safer places if they can. 〈Reading 1〉

→ ____________________

2 This color change really confuses other animals while they are looking for a tasty meal. 〈Reading 1〉

→ ____________________

3 According to art experts, the greatest artists of the Renaissance were Leonardo, Michelangelo, and Raphael. 〈Reading 2〉

→ ____________________

4 His father was a painter, and he taught Raphael how to draw and paint. 〈Reading 2〉

→ ____________________

5 This allowed them to stay in one place. 〈Reading 3〉

→ ____________________

6 The towns were built close to rivers because the animals and plants needed water to keep growing. 〈Reading 3〉

→ ____________________

7 The United States of America (USA) spent more than twice as much as Russia on international tourism. 〈수능 유형〉

→ ____________________

8 Of the five countries, Russia spent the smallest amount of money on international tourism. 〈수능 유형〉

→ ____________________

UNIT 04 움직임엔 상대가 필요하지!

• 정답과 해설 50쪽

WORD TEST

A 다음 영어에 해당하는 우리말을 쓰시오.

1 during ____________
2 remember ____________
3 chemical ____________
4 promote ____________
5 registration ____________
6 wake up ____________
7 adventure ____________
8 explore ____________
9 care about ____________
10 achievement ____________
11 bottle ____________
12 feed ____________
13 frustrated ____________
14 turn away ____________
15 turn around ____________
16 be clueless about ____________
17 notice ____________
18 at last ____________
19 fulfill ____________
20 eventually ____________

B 다음 우리말에 해당하는 영어를 쓰시오.

1 비용; 참가비 ____________
2 ~을 포함하다 ____________
3 보물찾기 ____________
4 ~을 받다 ____________
5 기억, 기억력 ____________
6 관계 ____________
7 동료, 협업자 ____________
8 ~을 잘하다 ____________
9 숲 ____________
10 환영받는 ____________
11 우주 비행사 ____________
12 (탈것에) 올라타다 ____________
13 우주선 ____________
14 임무, 사명 ____________
15 전문가 ____________
16 역사적인 ____________
17 비행 ____________
18 교수 ____________
19 학위 ____________
20 의학의 ____________

WRITING TEST

A **다음 우리말과 일치하도록 주어진 말을 바르게 배열하시오.**

1 우리는 Tennessee 주의 숲을 탐험하기 시작할 것입니다! 〈Reading 1〉

→ ______________________________

(to explore, begin, the woods, Tennessee, in, we'll)

2 여러분은 동료들과 좋은 관계를 맺고 싶으십니까? 〈Reading 2〉

→ ______________________________

(you, do, to, want, good, have, relationships, your, co-workers, with)

3 그녀는 몹시 피곤하여 자신의 젖병을 원한다. 〈Reading 3〉

→ ______________________________

(is, tired, she, pretty, and, wants, she, her bottle)

4 Mae C. Jemison은 늘 꿈을 이룰 수 있기를 바랐다. 〈수능 유형〉

→ ______________________________

(Mae C. Jemison, hoped, that, always, could, she, her dreams, fulfill)

B **다음 우리말과 일치하도록 주어진 표현을 이용하여 문장을 쓰시오.**

1 모든 참가자는 캠프 배낭을 받게 됩니다. (every, receive) 〈Reading 1〉

→ ______________________________

2 저는 일을 잘했고 그것을 자랑스러워했습니다. (was good at, proud of) 〈Reading 2〉

→ ______________________________

3 Sophie는 Angela가 무엇을 원하는지 아무것도 모른다. (be clueless about) 〈Reading 3〉

→ ______________________________

4 그녀는 1977년 Stanford 대학을 화학 공학과 아프리카계 미국학 학위를 받고 졸업했다. (graduate from, degree) 〈수능 유형〉

→ ______________________________

TRANSLATION TEST

다음 문장을 끊어 읽고, 우리말로 해석하시오.

1 All middle school and high school students are welcome! 〈Reading 1〉

→ ______________________________

2 I started to talk less about myself and listen more to my co-workers. 〈Reading 2〉

→ ______________________________

3 They were excited to tell me about their achievement and our relationship got better. 〈Reading 2〉

→ ______________________________

4 If you really want to have good relationships with others, listen first to their stories before you talk about yourself. 〈Reading 2〉

→ ______________________________

5 Then, she bends her back and turns around in her high chair. 〈Reading 3〉

→ ______________________________

6 When Sophie looks at the table, she notices the bottle on it. 〈Reading 3〉

→ ______________________________

7 On September 12, 1992, she boarded the space shuttle *Endeavor* as a science mission specialist on the historic eight-day flight. 〈수능 유형〉

→ ______________________________

8 She moved to Chicago with her family when she was three years old. 〈수능 유형〉

→ ______________________________

UNIT 05

문장의 의미를 보충해 주지!

WORD TEST

A 다음 영어에 해당하는 우리말을 쓰시오.

1	nervous	______
2	laughter	______
3	respond	______
4	relaxed	______
5	situation	______
6	become known as	______
7	few	______
8	abstract	______
9	have trouble -ing	______
10	advance	______
11	give a speech	______
12	come out	______
13	prepare	______
14	follow	______
15	audience	______
16	judge	______
17	chef	______
18	bored	______
19	participant	______
20	mayor	______

B 다음 우리말에 해당하는 영어를 쓰시오.

1	점잖은, 부드러운	______
2	만들다, 창조하다	______
3	붓다, 따르다	______
4	캔버스	______
5	기술, 테크닉	______
6	그림, 페인팅	______
7	세대	______
8	쓸 만한, 유용한	______
9	결국, 드디어	______
10	순번, 차례	______
11	비만의	______
12	근처의, 인근의	______
13	허용하다, 인정하다	______
14	소유자, 주인	______
15	부가, 첨가	______
16	고려, 이해, 배려	______
17	군중, 대중	______
18	도전	______
19	질투하는, 시기하는	______
20	미리, 사전에	______

• 정답과 해설 51쪽

WRITING TEST

A

다음 우리말과 일치하도록 주어진 말을 바르게 배열하시오.

1 그가 미술 학교를 마쳤을 때 아주 쓸 만한 일자리가 거의 없었다. 〈Reading 1〉

→ ______________________________

(he, when, art school, finished, very few jobs, there, were, available)

2 Amber가 입을 열었을 때, 공기만이 입 밖으로 새어 나왔다. 〈Reading 2〉

→ ______________________________

(Amber, when, her mouth, only, opened, came out of, air, her mouth.)

3 근처에 공원이 있지만, 개는 허용되지 않습니다. 〈Reading 3〉

→ ______________________________

(a park, there, is, but, nearby, dogs, not, are, allowed)

4 우리의 요리 대회 참가를 환영합니다! 〈수능 유형〉

→ ______________________________

(cooking, contest, to, welcome, our)

B

다음 우리말과 일치하도록 주어진 표현을 이용하여 문장을 쓰시오.

1 시간이 지나면서 이 기술은 액션 페인팅으로 알려지게 되었다. (over time, become known as) 〈Reading 1〉

→ ______________________________

2 Amber는 다시 말을 하려고 했지만 무슨 말을 해야 할지 몰랐다. (what to say) 〈Reading 2〉

→ ______________________________

3 개 공원은 개를 건강하게 기르는 데 아주 좋은 방법이 될 것입니다. (keep, healthy) 〈Reading 3〉

→ ______________________________

4 단 3달러로 시식에 참여하고 심사하는 것도 도와주세요. (help, judge) 〈수능 유형〉

→ ______________________________

TRANSLATION TEST

다음 문장을 끊어 읽고, 우리말로 해석하시오.

1 Eventually, Pollock found work and advanced as an artist. 〈Reading 1〉

→ ______________________________

2 Pollock influenced the next generation of abstract artists. 〈Reading 1〉

→ ______________________________

3 Amber prepared to talk about time and she started with the word: 'Time….' 〈Reading 2〉

→ ______________________________

4 The whole crowd was now laughing at her loudly. 〈Reading 2〉

→ ______________________________

5 My goal is to help all dogs in this community. 〈Reading 3〉

→ ______________________________

6 Thank you for your consideration on this important issue. 〈Reading 3〉

→ ______________________________

7 Your challenge is to use a seasonal ingredient to create a delicious dish. 〈수능 유형〉

→ ______________________________

8 Participants should prepare their dishes beforehand and bring them to the event. 〈수능 유형〉

→ ______________________________

UNIT 06 어제의 나와 오늘의 나와 내일의 내가!

• 정답과 해설 52쪽

WORD TEST

A 다음 영어에 해당하는 우리말을 쓰시오.

1 scientist ______
2 outer ______
3 planet ______
4 solar ______
5 sweep away ______
6 spacecraft ______
7 alien ______
8 greeting ______
9 earthquake ______
10 occur ______
11 annually ______
12 including ______
13 visitor ______
14 entry ______
15 winning ______
16 display ______
17 distraction ______
18 instant ______
19 multi-task ______
20 at once ______

B 다음 우리말에 해당하는 영어를 쓰시오.

1 해양, 바다 ______
2 파도 ______
3 무시무시한, 끔찍한 ______
4 강타하다, 덮치다 ______
5 해안 ______
6 발사하다 ______
7 공모전. 대회 ______
8 기리다, 축하하다 ______
9 섬 ______
10 주최하다, 열다 ______
11 솔직한 ______
12 휴식 ______
13 취미, 소일거리 ______
14 도시의 ______
15 매력 ______
16 모이다 ______
17 생기 있는 ______
18 텅 빈 ______
19 경치, 전망 ______
20 주다, 제공하다 ______

WRITING TEST

A **다음 우리말과 일치하도록 주어진 말을 바르게 배열하시오.**

1 먼 바다에서는 파도의 높이가 1미터밖에 되지 않을지도 모른다. 〈Reading 1〉

→ ______________________________

(may, out at sea, only, be, the wave, a meter high)

2 Malla 섬의 여름을 기념하는 2015년 사진 공모전 〈Reading 2〉

→ ______________________________

(Celebrating, Photograph Contest, 2015, on Malla Island, Summer)

3 하지만 자신에게 솔직해지려고 노력해라. 〈Reading 3〉

→ ______________________________

(try, but, honest, to be, with yourself)

4 도시의 매력으로서 생활과 활동은 중요하다. 〈수능 유형〉

→ ______________________________

(as, life and activity, are, an urban attraction, important)

B **다음 우리말과 일치하도록 주어진 표현을 이용하여 문장을 쓰시오.**

1 파도는 건물, 자동차, 도로를 휩쓸었다. (sweep away) 〈Reading 1〉

→ ______________________________

2 올해도 다시 사진 공모전이 열릴 것입니다. (there, again) 〈Reading 2〉

→ ______________________________

3 아마도, 여러분은 한꺼번에 여러 가지 일을 처리할 수 있고 이러한 모든 일들에 동시에 집중할 수도 있다. (maybe, at once) 〈Reading 3〉

→ ______________________________

4 그 산책은 더 흥미롭고 더 안전하게 느껴질 것이다. (interesting, safe) 〈수능 유형〉

→ ______________________________

• 정답과 해설 52쪽

TRANSLATION TEST

다음 문장을 끊어 읽고, 우리말로 해석하시오.

1 When an earthquake occurs under the ocean, it often moves a huge amount of water above it. 〈Reading 1〉

→ ______________________________

2 This earthquake produced tsunami waves along the coast, and they were up to 25 meters high. 〈Reading 1〉

→ ______________________________

3 Our goal is to promote the natural beauty of Malla Island. 〈Reading 2〉

→ ______________________________

4 The winning photos will be part of a display at Malla Museum and may be used to advertise the island. 〈Reading 2〉

→ ______________________________

5 It can be tough to settle down to study when there are so many distractions. 〈Reading 3〉

→ ______________________________

6 You will be able to work best if you concentrate on your studies but take regular breaks every 30 minutes for those other pastimes. 〈Reading 3〉

→ ______________________________

7 People gather where things are happening and want to be around other people. 〈수능 유형〉

→ ______________________________

8 Also, most people prefer using seats providing the best view of city life and offering a view of other people. 〈수능 유형〉

→ ______________________________

UNIT 07

한 것보다 받는 게 더 중요할 때!

WORD TEST

A 다음 영어에 해당하는 우리말을 쓰시오.

1 dragon ______
2 lizard ______
3 model *A* after *B* ______
4 rhinoceros ______
5 resemble ______
6 spit ______
7 elementary ______
8 object ______
9 realize ______
10 defeat ______
11 regain ______
12 kingdom ______
13 communicate ______
14 enroll ______
15 decide ______
16 require ______
17 depend on ______
18 textbook ______
19 salesperson ______
20 employee ______

B 다음 우리말에 해당하는 영어를 쓰시오.

1 전투 ______
2 피신, 피난 ______
3 동굴 ______
4 적 ______
5 거미 ______
6 올라가다 ______
7 용감하게 ______
8 모으다 ______
9 군사 ______
10 싸우다 ______
11 동료의 ______
12 연관시키다, 포함하다 ______
13 수백의 ______
14 ~에 근거하여 ______
15 가두다 ______
16 특정한 ______
17 겪다 ______
18 공포, 두려움 ______
19 ~을 놓다 ______
20 도둑 ______

• 정답과 해설 53쪽

WRITING TEST

A **다음 우리말과 일치하도록 주어진 말을 바르게 배열하시오.**

1 그녀는 내 친구 Daniel에게 그 물건이 무슨 색인지를 물었다. 〈Reading 1〉

→ ______________________________

(my friend Daniel, asked, what color, she, was, the object)

2 그것은 거듭 오르려고 애썼다. 〈Reading 2〉

→ ______________________________

(to climb, tried, it, again and again)

3 분명히 그 수업은 교사와 학생을 필요로 한다. 〈Reading 3〉

→ ______________________________

(a teacher and students, requires, clearly, the class)

4 예를 들어, 당신이 어떤 영역에서 실패했다고 하자. 〈수능 유형〉

→ ______________________________

(in a certain area, you, for example, let's say, failed)

B **다음 우리말과 일치하도록 주어진 표현을 이용하여 문장을 쓰시오.**

1 나는 그가 그 물건이 흰색이라고 말했다는 것을 믿을 수 없었다. (believe, object) 〈Reading 1〉

→ ______________________________

2 먼 옛날, 한 왕이 전투에서 패했다. (long ago, defeat) 〈Reading 2〉

→ ______________________________

3 그러나 그 수업은 또한 많은 다른 사람들과 단체에 의존한다. (depend on) 〈Reading 3〉

→ ______________________________

4 그들은 또한 그 실패에 갇히게 될지도 모른다. (get trapped) 〈수능 유형〉

→ ______________________________

TRANSLATION TEST

다음 문장을 끊어 읽고, 우리말로 해석하시오.

1 When I was in elementary school, my teacher Ms. Baker placed a round object in the middle of her desk. 〈Reading 1〉

→ ______________________________

2 I realized that an object could look different depending on your point of view. 〈Reading 1〉

→ ______________________________

3 As it climbed up, a thread in its web broke and it fell down. 〈Reading 2〉

→ ______________________________

4 The king thought, "If a small spider can face failure so bravely, why should I give up?" 〈Reading 2〉

→ ______________________________

5 Just think for a moment of all the people whose work has made your class possible. 〈Reading 3〉

→ ______________________________

6 Although it may seem that only you, your fellow students, and your teacher are involved in the class, it is actually the product of the efforts of hundreds of people. 〈Reading 3〉

→ ______________________________

7 When you go through the same situation later, you might expect to fail again. 〈수능 유형〉

→ ______________________________

8 Your past experiences are the thief of today's dreams only when you allow them to control you. 〈수능 유형〉

→ ______________________________

문장은 꾸미기 나름이지!

• 정답과 해설 54쪽

WORD TEST

A 다음 영어에 해당하는 우리말을 쓰시오.

1 past ________
2 factory ________
3 shift ________
4 hire ________
5 tap ________
6 pleased ________
7 principal ________
8 era ________
9 match ________
10 light ________
11 make a demand ________
12 support ________
13 earn a living ________
14 simple ________
15 sew ________
16 efficient ________
17 productive ________
18 technology ________
19 questionable ________
20 advantage ________

B 다음 우리말에 해당하는 영어를 쓰시오.

1 살아 있는 ________
2 고마워하는 ________
3 불쾌한 ________
4 불꽃 ________
5 살금살금 움직이다 ________
6 기다 ________
7 떨다, 떨리다 ________
8 일꾼, 노동자 ________
9 일 ________
10 숙련된 ________
11 고전의 ________
12 사슴 ________
13 전조등 ________
14 개인적인 ________
15 성공한 ________
16 ~을 명심하다 ________
17 눈먼 ________
18 겉보기에 ________
19 불가능한 ________
20 직관 ________

WRITING TEST

A **다음 우리말과 일치하도록 주어진 말을 바르게 배열하시오.**

1 중학교에서 연주하는 것은 처음이었습니다. 〈Reading 1〉

→ ______________________________

(to play, was, it, at a middle school, my first time)

2 나는 무언가가 벽을 따라 천천히 움직이는 소리를 들었다. 〈Reading 2〉

→ ______________________________

(moving, something, along the walls, heard, slowly, I)

3 종종 바로 같은 사람이 집도 짓는다. 〈Reading 3〉

→ ______________________________

(builds, as well, often, the same man, houses)

4 그래서 우리는 계속 인터넷에서 답을 검색한다. 〈수능 유형〉

→ ______________________________

(on the Internet, searching for, we, so, keep, answers)

B **다음 우리말과 일치하도록 주어진 표현을 이용하여 문장을 쓰시오.**

1 지난주에 학교에 저를 초대해 주셔서 감사합니다. (thankful, have) 〈Reading 1〉

→ ______________________________

2 떨리는 내 손가락에서 성냥이 떨어졌다. (match, tremble) 〈Reading 2〉

→ ______________________________

3 그래서 일 하나만으로도 한 사람을 먹고 살게 하기에 충분하다. (only, enough to) 〈Reading 3〉

→ ______________________________

4 우리는 결정을 내리기 위해서 모든 정보를 고려해야 한다고 생각한다. (consider, in order to) 〈수능 유형〉

→ ______________________________

• 정답과 해설 54쪽

TRANSLATION TEST

다음 문장을 끊어 읽고, 우리말로 해석하시오.

1 I was very pleased that I had a chance to play the violin for your students. 〈Reading 1〉

→ ______________________________

2 I was nervous because I was not sure if your students would like classical music. 〈Reading 1〉

→ ______________________________

3 I searched for a match in the dark and tried to strike it. 〈Reading 2〉

→ ______________________________

4 At first I couldn't see anything because of the flame; then I saw something creeping toward me. 〈Reading 2〉

→ ______________________________

5 Of course it isn't possible for a man of many trades to be skilled in all of them. 〈Reading 3〉

→ ______________________________

6 In large cities, on the other hand, many people make demands on each trade. 〈Reading 3〉

→ ______________________________

7 To be successful in anything today, we have to keep in mind that in the land of the blind, a one-eyed person can achieve the seemingly impossible. 〈수능 유형〉

→ ______________________________

8 With his one eye of intuition, the one-eyed person keeps analysis simple and will become the decision maker. 〈수능 유형〉

→ ______________________________

UNIT 09

문장과 문장을 이어 주는 것은 나!

WORD TEST

A 다음 영어에 해당하는 우리말을 쓰시오.

1 own ______________

2 name after ______________

3 recognize ______________

4 expect ______________

5 treat ______________

6 ignore ______________

7 look like ______________

8 at one time ______________

9 engineering ______________

10 expensive ______________

11 as a result ______________

12 first language ______________

13 write down ______________

14 exhausted ______________

15 determine ______________

16 ingredient ______________

17 ahead of ______________

18 recipe ______________

19 dozen ______________

20 awful ______________

B 다음 우리말에 해당하는 영어를 쓰시오.

1 백만장자, 굉장한 부호 ______________

2 차이, 다름 ______________

3 가라앉다, 빠지다 ______________

4 낯선 사람 ______________

5 미끄러지다 ______________

6 제국 ______________

7 우주, 은하계 ______________

8 외딴, 고립된 ______________

9 성(性) ______________

10 어부, 낚시꾼 ______________

11 나머지 ______________

12 주; 국가, 나라 ______________

13 선수권 대회 ______________

14 계산 ______________

15 후에, 나중에 ______________

16 부드럽게, 약하게 ______________

17 과목 ______________

18 ~을 받을 만하다 ______________

19 고향 ______________

20 ~에게 경의를 표하며 ______________

• 정답과 해설 55쪽

WRITING TEST

A 다음 우리말과 일치하도록 주어진 말을 바르게 배열하시오.

1 두바이 해안에는 300개의 인공 섬이 있다. 〈Reading 1〉

→ ______________________________

(Dubai, off the coast, are, there, man-mde, 300, islands, of)

2 Tristan da Cunha는 지구상에서 가장 고립된 섬들 가운데 하나이다. 〈Reading 2〉

→ ______________________________

(one, Tristan da Cunha, the most, isolated, of, islands, Earth, on, is)

3 나는 적당한 재료의 양을 정하기 위해 내 계산식을 적었다. 〈Reading 3〉

→ ______________________________

(wrote down, I, determine, to, ingredients, the, amount, right, of, my calculations)

4 그녀는 주 선수권 대회의 1,600미터 경주에서 막 우승했다. 〈수능 유형〉

→ ______________________________

(she, just, won, had, state, the, championship in, 1,600-meter race, the)

B 다음 우리말과 일치하도록 주어진 표현을 이용하여 문장을 쓰시오.

1 그 섬들은 비싼 주택과 호텔을 위해 설계되었다. (be designed for) 〈Reading 1〉

→ ______________________________

2 약 300명의 사람들이 Tristan da Cunha에 살고 있으며, 그들은 단지 8개의 성만을 공유하고 있다. (live on, share) 〈Reading 2〉

→ ______________________________

3 문득, 나는 내가 계산에서 실수했다는 것을 깨달았다. (make a mistake) 〈Reading 3〉

→ ______________________________

4 그녀는 그 후 너무 기진맥진해서 다음 3,200미터 경주에서 꼴찌였다. (so exhausted) 〈수능 유형〉

→ ______________________________

• 정답과 해설 55쪽

TRANSLATION TEST

다음 문장을 끊어 읽고, 우리말로 해석하시오.

1 When the islands were first built, sand in the Gulf of Oman was moved to build the islands. 〈Reading 1〉

→ ______________________________

2 The builders did not expect the islands to slide into the sea. 〈Reading 1〉

→ ______________________________

3 There is no airport, and ships only visit a few times a year. 〈Reading 2〉

→ ______________________________

4 In the past, it was hard for the people on the island to communicate with the rest of the world. 〈Reading 2〉

→ ______________________________

5 I tried, but the cookies turned out as hard as rocks and tasted awful. 〈Reading 3〉

→ ______________________________

6 As a result, math helped me bake the perfect chocolate cookies. 〈Reading 3〉

→ ______________________________

7 And then she gently pushed McMath across the finish line, just ahead of Vogel herself. 〈수능 유형〉

→ ______________________________

8 It was because of the race where she finished last. 〈수능 유형〉

→ ______________________________

UNIT 10

비교해 보니 내가 최고지!

• 정답과 해설 56쪽

WORD TEST

A 다음 영어에 해당하는 우리말을 쓰시오.

1 collection ____________
2 focus on ____________
3 choice ____________
4 take a rest ____________
5 list ____________
6 grow up ____________
7 scatter ____________
8 custom clothing ____________
9 well-known ____________
10 reach ____________
11 examine ____________
12 CEO ____________
13 observation ____________
14 fine ____________
15 grain ____________
16 acquire ____________
17 greet ____________
18 courageous ____________
19 amazed ____________
20 treatment ____________

B 다음 우리말에 해당하는 영어를 쓰시오.

1 졸린, 졸음이 오는 ____________
2 생태계 ____________
3 서식지, 거주지 ____________
4 천연자원 ____________
5 아주 작은 ____________
6 씨앗 ____________
7 평균의 ____________
8 둥지, 보금자리 ____________
9 키 ____________
10 치과 의사 ____________
11 기록하다, 표시하다 ____________
12 충치 ____________
13 목록, 카탈로그 ____________
14 ~이 들어 있다 ____________
15 호화로운, 고급스러운 ____________
16 미네랄 ____________
17 손님, 고객 ____________
18 (비행기) 승무원 ____________
19 충성스러운 ____________
20 일시적인, 임시의 ____________

WRITING TEST

A 다음 우리말과 일치하도록 주어진 말을 바르게 배열하시오.

1 태어났을 때 그는 고작 보통 크기의 아기였다. 〈Reading 1〉

→ ______________________________

(he, was, born, when, he, just, was, a, baby, normal-sized)

2 우리의 세계는 온갖 종류의 생태계의 집합체이다. 〈Reading 2〉

→ ______________________________

(world, our, a, is, collection, of, ecosystems, all kinds of)

3 그는 자신이 검사한 사람들 중 극히 소수의 사람들만이 충치를 앓고 있다는 것을 발견했다. 〈Reading 3〉

→ ______________________________

(found, very few, the, he, people, had, examined, tooth decay, he, that, of, had)

4 그녀는 승무원들과 심지어 기장에게조차 따뜻한 인사를 받았다. 〈수능 유형〉

→ ______________________________

(she, warmly, was, greeted, the, by, flight attendant, and, by, even, the pilot)

B 다음 우리말과 일치하도록 주어진 표현을 이용하여 문장을 쓰시오.

1 그의 발은 19사이즈 신발을 신을 만큼 커졌다. (enough to) 〈Reading 1〉

→ ______________________________

2 생태계는 전 세계만큼 클 수 있다. (as ~ as) 〈Reading 2〉

→ ______________________________

3 더 놀랍게도, 그들 중 누구도 칫솔을 사용한 적이 없었다! (more surprisingly) 〈Reading 3〉

→ ______________________________

4 나는 특별한 대우에 놀랐다. (be amazed by) 〈수능 유형〉

→ ______________________________

• 정답과 해설 56쪽

TRANSLATION TEST

다음 문장을 끊어 읽고, 우리말로 해석하시오.

1 Robert Pershing Wadlow is listed by Guinness World Records as the tallest person who ever lived. 〈Reading 1〉

→ ______________________________

2 His clothing size was larger than the average clothing size. 〈Reading 1〉

→ ______________________________

3 The small animals and birds eat its seeds and scatter them around. 〈Reading 2〉

→ ______________________________

4 And when a tree dies, it becomes a part of the ground again. 〈Reading 2〉

→ ______________________________

5 People in the village ate natural food, and it did not contain any colorings or sugar. 〈Reading 3〉

→ ______________________________

6 Their mineral and vitamin rich diet helped them have healthy teeth. 〈Reading 3〉

→ ______________________________

7 During the flight I learned that the airline's CEO personally called her to thank her for using their servicc for a long time. 〈수능 유형〉

→ ______________________________

8 Debbie was able to acquire this most special treatment for one very important reason. 〈수능 유형〉

→ ______________________________

UNIT 11

주제를 알아야 요지가 보인다!

WORD TEST

A 다음 영어에 해당하는 우리말을 쓰시오.

1 bitter ______
2 background ______
3 pollution ______
4 stomach ______
5 edible ______
6 turn *A* into *B* ______
7 heat ______
8 temperature ______
9 freeze ______
10 exist ______
11 stair ______
12 workout ______
13 sidewalk ______
14 lane ______
15 inconvenient ______
16 modern ______
17 public ______
18 facility ______
19 movement ______
20 resident ______

B 다음 우리말에 해당하는 영어를 쓰시오.

1 친구를 사귀다 ______
2 필요한 ______
3 비타민 ______
4 뼈 ______
5 심각한 ______
6 ~을 제외하고 ______
7 전기의 ______
8 양초, 촛불 ______
9 원천, 근원 ______
10 조언하다 ______
11 문화 ______
12 인기 ______
13 회원 수 ______
14 ~을 넘어서다 ______
15 차량 ______
16 대체하다 ______
17 ~에 영향을 미치다 ______
18 운전사가 필요 없는 ______
19 면허증, 자격증 ______
20 작동하다 ______

• 정답과 해설 57쪽

WRITING TEST

A 다음 우리말과 일치하도록 주어진 말을 바르게 배열하시오.

1 잘 들어주는 것이 새 친구를 사귀는 데 가장 중요한 기술이다. 〈Reading 1〉

→ ______________________________

(skill, being a good listener, the most important, for making new friends, is)

2 태양이 없으면 우리 중 누구도 여기 없었을 것이다. 〈Reading 2〉

→ ______________________________

(none, without, of us, the Sun, would be, here)

3 그 근처에 사는 사람들은 자주 그 시설들을 사용한다. 〈Reading 3〉

→ ______________________________

(often, people, live, near them, them, who, use)

4 요즘 차량 공유 운동이 전 세계적으로 나타나고 있다. 〈수능 유형〉

→ ______________________________

(today, all over the world, have appeared, car sharing movements)

B 다음 우리말과 일치하도록 주어진 표현을 이용하여 문장을 쓰시오.

1 그러기 위해서는 그저 상대방에게 질문을 해라. (do, other) 〈Reading 1〉

→ ______________________________

2 만약 태양이 존재하지 않는다면, 행성은 얼어붙을 것이다. (freeze, if) 〈Reading 2〉

→ ______________________________

3 현대식 건물의 불편하고 안전하지 않은 계단에서 계단을 오르는 사람은 거의 없을 것이다. (few, stairwells) 〈Reading 3〉

→ ______________________________

4 여러 도시에서 차량 공유는 도시 주민들이 이동하는 방법에 강력한 영향을 미쳤다. (make, impact) 〈수능 유형〉

→ ______________________________

• 정답과 해설 57쪽

TRANSLATION TEST

다음 문장을 끊어 읽고, 우리말로 해석하시오.

1 When you first meet someone, try to spend more time listening than talking about yourself. 〈Reading 1〉

→ ______________________________

2 By asking these questions rather than talking about yourself, you are showing that you are interested in the other person. 〈Reading 1〉

→ ______________________________

3 The Sun is really important because it helps us to see things. 〈Reading 2〉

→ ______________________________

4 Apart from electric lights and candles, it is our only light source. 〈Reading 2〉

→ ______________________________

5 These are good ways: climbing stairs provides a good workout, and people can get exercise from walking or riding a bicycle. 〈Reading 3〉

→ ______________________________

6 In contrast, safe biking and walking lanes, public parks, and exercise facilities allow people to exercise. 〈Reading 3〉

→ ______________________________

7 In the U.S. and Canada, membership in car sharing now goes beyond one in five adults in many urban areas. 〈수능 유형〉

→ ______________________________

8 The popularity of car sharing has grown especially with city governments that are having problems such as traffic jams and lack of parking lots. 〈수능 유형〉

→ ______________________________

12 글의 주제문을 찾아라!

• 정답과 해설 58쪽

WORD TEST

A 다음 영어에 해당하는 우리말을 쓰시오.

1 integration ____________
2 have a hard time -ing ____________
3 option ____________
4 look into ____________
5 improve ____________
6 remove ____________
7 cheap ____________
8 trendy ____________
9 environment ____________
10 protect *A* from *B* ____________
11 germ ____________
12 ordinary ____________
13 occupation ____________
14 matter ____________
15 frequently ____________
16 tend to ____________
17 overcome ____________
18 shyness ____________
19 remind *A* of *B* ____________
20 at a time ____________

B 다음 우리말에 해당하는 영어를 쓰시오.

1 해로운 ____________
2 봉급, 월급 ____________
3 분수 ____________
4 완성하다, 완료하다 ____________
5 황제 ____________
6 시신 ____________
7 영원히 ____________
8 유니폼, 제복 ____________
9 응급실 ____________
10 불안전한 ____________
11 표현 ____________
12 세탁하다 ____________
13 ~하고 싶다 ____________
14 행하다, 공연하다 ____________
15 짝, 파트너 ____________
16 불명예, 모욕 ____________
17 해넘이, 일몰 ____________
18 빛나다, 반짝이다 ____________
19 눈금, 저울 ____________
20 놀이공원 ____________

WRITING TEST

A **다음 우리말과 일치하도록 주어진 말을 바르게 배열하시오.**

1 그것은 세계에서 가장 아름다운 건물들 중 하나이다. 〈Reading 1〉

→ ______________________________

(it, is, one, the most, of, beautiful, buildings, in, world, the)

2 어떤 직업은 특별한 옷이나 유니폼을 필요로 한다. 〈Reading 2〉

→ ______________________________

(jobs, some, require, clothing, special, or, uniforms)

3 그 표현은 우리가 모두 인간이라는 것을 보여 준다. 〈Reading 3〉

→ ______________________________

(expression, shows, that, all, we, are, human, that)

4 아마도 여러분은 하늘의 해넘이를 본 적이 있을 것이다. 〈수능 유형〉

→ ______________________________

(you, maybe, have, watched, the sunset, the sky, in)

B **다음 우리말과 일치하도록 주어진 표현을 이용하여 문장을 쓰시오.**

1 건물 주위에는 정원과 분수대가 있다. (there are) 〈Reading 1〉

→ ______________________________

2 때때로 이 특별한 옷들은 노동자들이나 그들이 함께 일하는 사람들을 보호한다는 것을 의미한다. (be meant, protect) 〈Reading 2〉

→ ______________________________

3 교수와 이야기하고 있을 때 당신이 긴장해야 할 필요는 없다. (don't have to, nervous) 〈Reading 3〉

→ ______________________________

4 태양이 그렇게 보이는 이유는 그것이 불타고 있기 때문이다. (look that way, on fire) 〈수능 유형〉

→ ______________________________

• 정답과 해설 58쪽

TRANSLATION TEST

다음 문장을 끊어 읽고, 우리말로 해석하시오.

1 It was built about 400 years ago, and it took 22 years to complete the building. 〈Reading 1〉

→ ____________________

2 Shah Jahan was very sad, so he built the Taj Mahal to remember her. 〈Reading 1〉

→ ____________________

3 The special clothing also protects patients from the germs that may be present on ordinary clothing. 〈Reading 2〉

→ ____________________

4 Special clothes or uniforms are worn so that workers can be easily recognized by other people. 〈Reading 2〉

→ ____________________

5 They feel like crying when things go wrong and do the laundry after work just the same as you. 〈Reading 3〉

→ ____________________

6 People you are talking to will enjoy the conversation more if they see that you are enjoying it. 〈Reading 3〉

→ ____________________

7 There are many stars in the universe that are thousands of times hotter than the sun. 〈수능 유형〉

→ ____________________

8 That's 250,000 times hotter than the hottest summer day at your favorite amusement park. 〈수능 유형〉

→ ____________________

UNIT 13

글을 꼼꼼히 읽어라!

WORD TEST

A 다음 영어에 해당하는 우리말을 쓰시오.

1 penguin ____________
2 on fire ____________
3 lay ____________
4 hunt ____________
5 return ____________
6 skinny ____________
7 emergency ____________
8 first-aid kit ____________
9 ambulance ____________
10 great-grandmother ____________
11 ultimately ____________
12 beneficial ____________
13 numerous ____________
14 blood pressure ____________
15 relieve ____________
16 energize ____________
17 childhood ____________
18 force ____________
19 around the clock ____________
20 worth ____________

B 다음 우리말에 해당하는 영어를 쓰시오.

1 남극 ____________
2 나가다 ____________
3 이웃 ____________
4 애완동물 ____________
5 곧장 ____________
6 입양하다 ____________
7 버리다 ____________
8 소망하다 ____________
9 과정 ____________
10 알아 가다 ____________
11 자신 있게 ____________
12 장점 ____________
13 동화 ____________
14 갈등 ____________
15 영원히, 영구히 ____________
16 해결하다 ____________
17 공포 ____________
18 연극, 희곡 ____________
19 결혼 ____________
20 건강한, 건전한 ____________

WRITING TEST

A 다음 우리말과 일치하도록 주어진 말을 바르게 배열하시오.

1 그는 용감한 행동으로 명예 메달을 받았다. 〈Reading 1〉

→ ______________________________

(received, he, for his brave actions, an Honor Medal)

2 나는 사람들이 그들에게 기회를 줬으면 좋겠다. 〈Reading 2〉

→ ______________________________

(I, people, a chance, wish, them, would give)

3 아침 산책이 갖는 건강상의 장점은 매우 많다. 〈Reading 3〉

→ ______________________________

(numerous, the benefits, for your health, are, of a morning walk)

4 고전 동화에서 갈등은 흔히 영구적으로 해결된다. 〈수능 유형〉

→ ______________________________

(settled, in the classical fairy tale, often, the conflict, permanently, is)

B 다음 우리말과 일치하도록 주어진 표현을 이용하여 문장을 쓰시오.

1 그는 연기 냄새를 맡고 소리쳤다. "집에 불이 붙었어요! 나가세요!" (smoke, on fire) 〈Reading 1〉

→ ______________________________

2 하지만 그것은 그들을 알아 가는 과정의 일부일 뿐이다. (get to know) 〈Reading 2〉

→ ______________________________

3 아침에 규칙적으로 걷는 것은 모두에게 유익하고, 누구나 그렇게 할 수 있다. (regularly, beneficial) 〈Reading 3〉

→ ______________________________

4 남자 주인공과 여자 주인공은 그 후로 내내 행복하게 산다. (heroine, ever after) 〈수능 유형〉

→ ______________________________

• 정답과 해설 59쪽

TRANSLATION TEST

다음 문장을 끊어 읽고, 우리말로 해석하시오.

1 Robert Vick, 11 years old, was at home with his great-grandmother, sister, and baby brother. 〈Reading 1〉

→ ______

2 He then returned to his home to get his great-grandmother safely away from the fire. 〈Reading 1〉

→ ______

3 Now, I think it is much better to adopt from a shelter because so many animals have been badly treated, abandoned, or just really need a home. 〈Reading 2〉

→ ______

4 They can be just as cute, amazing, and sweet as the little puppy or cat in the pet store. 〈Reading 2〉

→ ______

5 Science says that walking regularly in the morning controls blood pressure, relieves stress, and energizes you. 〈Reading 3〉

→ ______

6 We rarely have time to care for our health, but if we walk each morning, we can enjoy all the benefits that it provides. 〈Reading 3〉

→ ______

7 This is particularly true of thriller and horror genres since they keep the audience thrilled. 〈수능 유형〉

→ ______

8 An open ending is a powerful tool that forces the audience to think about what might happen next. 〈수능 유형〉

→ ______

UNIT 14 글의 흐름을 파악하라!

• 정답과 해설 60쪽

WORD TEST

A 다음 영어에 해당하는 우리말을 쓰시오.

1 excuse ______________
2 fine ______________
3 suspect ______________
4 path ______________
5 regulation ______________
6 octopus ______________
7 amazing ______________
8 shape ______________
9 squeeze ______________
10 backyard ______________
11 carpenter ______________
12 retire ______________
13 boss ______________
14 executive ______________
15 paycheck ______________
16 bow ______________
17 lifelong ______________
18 career ______________
19 essential ______________
20 manufacturer ______________

B 다음 우리말에 해당하는 영어를 쓰시오.

1 전구 ______________
2 이론 ______________
3 예외 ______________
4 장례식 ______________
5 당황한, 혼란한 ______________
6 끌다, 유혹하다 ______________
7 고대의 ______________
8 방향 ______________
9 원주민의, 토착민의 ______________
10 연로한, 나이가 지긋한 ______________
11 배급 업체 ______________
12 인상 ______________
13 가망 있는, 유망한 ______________
14 느긋한, 여유 있는 ______________
15 굳게, 단단히 ______________
16 노력 ______________
17 비공식적인 ______________
18 상황, 배경 ______________
19 건네주다 ______________
20 부적절한 ______________

WRITING TEST

A **다음 우리말과 일치하도록 주어진 말을 바르게 배열하시오.**

1 이에 대해서는 많은 이론들이 있다. 〈Reading 1〉

→ ______________________________

(this, are, there, a number of, theories, about)

2 남쪽이 가장 햇볕이 잘 드는 방향이었다. 〈Reading 2〉

→ ______________________________

(the, south, the, sunniest, was, direction)

3 연로한 어느 목수가 은퇴를 준비하고 있다. 〈Reading 3〉

→ ______________________________

(elderly, an, carpenter, ready to, retire, was)

4 Fred는 몇 가지 웃기는 농담으로 자기의 발표를 시작했다. 〈수능 유형〉

→ ______________________________

(Fred, his, began, presentation, with, humorous, a few, jokes)

B **다음 우리말과 일치하도록 주어진 표현을 이용하여 문장을 쓰시오.**

1 순식간에 많은 곤충들이 밝은 전구 주위를 날아다니기 시작한다. (within moments) 〈Reading 1〉

→ ______________________________

2 그래서 그들은 남쪽으로 향하는 집들을 건설했다. (facing) 〈Reading 2〉

→ ______________________________

3 그는 매주 받던 급여는 그립겠지만, 은퇴를 원했다. (paycheck, retire) 〈Reading 3〉

→ ______________________________

4 그는 심지어 독일인이 하는 것처럼 고개를 살짝 숙여 인사했다. (bow, slightly, as Germans do) 〈수능 유형〉

→ ______________________________

• 정답과 해설 60쪽

TRANSLATION TEST

다음 문장을 끊어 읽고, 우리말로 해석하시오.

1 Have you ever sat out in a backyard at night and turned on a light? 〈Reading 1〉

→ ______________________________

2 When an insect flies at night, it uses a light source, such as the moon, to keep on a straight path. 〈Reading 1〉

→ ______________________________

3 As a result, sunlight came in through the windows and warmed the houses of Greek people during all winter. 〈Reading 2〉

→ ______________________________

4 They have used solar power to provide sunlight and heat to their homes just as the Greeks did. 〈Reading 2〉

→ ______________________________

5 He used poor materials and didn't put much time or effort into his last work. 〈Reading 3〉

→ ______________________________

6 It was an unfortunate way to end his lifelong career. 〈Reading 3〉

→ ______________________________

7 It was viewed as too informal and unprofessional in a German business setting. 〈수능 유형〉

→ ______________________________

8 Fred did not win any favor by telling jokes. 〈수능 유형〉

→ ______________________________

UNIT 15

단서로 짐작하라!

WORD TEST

A 다음 영어에 해당하는 우리말을 쓰시오.

1 frequency ____________
2 intense ____________
3 rustle ____________
4 steady ____________
5 heartbeat ____________
6 honk ____________
7 bark ____________
8 stimulate ____________
9 even ____________
10 relax ____________
11 have ~ in common ____________
12 doubt ____________
13 appealing ____________
14 present ____________
15 comics ____________
16 cover up ____________
17 play down ____________
18 aspect ____________
19 rely on ____________
20 original ____________

B 다음 우리말에 해당하는 영어를 쓰시오.

1 북돋우다 ____________
2 심리 치료 ____________
3 팀에 들어가다 ____________
4 긍정적인 ____________
5 연료 ____________
6 품질 ____________
7 외양, (겉)모습 ____________
8 정말 기분 좋은 ____________
9 경험 ____________
10 광고하다 ____________
11 성인, 성자 ____________
12 기도 ____________
13 후회하다 ____________
14 충족시키다 ____________
15 가치가 있는 ____________
16 지혜 ____________
17 본질, 본성 ____________
18 통상적 순서, 일과 ____________
19 게시하다 ____________
20 정신, 활기 ____________

• 정답과 해설 61쪽

WRITING TEST

A 다음 우리말과 일치하도록 주어진 말을 바르게 배열하시오.

1 음식은 우리의 몸을 위한 연료이다. 〈Reading 1〉

→ ______________________________

(our bodies, for, food, a fuel, is)

2 그러나 어느 것도 모든 것을 알려 주거나 보여 주는 것으로는 자기 목적을 달성할 수 없다. 〈Reading 2〉

→ ______________________________

(everything, its goal, however, can meet, by telling or showing, neither)

3 나는 보통 St. Benno and the Frog라고 불리는 이야기를 사용한다. 〈Reading 3〉

→ ______________________________

(usually, a story, I, called, use, St. Benno and the Frog)

4 그것을 여러분이 가장 필요로 하는 곳 어디든지 붙여라. 〈수능 유형〉

→ ______________________________

(most, post, wherever, it, need, you, it)

B 다음 우리말과 일치하도록 주어진 표현을 이용하여 문장을 쓰시오.

1 음식의 질이 더 좋을수록 우리 몸은 더 잘 동작한다. (the better, quality) 〈Reading 1〉

→ ______________________________

2 광고를 하는 것과 지도를 만드는 것은 어떤 공통점을 가지는가? (have, in common) 〈Reading 2〉

→ ______________________________

3 나는 아이들에게 그 성자가 만날 여러 다른 동물을 생각해 보라고 권한다. (think of, the saint) 〈Reading 3〉

→ ______________________________

4 아픈 친구들을 방문하러 갈 때 여러분의 만화를 가지고 가라. (take, visit) 〈수능 유형〉

→ ______________________________

• 정답과 해설 61쪽

TRANSLATION TEST

다음 문장을 끊어 읽고, 우리말로 해석하시오.

1 We can get great enjoyment from the taste, appearance, and smell of a well-cooked dish. 〈Reading 1〉

→ ____________________

2 If we eat a well-prepared meal that looks good and delicious, it can be a delightful experience. 〈Reading 1〉

→ ____________________

3 Without doubt, they both share the need to communicate a limited version of the truth. 〈Reading 2〉

→ ____________________

4 Ads will cover up or play down negative aspects of the company or service they advertise. 〈Reading 2〉

→ ____________________

5 A lovely technique for helping children create their own, unique story, is to ask them to help you complete a story before you tell it. 〈Reading 3〉

→ ____________________

6 It is a most effective way of involving children in creating stories and they love hearing their ideas used. 〈Reading 3〉

→ ____________________

7 It's not just because they will make you laugh but because they contain wisdom about the nature of life. 〈수능 유형〉

→ ____________________

8 Share your favorites with your friends and family so that everyone can get a good laugh, too. 〈수능 유형〉

→ ____________________

UNIT 01 문장의 주인은 나야 나!

WORD TEST

• 본문 02쪽

A 1 이루다, 성취하다 2 목표 3 유쾌한, 재미있는 4 건강, 행복 5 가정의 6 흔한 7 이루다, 구성하다 8 양 9 확실히 10 햇빛; 낮, 주간 11 설계하다, 계획하다 12 어둠 13 모으다, 수집하다 14 강당 15 뇌, 두뇌 16 야생 17 ~을 대신하여 18 ~을 수행하다 19 과제, 프로젝트 20 실업의, 일이 없는

B 1 creator 2 content 3 topic 4 regular 5 faithful 6 harm 7 saying 8 comfortable 9 make sure 10 habit 11 presentation 12 invite 13 attend 14 weigh 15 introduce 16 a variety of 17 develop 18 honor 19 event 20 look forward to

WRITING TEST

• 본문 03쪽

A
1 What kinds of waste do we produce in our daily lives?
2 Some habits help us achieve our goals.
3 Night animals' eyes are designed differently, for darkness.
4 I am writing on behalf of the students at Lockwood High School.

B
1 Garden cuttings make up 18% of the total waste.
2 A good habit is a faithful friend to help us toward our goal.
3 Flying squirrels are much smaller than the tree squirrels you see during the day.
4 This presentation will be held at the auditorium on April 16th.

TRANSLATION TEST

• 본문 04쪽

1 The above graph / shows / the percentage of different types of household wastes / that come from people's homes.
위 그래프는 사람들의 가정에서 나온 다양한 유형의 가정용 쓰레기 비율을 보여 준다.

2 The amount of metal waste / is / the same as / that of food waste.
금속 쓰레기의 양은 음식 쓰레기의 양과 같다.

3 If your goal is physical well-being, / get in the habit / of regular exercise / and / healthy diet.
만약 여러분의 목표가 신체적 건강이라면, 규칙적인 운동과 건강한 식단의 습관을 들여라.

4 In fact, / some habits / are / very powerful / and / can harm / us.
사실, 나쁜 습관들은 매우 강력하고 우리를 해칠 수 있다.

5 One reason / that / makes night animals special / is / their big eyes.
야행성 동물을 특별하게 만드는 한 가지 이유는 그들의 커다란 눈이다.

6 An owl's eyes / are / huge, / so / they / weigh / more than its brain.
올빼미의 눈은 몹시 커서 그것의 뇌보다 더 무겁다.

7 During the presentation, / students / will introduce / a variety of ideas / for developing / chances of getting a job / for the young people / in Lockwood.
발표회 동안 학생들은 Lockwood 청년들의 취업 기회를 만들기 위한 다양한 의견들을 소개할 것입니다.

8 It / would be / a pleasure and honor / to attend / the event.
행사에 참석하신다면 기쁘고 영예로울 것입니다.

UNIT 02 문장은 내가 움직이는 대로! 1

WORD TEST

● 본문 05쪽

A 1 ~을 관통하여 2 머물다, 지내다 3 특별한 4 기린 5 많은 6 멸종 위기의 7 방문하다 8 쑥 내밀다 9 십 대, 청소년 10 나누다, 공유하다 11 손상, 피해 12 고통, 통증 13 손목 14 구부리다 15 활동 16 부모 17 결과 18 설문 조사 19 여행하다 20 즐기다

B 1 thread 2 center 3 glue 4 tie 5 connect 6 narrow 7 restaurant 8 concentrate 9 happen 10 suffer 11 entertainment 12 prefer 13 conversation 14 similar 15 hobby 16 point 17 drive 18 roll down 19 grateful 20 lucky

WRITING TEST

● 본문 06쪽

A
1 Leave a narrow space for the thread in between the caps.
2 Here is what happens to teenagers' bodies because of a plugged-in life.
3 What activities do people want to do most with their parents?
4 He pointed at a girl walking up the street.

B
1 Cut a piece of paper into two pieces.
2 About 12.5% suffer serious hearing damage from too much use of headphones.
3 More than half of the people want to travel with their parents.
4 When I saw her face, I could tell how grateful she was.

TRANSLATION TEST

● 본문 07쪽

1 Push the screw / through the center of one cap / from inside to outside.
나사를 병뚜껑 1개의 중앙 안쪽에서 바깥쪽으로 밀어 넣어라.

2 Only 20% of teenagers / get / the recommended nine hours of sleep / and / 45% / sleep / fewer than 8 hours.
오직 20%의 청소년들만이 권장되는 9시간의 수면을 취하고 45%는 8시간 미만의 수면을 취한다.

3 In addition, / they / can't concentrate / on their homework / for more than two minutes / without checking / their cell phones or computers.
게다가 그들은 휴대폰이나 컴퓨터를 확인하지 않고서는 2분 이상 숙제에 집중할 수 없다.

4 Teenagers / feel / pain / 50% more / in their fingers and wrists / when they play video games.
청소년들은 비디오 게임을 할 때 손가락과 손목에 50% 더 통증을 느낀다.

5 More people / want to enjoy / entertainment / with their parents / than to have family dinners / with them.
부모와 가족 저녁 식사를 같이하기보다는 부모와 오락을 즐기고 싶어 하는 사람들이 더 많다.

6 Less people / want to share / similar hobbies / with their parents / than to have heart-to-heart conversations / with them.
부모와 솔직한 대화를 나누는 것보다 부모와 비슷한 취미를 공유하고 싶어 하는 사람들이 더 적다.

7 I / asked / the driver, / "Where / did you / drop the last person off?" / and / I / showed / him / the phone.
나는 운전사에게 "바로 전에 탔던 사람을 어디에 내려 주셨습니까?"라고 묻고 그에게 전화기를 보여 줬다.

8 Her smile / made / me / smile / and / feel really good / inside.
그녀의 미소는 나를 미소 짓게 했고, 속으로도 정말 기분 좋게 만들었다.

UNIT 03
문장은 내가 움직이는 대로! 2

WORD TEST
● 본문 08쪽

A 1 실수 2 창피한 3 잘못 4 의미하다, 뜻하다 5 완벽한 6 보호하다 7 바꾸다 8 털 9 사라지다 10 주위, 환경 11 색칠하다 12 타고난, 천부적인 13 재능이 있는 14 명인 15 ~에 영향을 미치다 16 만들어 내다, 제작하다 17 명성 18 열병, 열 19 ~을 찾다 20 야생의

B 1 completely 2 failure 3 according to 4 confuse 5 look for 6 tasty 7 art 8 expert 9 artist 10 draw 11 farm 12 build 13 village 14 river 15 move around 16 international 17 tourism 18 spend 19 billion 20 country

WRITING TEST
● 본문 09쪽

A
1 In the summer, their fur is darker and they disappear into the surroundings.
2 Raphael was influenced by the works of Leonardo and Michelangelo.
3 Before farming, people had to search for food to eat.
4 The above graph shows the world's top international tourism spenders in 2014.

B
1 In the winter, their fur is as white as snow.
2 But at the height of his fame, Raphael caught a fever.
3 People no longer had to move to find food.
4 Germany spent 20 billion dollars less than the USA.

TRANSLATION TEST
● 본문 10쪽

1 In order to protect themselves / from the cold, / they / need to move / to warmer and safer places / if they can.
추위로부터 자신을 보호하기 위해, 그들은 할 수 있다면 더 따뜻하고 안전한 곳으로 옮길 필요가 있다.

2 This color change / really confuses / other animals / while they are looking for / a tasty meal.
다른 동물이 맛좋은 먹잇감을 찾는 동안 이런 색깔 변화는 그들을 정말 혼란스럽게 한다.

3 According to art experts, / the greatest artists of the Renaissance / were / Leonardo, Michelangelo, and Raphael.
예술 전문가들에 따르면, 르네상스 (시대)의 가장 위대한 예술가들은 Leonardo, Michelangelo, Raphael이었다.

4 His father / was / a painter, / and / he / taught / Raphael / how to draw and paint.
그의 아버지는 화가였고, 그는 Raphael에게 그리고 색칠하는 법을 가르쳤다.

5 This / allowed / them / to stay / in one place.
이는 그들이 한 장소에 머물도록 해 주었다.

6 The towns / were built / close to rivers / because the animals and plants needed water / to keep growing.
동물들과 식물들이 계속 성장하기 위해 물이 필요했기 때문에, 마을들은 강 가까이에 지어졌다.

7 The United States of America (USA) / spent / more than / twice as much as Russia / on international tourism
미국은 러시아의 두 배 이상을 국제 관광에 소비했다.

8 Of the five countries, / Russia / spent / the smallest amount of money / on international tourism.
5개국 중에서 러시아가 국제 관광에 가장 적은 돈을 썼다.

UNIT
04 움직임엔 상대가 필요하지!

WORD TEST

● 본문 11쪽

A 1 ~ 동안 2 기억하다 3 화학 물질 4 추진하다, 증진하다 5 등록 6 깨다; 깨우다 7 모험 8 탐험하다 9 ~을 신경 쓰다 10 성취 11 젖병 12 젖을 먹이다, 음식을 주다 13 실망한 14 고개를 돌리다 15 (반대쪽으로) 방향을 바꾸다 16 ~에 대해 아무것도 모르다 17 ~을 알아채다; ~에 주의하다 18 마침내 19 완료하다, 성취하다 20 드디어, 결국

B 1 fee 2 include 3 treasure hunt 4 receive 5 memory 6 relationship 7 co-worker 8 be good at 9 woods 10 welcome 11 astronaut 12 board 13 space shuttle 14 mission 15 specialist 16 historic 17 flight 18 professor 19 degree 20 medical

WRITING TEST

● 본문 12쪽

A 1 We'll begin to explore the woods in Tennessee!
2 Do you want to have good relationships with your co-workers?
3 She is pretty tired and she wants her bottle.
4 Mae C. Jemison always hoped that she could fulfill her dreams.

B 1 Every participant will receive a camp backpack.
2 I was good at my work and proud of it.
3 Sophie is clueless about what Angela wants.
4 She graduated from Stanford University in 1977 with a degree in chemical engineering and Afro-American studies.

TRANSLATION TEST

● 본문 13쪽

1 All middle school and high school students / are / welcome!
모든 중학생과 고등학생을 환영합니다!

2 I / started / to talk less / about myself / and / listen / more / to my co-workers.
저는 제 자신에 대해 덜 말하고 동료들의 말을 더 듣기 시작했습니다.

3 They / were / excited / to tell me / about their achievement / and / our relationship / got better.
그들은 저에게 그들의 성공에 대해 말해 주며 즐거워했고 우리의 관계는 좋아졌습니다.

4 If you really want to have good relationships / with others, / listen first / to their stories / before you talk about yourself.
만약 여러분이 정말로 다른 사람들과 좋은 관계를 맺고 싶다면, 여러분 자신에 대해 말하기 전에 그들의 이야기를 먼저 들어 보세요.

5 Then, / she / bends / her back / and / turns around / in her high chair.
그리고는, 그녀는 등을 구부리고 높은 의자에 앉은 채 돌아선다.

6 When Sophie looks at the table, / she / notices / the bottle / on it.
Sophie가 식탁을 볼 때, 그녀는 그 위에 있는 젖병을 알아차린다.

7 On September 12, 1992, / she / boarded / the space shuttle Endeavor / as a science mission specialist / on the historic eight-day flight.
1992년 9월 12일, 그녀는 역사적인 8일간의 비행에서 과학 임무 전문가로 우주 왕복선 Endeavor호에 탑승했다.

8 She / moved to Chicago / with her family / when she was three years old.
그녀는 세 살 때 가족과 함께 Chicago로 이사했다.

UNIT 05

문장의 의미를 보충해 주지!

WORD TEST

● 본문 14쪽

A 1 신경성의 2 웃음; (큰) 웃음소리 3 반응하다, 대응하다 4 편안한, 긴장이 풀린 5 상황, 입장, 상태 6 ~으로 알려지다 7 거의 없는, 소수의 8 추상적인 9 ~하는 데 어려움을 겪다 10 앞으로 나아가다, 발전하다 11 연설하다 12 밖으로 나오다 13 준비하다, 대비하다 14 따라오다, 따르다 15 관객, 청중 16 (각종 경연 대회의) 심사 위원 17 요리사, 주방장 18 지루한 19 참가자, 참여자 20 시장, 군수

B 1 gentle 2 create 3 pour 4 canvas 5 technique 6 painting 7 generation 8 available 9 finally 10 turn 11 overweight 12 nearby 13 allow 14 owner 15 addition 16 consideration 17 crowd 18 challenge 19 jealous 20 beforehand

WRITING TEST

● 본문 15쪽

A
1 When he finished art school, there were very few jobs available.
2 When Amber opened her mouth, only air came out of her mouth.
3 There is a park nearby, but dogs are not allowed.
4 Welcome to our cooking contest!

B
1 Over time, this technique became known as action painting.
2 Amber tried to speak again, but she didn't know what to say.
3 A dog park would be a great way to keep dogs healthy.
4 Join us by tasting the dishes and helping us judge them for just $3.

TRANSLATION TEST

● 본문 16쪽

1 Eventually, / Pollock / found / work / and / advanced / as an artist.
결국 Pollock은 일자리를 찾았고, 예술가로서 발전했다.

2 Pollock / influenced / the next generation / of abstract artists.
Pollock은 다음 세대의 추상 화가들에게 영향을 주었다.

3 Amber / prepared to talk / about time / and / she / started / with the word: 'Time....'
Amber는 시간에 대해 이야기할 것을 준비해 왔고 '시간은...'이라는 단어로 시작했다.

4 The whole crowd / was now laughing at / her / loudly.
이제 군중 전체가 그녀를 보며 크게 웃기 시작했다.

5 My goal / is / to help all dogs / in this community.
제 목표는 이 지역 사회의 모든 개들을 돕는 것입니다.

6 Thank you / for your consideration / on this important issue.
이 중요한 문제를 고려해 주셔서 감사합니다.

7 Your challenge / is / to use / a seasonal ingredient / to create a delicious dish.
여러분의 도전은 제철 재료를 사용하여 맛있는 요리를 만들어 내는 것입니다.

8 Participants / should prepare / their dishes / beforehand / and / bring / them / to the event.
참가자들은 자신의 요리를 미리 준비해서 행사에 가져와야 합니다.

UNIT 06

어제의 나와 오늘의 나와 내일의 내가!

WORD TEST

• 본문 17쪽

A 1 과학자 2 외부의, 바깥쪽의 3 행성 4 태양의 5 ~을 휩쓸다, 완전히 없애다 6 우주선 7 외계인 8 인사말 9 지진 10 발생하다, 일어나다 11 매년 12 ~을 포함하여 13 방문객 14 참가 15 우승한, 이긴 16 전시 17 집중을 방해하는 것 18 즉각적인 19 한꺼번에 여러 일을 처리하다 20 동시에

B 1 ocean 2 wave 3 horrible 4 strike 5 coast 6 launch 7 contest 8 celebrate 9 island 10 hold 11 honest 12 break 13 pastime 14 urban 15 attraction 16 gather 17 lively 18 empty 19 view 20 offer

WRITING TEST

• 본문 18쪽

A
1 Out at sea, the wave may be only a meter high.
2 2015 Photograph Contest Celebrating Summer on Malla Island
3 But try to be honest with yourself.
4 Life and activity as an urban attraction are important.

B
1 The waves swept away buildings, cars, and roads.
2 There will be a photo contest again this year.
3 Maybe, you can multi-task and can focus on all these things at once.
4 The walk will be more interesting and feel safer.

TRANSLATION TEST

• 본문 19쪽

1 When an earthquake occurs / under the ocean, / it / often moves / a huge amount of water / above it.
지진이 바다 밑에서 일어날 때, 그것은 종종 엄청난 양의 물을 바다 위로 이동시킨다.

2 This earthquake / produced / tsunami waves / along the coast, / and / they / were / up to / 25 meters high.
이 지진은 해안을 따라 쓰나미 파도를 일으켰는데, 최고 25미터 높이였다.

3 Our goal / is / to promote / the natural beauty / of Malla Island.
우리의 목표는 Malla 섬의 자연미를 알리는 것입니다.

4 The winning photos / will be / part of a display / at Malla Museum / and / may be used / to advertise the island.
우승한 사진들은 Malla 박물관에 전시될 것이고, 섬을 광고하는 데 사용될 수 있습니다.

5 It / can be tough / to settle down to study / when there are so many distractions.
집중을 방해하는 것들이 아주 많이 있을 때, 공부에 전념하는 것은 힘들 수 있다.

6 You / will be able to work / best / if you concentrate on your studies / but / take regular breaks / every 30 minutes / for those other pastimes.
여러분이 공부에 집중하되 그런 다른 취미 활동을 하기 위해 30분마다 규칙적인 휴식을 취한다면 여러분은 최고의 성과를 낼 것이다.

7 People / gather / where things are happening / and / want / to be / around other people.
사람들은 일이 일어나는 곳에 모이고 다른 사람들 주위에 있고 싶어 한다.

8 Also, / most people / prefer / using seats / providing the best view / of city life / and / offering a view / of other people.
또한, 대부분의 사람들은 도시 생활을 가장 잘 볼 수 있고 다른 사람들을 볼 수 있는 좌석을 이용하는 것을 선호한다.

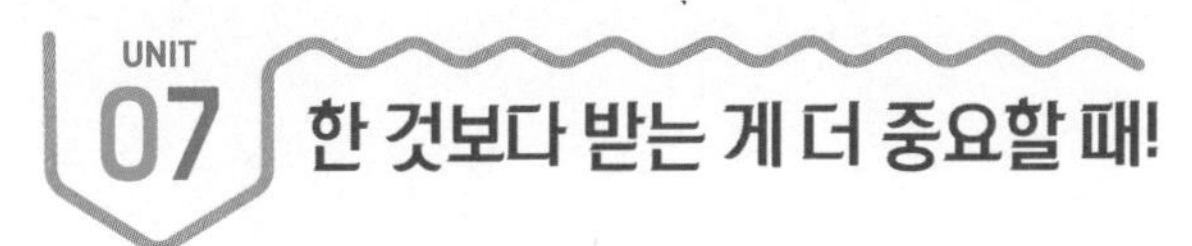

UNIT 07 한 것보다 받는 게 더 중요할 때!

WORD TEST

• 본문 20쪽

A 1 용 2 도마뱀 3 B를 본떠서 A를 만들다 4 코뿔소 5 닮다, 유사하다 6 내뿜다, 내뱉다 7 초급의 8 물건, 사물 9 깨닫다 10 패배시키다, 물리치다 11 되찾다 12 왕국 13 전하다; 소통하다 14 입학시키다, 등록하다 15 결정하다 16 필요로 하다 17 ~에 의존하다, 달려 있다 18 교과서 19 판매인 20 직원

B 1 battle 2 shelter 3 cave 4 enemy 5 spider 6 climb 7 bravely 8 collect 9 soldier 10 fight 11 fellow 12 involve 13 hundreds of 14 based on 15 trap 16 certain 17 go through 18 fear 19 let go of 20 thief

WRITING TEST

• 본문 21쪽

A
1 She asked my friend Daniel what color the object was.
2 It tried to climb again and again.
3 Clearly, the class requires a teacher and students.
4 For example, let's say you failed in a certain area.

B
1 I couldn't believe he said the object was white.
2 Long ago, a king was defeated in a battle.
3 However, it also depends on many other people and organizations.
4 They might also get trapped by those failures.

TRANSLATION TEST

• 본문 22쪽

1 When I was / in elementary school, / my teacher Ms. Baker / placed / a round object / in the middle / of her desk.
내가 초등학교에 다닐 때, 나의 선생님 Ms. Baker는 그녀의 책상 중앙에 둥근 물건을 놓으셨다.

2 I / realized / that an object / could look different / depending on your point of view.
나는 사물이 사람들의 관점에 따라 다르게 보일 수 있다는 것을 깨달았다.

3 As it climbed up, / a thread / in its web / broke / and / it / fell down.
거미가 위로 올라가자 거미줄에 있는 줄이 하나 끊어졌고 거미는 아래로 떨어졌다.

4 The king / thought, / "If a small spider can face failure / so bravely, / why should I / give up?"
"작은 거미가 그렇게 용감하게 실패에 맞설 수 있다면, 도대체 나는 왜 포기해야 하는가?"라고 왕은 생각했다.

5 Just think / for a moment / of all the people / whose work / has made / your class / possible.
여러분의 수업을 가능하게 하도록 일을 해 온 모든 사람들을 잠시만 생각해 보라.

6 Although it may seem / that only you, your fellow students, and your teacher / are involved / in the class, / it / is actually / the product of the efforts / of hundreds of people.
여러분, 여러분의 동료 학생들, 그리고 선생님만이 수업에 연관된 것처럼 보일지 몰라도, 사실은 그 수업은 수백 명의 사람들의 노력의 산물이다.

7 When you go through / the same situation / later, / you / might expect / to fail again.
당신이 같은 상황을 나중에 겪을 때, 당신은 다시 실패할 것이라고 예상할지도 모른다.

8 Your past experiences / are / the thief / of today's dreams / only when you allow them / to control you.
당신의 과거 경험이 당신을 지배하도록 둘 때에만 그것들은 오늘날의 꿈의 도둑이 된다.

UNIT 08

문장은 꾸미기 나름이지!

WORD TEST

● 본문 23쪽

A 1 과거 2 공장 3 교대 근무 4 고용하다 5 두드리다 6 기쁜 7 교장 선생님 8 시대 9 성냥 10 불을 붙이다, (불이) 붙다 11 요구하다 12 부양하다 13 생계를 유지하다 14 단순한 15 바느질하다 16 효율적인 17 생산적인 18 기술 19 미심쩍은, 의심스러운 20 장점

B 1 alive 2 thankful 3 unpleasant 4 flame 5 creep 6 crawl 7 tremble 8 workman 9 trade 10 skilled 11 classical 12 deer 13 headlight 14 personal 15 successful 16 keep in mind 17 blind 18 seemingly 19 impossible 20 intuition

WRITING TEST

● 본문 24쪽

A
1 It was my first time to play at a middle school.
2 I heard something moving slowly along the walls.
3 Often, the same man builds houses as well.
4 So we keep searching for answers on the Internet.

B
1 I am thankful that you had me at your school last week.
2 The match fell from my trembling fingers.
3 So, only one trade alone is enough to support a man.
4 We think we have to consider all the information in order to make a decision.

TRANSLATION TEST

● 본문 25쪽

1 I / was / very pleased / that I had a chance / to play the violin / for your students.
저는 학생들을 위해 바이올린을 연주할 기회가 생겨서 매우 기뻤습니다.

2 I / was / nervous / because I was not sure / if your students / would like / classical music.
저는 학생들이 클래식 음악을 좋아할지 확신하지 못했기 때문에 긴장했습니다.

3 I / searched for / a match / in the dark / and / tried / to strike / it.
나는 어둠 속에서 성냥을 찾아서 그것을 켜려고 애썼다.

4 At first / I / couldn't see / anything / because of the flame; / then I / saw / something / creeping toward me.
처음에 나는 불꽃 때문에 아무것도 볼 수 없었으나, 그러다가 나는 나를 향해 기어오는 무언가를 보았다.

5 Of course / it / isn't possible / for a man / of many trades / to be skilled / in all of them.
물론 많은 일을 하는 사람이 그 일 모두에 능숙하기는 불가능하다.

6 In large cities, / on the other hand, / many people / make demands / on each trade.
반면에 큰 도시에서는 많은 사람들이 각각의 일을 필요로 한다.

7 To be successful / in anything / today, / we / have to / keep in mind / that / in the land of the blind, / a one-eyed person / can achieve / the seemingly impossible.
오늘날 어떤 일에 있어서 성공하기 위해서는, 우리는 눈먼 사람들의 세계에서는 한 눈으로 보는 사람이 겉보기에는 불가능한 일을 해낼 수 있다는 것을 명심해야 한다.

8 With his one eye of intuition, / the one-eyed person / keeps / analysis / simple / and / will become / the decision maker.
그의 직관의 외눈으로, 한 눈으로 보는 사람은 분석을 단순하게 하고 의사 결정자가 될 것이다.

UNIT 09 문장과 문장을 이어 주는 것은 나!

WORD TEST

● 본문 26쪽

A 1 자신의 2 ~의 이름을 따다 3 알아보다, 인식하다 4 예상하다, 기대하다 5 대접, 취급 6 무시하다 7 ~처럼 보이다 8 한 때; 동시에 9 공학, 공학 기술 10 비싼, 돈이 많이 드는 11 결과적으로 12 모국어 13 적어 놓다, 기록하다 14 기진맥진한, 진이 다 빠진 15 결정하다, 확정하다 16 재료, 성분 17 ~ 앞에, ~보다 앞선 18 조리법, 요리법 19 다스, 12개 20 끔찍한, 지독한

B 1 millionaire 2 difference 3 sink 4 stranger 5 slide 6 empire 7 universe 8 isolated 9 family name 10 fisherman 11 rest 12 state 13 championship 14 calculation 15 afterward 16 gently 17 subject 18 deserve 19 hometown 20 in honor of

WRITING TEST

● 본문 27쪽

A
1 Off the coast of Dubai, there are 300 man-made islands.
2 Tristan da Cunha is one of the most isolated islands on Earth.
3 I wrote down my calculations to determine the right amount of ingredients
4 She had just won the state championship in the 1,600-meter race.

B
1 The islands were designed for expensive homes and hotels.
2 About 300 people live on Tristan da Cunha, and they share only eight family names.
3 Suddenly, I realized that I made a mistake in my calculation!
4 She was so exhausted afterward that she was in last place during the next 3,200-meter race.

TRANSLATION TEST

● 본문 28쪽

1 When the islands were first built, / sand / in the Gulf of Oman / was moved / to build the islands.
섬들이 처음 지어졌을 때, 오만만의 모래가 섬을 짓기 위해 이동되었다.

2 The builders / did not expect / the islands / to slide into the sea.
건설업자들은 그 섬들이 바닷속으로 가라앉을 것이라고 예상하지 못했다.

3 There / is / no airport, / and / ships / only / visit / a few times / a year.
공항도 없고, 배도 1년에 고작 몇 번만 온다.

4 In the past, / it / was hard / for the people on the island / to communicate with / the rest of the world.
과거에는 섬에 사는 사람들이 세상 사람들과 연락을 주고받는 것이 힘들었다.

5 I / tried, / but / the cookies / turned out / as hard as rocks / and / tasted / awful.
나는 노력했지만, 쿠키들은 바위처럼 딱딱해졌고 맛이 끔찍했다.

6 As a result, / math / helped / me / bake / the perfect chocolate cookies.
그 결과, 수학은 내가 완벽한 초콜릿 쿠키를 굽는 데 도움을 주었다.

7 And then / she / gently / pushed / McMath / across the finish line, / just ahead of / Vogel / herself.
그리고 그 후 그녀는 Vogel 자신 바로 앞에서 McMath가 결승선을 넘도록 부드럽게 밀었다.

8 It / was / because of the race / where she finished last.
그것은 그녀가 꼴찌로 마쳤던 경주 때문이었다.

UNIT 10

비교해 보니 내가 최고지!

WORD TEST

● 본문 29쪽

A 1 수집, 모음 2 ~에 집중하다 3 선택 4 쉬다, 휴식하다 5 명단에 올리다 6 자라다, 성장하다 7 뿌리다 8 맞춤복 9 잘 알려진, 유명한 10 닿다, 도달하다 11 조사하다, 검사하다 12 최고 경영자(= Chief Executive Officer) 13 관찰, 감시 14 질 높은, 좋은 15 곡물, 낟알 16 얻다, 획득하다 17 인사하다, 환영하다 18 용감한 19 놀란 20 대우, 처우

B 1 sleepy 2 ecosystem 3 habitat 4 natural resource 5 tiny 6 seed 7 average 8 nest 9 height 10 dentist 11 mark 12 tooth decay 13 catalogue 14 contain 15 luxury 16 mineral 17 customer 18 flight attendant 19 loyal 20 temporary

WRITING TEST

● 본문 30쪽

A
1 When he was born, he was just a normal-sized baby.
2 Our world is a collection of all kinds of ecosystems.
3 He found that very few of the people he examined had tooth decay.
4 She was warmly greeted by the flight attendants and even by the pilot.

B
1 His feet became large enough to wear size 19 shoes.
2 Ecosystems can be as big as the whole world.
3 More surprisingly, none of them had ever used a toothbrush!
4 I was amazed by the special treatment.

TRANSLATION TEST

● 본문 31쪽

1 Robert Pershing Wadlow / is listed / by Guinness World Records / as the tallest person / who ever lived.
Robert Pershing Wadlow는 기네스 세계 기록에 지금까지 살았던 사람들 중 가장 키가 큰 사람으로 등재되었다.

2 His clothing size / was larger / than the average clothing size.
그의 옷 사이즈는 평균 옷 사이즈보다 컸다.

3 The small animals and birds / eat / its seeds / and / scatter / them / around.
작은 동물들과 새들이 그 씨앗들을 먹고 여기저기 뿌린다.

4 And / when a tree dies, / it / becomes / a part of the ground / again.
그리고 나무가 죽으면 그것은 다시 땅의 일부가 된다.

5 People / in the village / ate natural food, / and / it / did not contain / any colorings or sugar.
마을 사람들은 자연 식품을 먹으며, 그 음식에는 어떤 색소나 설탕도 들어 있지 않았다.

6 Their mineral and vitamin rich diet / helped / them / have / healthy teeth.
미네랄과 비타민이 풍부한 그들의 식단은 그들이 건강한 치아를 갖는 데 도움을 주었다.

7 During the flight / I / learned / that the airline's CEO personally called her / to thank her / for using their service / for a long time.
비행 동안에 나는 그 항공사의 최고 경영자가 그녀에게 직접 전화를 걸어 그녀가 오랫동안 그들의 서비스를 이용한 것에 감사했다는 것을 알았다.

8 Debbie / was able to acquire / this most special treatment / for one very important reason.
Debbie는 한 가지 매우 중요한 이유 때문에 이러한 가장 특별한 대우를 받을 수 있었다.

UNIT 11

주제를 알아야 요지가 보인다!

WORD TEST

● 본문 32쪽

A 1 쓴 2 배경의 3 오염, 공해 4 위장 5 먹을 수 있는 6 A를 B로 바꾸다 7 뜨겁게 만들다 8 온도 9 얼다 10 존재하다 11 계단 12 운동 13 보도, 인도 14 차선 15 불편한 16 현대의 17 공공의 18 시설 19 운동, 동향, 움직임 20 거주자

B 1 make friends 2 necessary 3 vitamin 4 bone 5 serious 6 apart from 7 electric 8 candle 9 source 10 advise 11 culture 12 popularity 13 membership 14 go beyond 15 vehicle 16 replace 17 have an impact on 18 driverless 19 license 20 operate

WRITING TEST

● 본문 33쪽

A
1 Being a good listener is the most important skill for making new friends.
2 Without the Sun, none of us would be here.
3 People who live near them use them often.
4 Today car sharing movements have appeared all over the world.

B
1 To do that, just ask questions to the other person.
2 The planet would freeze if the Sun did not exist.
3 Few would walk up stairs in inconvenient and unsafe stairwells in modern buildings.
4 In many cities, car sharing has made a strong impact on how city residents travel.

TRANSLATION TEST

● 본문 34쪽

1 When you first meet someone, / try / to spend / more time / listening / than talking about yourself.
누군가를 처음 만났을 때, 자신에 대해 이야기하기보다 듣는 데 더 많은 시간을 보내려고 노력하라.

2 By asking these questions / rather than talking about yourself, / you / are showing / that you are interested / in the other person.
자신에 대해 이야기하기보다 이런 질문을 함으로써 당신이 상대방에게 관심이 있다는 것을 보여 주는 것이다.

3 The Sun / is / really important / because it helps us / to see things.
태양은 우리가 사물을 볼 수 있도록 도와주기 때문에 매우 중요하다.

4 Apart from electric lights and candles, / it / is / our only light source.
전깃불과 촛불을 제외하고, 그것은 우리의 유일한 광원이다.

5 These / are / good ways: / climbing stairs / provides / a good workout, / and / people / can get / exercise / from walking or riding a bicycle.
그것들은 좋은 방법으로, 계단을 오르는 것은 좋은 운동이 되고, 걷거나 자전거를 탐으로써 사람들은 운동을 할 수 있다.

6 In contrast, / safe biking and walking lanes, public parks, and exercise facilities / allow / people / to exercise.
그에 반해서, 안전한 자전거 도로와 산책로, 공원, 그리고 운동 시설들은 사람들이 운동하는 것을 가능하게 해 준다.

7 In the U.S. and Canada, / membership in car sharing / now goes beyond / one in five adults / in many urban areas.
미국과 캐나다에서는, 많은 도시 지역에서 이제 차량 공유 회원 수가 성인 5명 중 1명을 넘어섰다.

8 The popularity of car sharing / has grown / especially / with city governments / that are having / problems / such as traffic jams and lack of parking lots.
차량 공유의 인기는 특히 교통 체증과 주차장 부족 같은 문제를 겪는 시 정부와 함께 늘어나고 있다.

UNIT 12

글의 주제문을 찾아라!

WORD TEST

● 본문 35쪽

A 1 통합 2 ~하는 데 어려움을 겪다 3 옵션, 선택권 4 조사하다, 살펴보다 5 개선하다, 향상시키다 6 제거하다, 치우다 7 값이 싼 8 최신 유행의 9 환경 10 B로부터 A를 보호하다 11 병균, 세균 12 평범한 13 직업 14 중요하다 15 자주, 빈번히 16 ~하는 경향이 있다 17 극복하다, 이기다 18 수줍음, 겁 많음 19 A에게 B를 연상시키다 20 한번에

B 1 harmful 2 salary 3 fountain 4 complete 5 emperor 6 body 7 forever 8 uniform 9 emergency room 10 unsafe 11 expression 12 do the laundry 13 feel like -ing 14 perform 15 partner 16 dishonor 17 sunset 18 shine 19 scale 20 amusement park

WRITING TEST

● 본문 36쪽

A
1 It is one of the most beautiful buildings in the world.
2 Some jobs require special clothing or uniforms.
3 That expression shows that we are all human.
4 Maybe you have watched the sunset in the sky.

B
1 There are gardens and fountains around the building.
2 Sometimes these special clothes are meant to protect workers or the people that they work with.
3 You don't have to be nervous when you are talking to a professor.
4 The reason it looks that way is that the sun is on fire.

TRANSLATION TEST

● 본문 37쪽

1 It / was built / about 400 years ago, / and / it / took / 22 years / to complete the building.
그것은 약 400년 전에 지어졌고, 건물을 완공하는 데 22년이 걸렸다.

2 Shah Jahan / was / very sad, / so / he / built / the Taj Mahal / to remember her.
Shah Jahan은 매우 슬퍼서 그녀를 기리기 위해 Taj Mahal을 지었다.

3 The special clothing / also / protects / patients / from the germs / that may be present / on ordinary clothing.
그 특별한 옷은 또한 환자들을 일반 의복에서 있을 수 있는 세균들로부터 보호한다.

4 Special clothes or uniforms / are worn / so that / workers / can be easily recognized / by other people.
근로자들이 다른 사람들에게 쉽게 인식될 수 있도록 특별한 옷이나 유니폼을 입는다.

5 They / feel like crying / when things go wrong / and / do the laundry / after work / just the same as / you.
그들은 당신과 마찬가지로 일이 잘못되면 울고 싶고, 퇴근 후 빨래도 한다.

6 People / you are talking to / will enjoy / the conversation / more / if they see that you are enjoying it.
당신이 이야기하고 있는 사람들은 당신이 대화를 즐기고 있는 것을 보면 대화를 더 즐길 것이다.

7 There are / many stars / in the universe / that are thousands of times hotter / than the sun.
우주에는 태양보다 수천 배 더 뜨거운 별들이 많이 있다는 것이다.

8 That's / 250,000 times / hotter than / the hottest summer day / at your favorite amusement park.
그것은 가장 좋아하는 놀이공원에서의 가장 더운 여름날보다 25만 배 더 뜨겁다.

UNIT 13 # 글을 꼼꼼히 읽어라!

WORD TEST

● 본문 38쪽

A 1 펭귄 2 불타는 3 낳다 4 사냥하다 5 돌아오다 6 깡마른, 비쩍 여윈 7 비상, 응급 상황 8 구급상자 9 구급차 10 증조할머니 11 궁극적으로, 결국 12 유익한, 이로운 13 많은 14 혈압 15 완화하다 16 활력을 주다 17 어린 시절 18 (어쩔 수 없이) ~하게 하다 19 24시간 내내, 밤낮으로 20 가치가 있는

B 1 South Pole 2 get out 3 neighbor 4 pet 5 straight 6 adopt 7 abandon 8 wish 9 process 10 get to know 11 confidently 12 merit 13 fairy tale 14 conflict 15 permanently 16 settle 17 horror 18 play 19 marriage 20 sound

WRITING TEST

● 본문 39쪽

A 1 He received an Honor Medal for his brave actions.
2 I wish people would give them a chance.
3 The benefits of a morning walk for your health are numerous.
4 In the classical fairy tale the conflict is often permanently settled.

B 1 He smelled smoke and shouted, "The house is on fire! Get out!"
2 But that is just part of the process of getting to know them.
3 Walking in the morning regularly is beneficial to everyone and anyone can do it.
4 The hero and heroine always live happily ever after.

TRANSLATION TEST

● 본문 40쪽

1 Robert Vick, / 11 years old, / was / at home / with his great-grandmother, sister, and baby brother.
11살인 Robert Vick은 증조할머니, 여자 형제, 그리고 어린 남동생과 함께 집에 있었다.

2 He / then / returned / to his home / to get his great-grandmother safely away / from the fire.
그러고 나서 그는 증조할머니를 화재로부터 안전하게 구하기 위해 집으로 돌아왔다.

3 Now, / I / think / it is much better / to adopt / from a shelter / because so many animals / have been badly treated, abandoned, / or / just really need a home.
이제, 나는 보호소에서 입양하는 것이 훨씬 더 낫다고 생각하는데, 왜냐하면 너무 많은 동물들이 나쁜 대우를 받고 있거나, 버려지고 있고, 아니면 그저 집이 필요하기 때문이다.

4 They / can be just / as cute, amazing, and sweet / as the little puppy or cat / in the pet store.
그들은 애완동물 가게에 있는 작은 강아지나 고양이만큼 귀엽고, 멋지고, 사랑스러울 수 있다.

5 Science / says / that walking regularly / in the morning / controls blood pressure, / relieves stress, / and energizes you.
과학은 아침에 규칙적으로 걷는 것이 혈압을 조절하고, 스트레스를 완화하며, 여러분에게 활력을 준다고 말한다.

6 We / rarely have / time / to care for our health, / but / if we walk each morning, / we can enjoy / all the benefits / that it provides.
우리는 좀처럼 건강을 돌볼 시간이 없지만, 매일 아침 걷는다면 우리는 아침 산책이 주는 모든 혜택을 즐길 수 있다.

7 This / is particularly true of / thriller and horror genres / since they keep the audience thrilled.
이것은 특히 스릴러와 공포물 장르에 해당되는데, 그 장르들은 관객을 매우 흥분된 상태로 유지하기 때문이다.

8 An open ending / is / a powerful tool / that forces the audience to think / about what might happen / next.
열린 결말은 관객이 다음에 무슨 일이 일어날지 어쩔 수 없이 생각하게 하는 강력한 도구이다.

UNIT 14 글의 흐름을 파악하라!

WORD TEST

• 본문 41쪽

A 1 변명 2 벌금, 연체료 3 의심하다 4 길 5 규정 6 문어 7 놀라운, 굉장한 8 모양, 형태 9 (물건을) 밀어 넣다 10 뒤뜰 11 목수 12 은퇴하다 13 고용주, 사장 14 임원 15 봉급, 임금 16 머리를 숙이다, 허리를 굽히다 17 일생의, 생애의 18 경력, 이력, 생애 19 기본적인 20 제조업자, 생산자

B 1 light bulb 2 theory 3 exception 4 funeral 5 confused 6 attract 7 ancient 8 direction 9 native 10 elderly 11 distributor 12 impression 13 promising 14 leisurely 15 firmly 16 effort 17 informal 18 setting 19 hand 20 inappropriate

WRITING TEST

• 본문 42쪽

A
1 There are a number of theories about this.
2 The south was the sunniest direction.
3 An elderly carpenter was ready to retire.
4 Fred began his presentation with a few humorous jokes.

B
1 Within moments, many insects start flying around the bright light bulb.
2 So they built houses facing south.
3 He would miss the paycheck each week, but he wanted to retire.
4 He even bowed the head slightly as Germans do.

TRANSLATION TEST

• 본문 43쪽

1 Have you ever sat out / in a backyard / at night / and turned on / a light?
밤에 뒤뜰에 앉아서 불을 켠 적이 있는가?

2 When an insect flies / at night, / it / uses / a light source, / such as the moon, / to keep on a straight path.
곤충이 밤에 날 때, 직진하기 위해 달과 같은 광원을 이용한다.

3 As a result, / sunlight / came in / through the windows / and / warmed / the houses / of Greek people / during all winter.
그 결과, 햇빛이 창문을 통해 들어와 겨울 내내 그리스 사람들의 집을 따뜻하게 해 주었다.

4 They / have used / solar power / to provide sunlight and heat / to their homes / just as the Greeks did.
그들은 태양 에너지를 이용하여 그리스인들이 그랬던 것처럼 집에 햇빛과 열을 공급해 왔다.

5 He / used / poor materials / and / didn't put / much time or effort / into his last work.
그는 형편없는 자재를 사용했고 그의 마지막 작업에 그다지 많은 시간이나 노력을 쏟지 않았다.

6 It / was / an unfortunate way / to end / his lifelong career.
그것은 그가 일생의 경력을 마무리하는 방식으로는 바람직하지 않았다.

7 It / was viewed / as too informal and unprofessional / in a German business setting.
독일의 비즈니스 상황에서는 그것이 너무 격식을 차리지 않고 비전문적인 것으로 여겨졌다.

8 Fred / did not win / any favor / by telling jokes.
Fred는 농담을 한 것으로는 어떤 호감도 얻지 못했다.

UNIT 15

단서로 짐작하라!

WORD TEST

● 본문 44쪽

A 1 진동수, 주파수 2 강렬한 3 바스락거리다 4 꾸준한 5 심장 박동 6 경적을 울리다 7 짖다 8 자극하다 9 차분한 10 긴장을 풀다, 진정하다 11 ~을 공통적으로 지니다 12 의심, 의문 13 매력적인, 흥미로운 14 주다, 나타내다 15 (신문·잡지 등의) 만화란 16 숨기다 17 ~을 깎아내리다 18 측면 19 ~에 의지하다 20 원본

B 1 boost 2 therapy 3 make the team 4 positive 5 fuel 6 quality 7 appearance 8 delightful 9 experience 10 advertise 11 saint 12 prayer 13 regret 14 meet 15 worthwhile 16 wisdom 17 nature 18 routine 19 post 20 spirit

WRITING TEST

● 본문 45쪽

A
1 Food is a fuel for our bodies.
2 However, neither can meet its goal by telling or showing everything.
3 I usually use a story called St. Benno and the Frog.
4 Post it wherever you need it most.

B
1 The better the quality of the food, the better our bodies work.
2 What do advertising and map-making have in common?
3 I invite children to think of different animals for the saint to meet.
4 Take your comics with you when you go to visit sick friends.

TRANSLATION TEST

● 본문 46쪽

1 We / can get / great enjoyment / from the taste, appearance, and smell / of a well-cooked dish.
우리는 잘 조리된 요리의 맛과 외양, 냄새로부터 큰 즐거움을 얻을 수 있다.

2 If we eat a well-prepared meal / that looks good and delicious, / it / can be / a delightful experience.
좋고 맛있어 보이는 잘 차려진 식사를 하면 그것은 즐거운 경험이 될 수 있다.

3 Without doubt, / they both / share / the need / to communicate / a limited version / of the truth.
의심할 바 없이, 그것들 둘 다 제한된 형태의 진실을 전달해야 하는 필요성을 공통적으로 지닌다.

4 Ads / will cover up or play down / negative aspects / of the company or service / they advertise.
광고는 선전하는 회사나 서비스의 부정적인 측면을 숨기거나 약화시킬 것이다.

5 A lovely technique / for helping children / create / their own, unique story, / is / to ask them / to help you / complete a story / before you tell it.
아이들에게 자신만의 독특한 이야기를 창작하도록 돕는 멋진 기법은 그들에게 여러분이 이야기를 들려주기 전에 그것을 완성하는 것을 도와달라고 요청하는 것이다.

6 It / is / a most effective way / of involving children / in creating stories / and / they / love / hearing / their ideas used.
그것은 아이들을 이야기를 창작하는 데에 참여시키는 매우 효과적인 방법이고, 그들은 자신의 생각이 사용된 것을 듣는 것을 아주 좋아한다.

7 It's / not just / because they will make you laugh / but / because they contain wisdom / about the nature of life.
그것은 만화가 여러분을 웃게 만들기 때문일 뿐만 아니라 삶의 본질에 관한 지혜를 담고 있기 때문이다.

8 Share / your favorites / with your friends and family / so that / everyone can get a good laugh, / too.
모든 사람들 역시 크게 웃을 수 있게 여러분이 가장 좋아하는 만화를 친구들과 가족과 공유해라.

me
mo

memo

me
mo

visang
필수
비상 중학영어
Play List

실전과 기출문제를 통해 어휘와 독해 원리를 익히며 단계별로 단련하는 수능 학습!

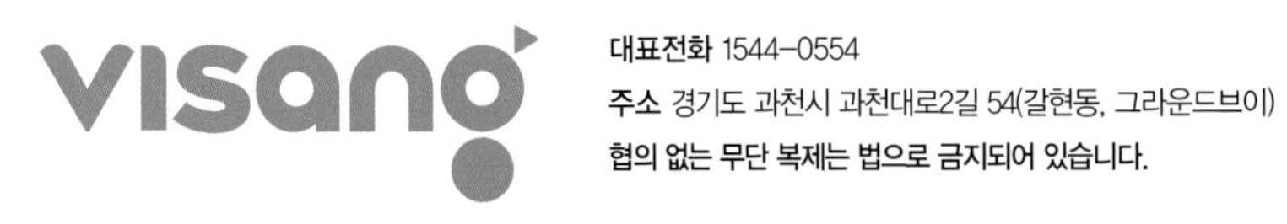

대표전화 1544-0554
주소 경기도 과천시 과천대로2길 54(갈현동, 그라운드브이)

중등 수능 독해

영어 독해 1

Level

정답과 해설

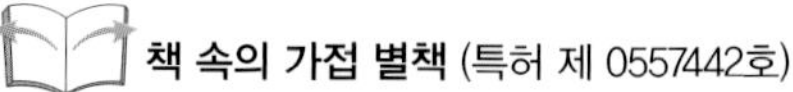

'정답과 해설'은 본책에서 쉽게 분리할 수 있도록 제작되었으므로
유통 과정에서 분리될 수 있으나 파본이 아닌 정상제품입니다.

Level 1

정답과 해설

UNIT 01

문장의 주인은 나야 나!

CHECK BY CHECK

• 본문 015쪽

A **1** Mr. Brown's English class / Brown 선생님의 영어 수업은 항상 재미있고 도움이 된다. **2** She and I / 그녀와 나는 과학 프로젝트를 함께하기로 결정했다. **3** Speaking in English / 영어로 말하는 것은 내게 쉽지 않다. **4** Taking a dog to the park / 강아지를 공원에 데려오는 것은 금지되어 있다. **5** To play games too much / 게임을 너무 많이 하는 것은 건강에 좋지 않다. **6** To exercise regularly / 규칙적으로 운동하는 것은 매우 중요하다. **7** That Tom won the first prize / Tom이 일등을 했다는 것이 놀라웠다. **8** What I like the most / 내가 제일 좋아하는 것은 야구 경기이다. **B** A creator, many young people, Content creators, It, Being a content creator, Choosing a good topic, you

A **1** 해설 ›› 동사 is 앞에 있는 Mr. Brown's English class(명사구)가 주어이다.
2 해설 ›› 동사 decided 앞에 있는 She and I(명사구)가 주어이다.
3 해설 ›› 동사 is 앞에 있는 Speaking in English(동명사구)가 주어이다.
4 해설 ›› 동사 is 앞에 있는 Taking a dog to the park(동명사구)가 주어이다.
5 해설 ›› 동사 is 앞에 있는 To play games too much(to부정사구)가 주어이다.
6 해설 ›› 동사 is 앞에 있는 To exercise regularly(to부정사구)가 주어이다.
7 해설 ›› 동사 was 앞에 있는 That Tom won the first prize(that절)가 주어이다.
8 해설 ›› 동사 is 앞에 있는 What I like the most(what절)가 주어이다.

B **1** 해설 ›› A creator(명사구), many young people (명사구), Content creators(명사구), It(대명사), Being a content creator (동명사구), Choosing a good topic(동명사구), you(대명사)
해석 ›› 크리에이터는 새로운 무언가를 만들어 내는 사람이다. 요즈음, 많은 젊은이들은 콘텐츠 크리에이터가 되고 싶어 한다. 콘텐츠 크리에이터는 오락이나 교육 콘텐츠를 제작한다. 그것은 블로그이거나 뉴스 기사, 이미지, 비디오, 오디오, 소셜 미디어 글일 수도 있다. 콘텐츠 크리에이터가 되는 것은 어렵지 않다. 좋은 주제를 선택하는 것이 첫 단계이다. 당신은 세계와 어떤 화제를 나누고 싶은가? 화제를 고른 후에, 화제에 대한 당신만의 이야기를 만들고 그것을 다른 사람들에게 보여 주어라.

READING 1 ~ 수능유형

• 본문 016~019쪽

		More & More
1	④	1 Garden cuttings / 정원 쓰레기가 전체 쓰레기의 18%를 구성한다. 2 ②
2	①	1 Some habits / 어떤 습관들은 좋다. 그것들은 우리가 우리의 목표를 달성하도록 돕는다. 2 ④
3	⑤	1 One reason / 야행성 동물을 특별하게 만드는 한 가지 이유는 커다란 눈이다. 2 ①
		Summing Up
수능유형	①	1 발표회 2 4월 16일 3 청년 취업 기회 만들기

1

• 본문 016쪽

답 ④

❶Types of Household Waste

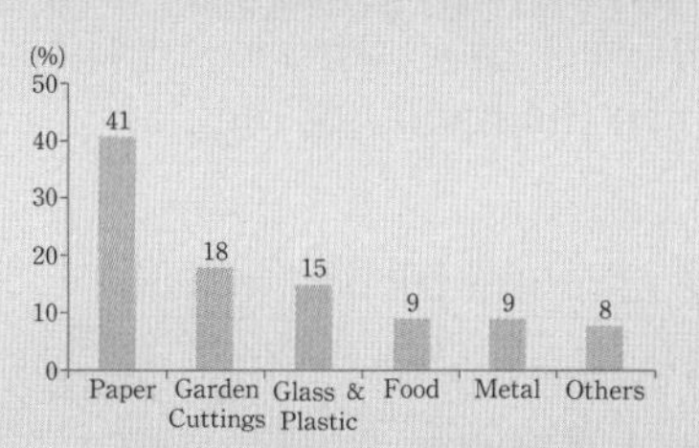

〈주제문〉

❷What kinds of waste / do we produce / in our daily lives? ❸The above
어떤 종류의
어떤 유형의 쓰레기를 우리는 만들어 내는가? 우리의 일상생활에서 위 그래프는

graph / shows / the percentage of different types of household wastes /
다양한 유형의 선행사
보여 준다 다양한 유형의 가정용 쓰레기의 비율을

that come from people's homes. ❹Of the total, / paper / is / the most
주격 관계대명사 최상급 표현
사람들의 가정에서 나온 전체에서 종이는 ~이다

common type of waste / at 41%. ❺Garden cuttings / make up / 18% of
이루다, 구성하다
가장 흔한 유형의 쓰레기 41%로 정원 쓰레기는 구성한다 전체 쓰레기의

the total waste. ❻The amount of glass and plastic waste / is / smaller
18%를 유리와 플라스틱 쓰레기의 양은 ~이다 ~보다 적은

than / that of garden cuttings. ❼The food waste amount / is / bigger
= the amount 비교급
정원 쓰레기의 양 음식물 쓰레기의 양은 ~이다 ~보다 큰

than / the garden cuttings amount. ❽The amount of metal waste / is /
정원 쓰레기의 양 금속 쓰레기의 양은 ~이다

the same as / that of food waste.
= the amount
~과 같은 음식물 쓰레기의 양

글의 구조 분석

도입
❶❷❸ 일상생활 속 쓰레기의 유형을 보여 주는 그래프 소개

세부 설명
❹❺❻❼❽ 그래프에 나타난 구체적인 쓰레기 유형들이 각각 차지하는 비중을 비교하여 설명

해석

❶ 가정용 쓰레기의 유형

❷ 우리는 일상생활에서 어떤 유형의 쓰레기를 만들어 낼까? ❸ 위 그래프는 사람들의 가정에서 나온 다양한 유형의 가정용 쓰레기 비율을 보여 준다. ❹ 전체에서, 종이는 41%로 가장 흔한 유형의 쓰레기이다. ❺ 정원 쓰레기는 전체 쓰레기의 18%를 구성한다. ❻ 유리와 플라스틱 쓰레기의 양은 정원 쓰레기의 양보다 적다. ❼ 음식물 쓰레기의 양은 정원 쓰레기의 양보다 크다. ❽ 금속 쓰레기의 양은 음식 쓰레기의 양과 같다.

해설

도표에서 정원 쓰레기양은 18%, 음식물 쓰레기양은 9%로 음식물 쓰레기양이 정원 쓰레기양보다 적다. 따라서 ④는 도표의 내용과 일치하지 않는다.

오답 노트

① ➡ 종이 쓰레기가 41%로 가정용 쓰레기 중에 가장 비중이 높으므로 그래프와 일치한다.

② ➡ 정원 쓰레기는 18%를 차지하므로 그래프와 일치한다.

③ ➡ 유리 및 플라스틱 쓰레기는 15%, 정원 쓰레기는 18%를 차지하므로 유리 및 플라스틱 쓰레기양이 정원 쓰레기양보다 적은 것이 맞다.

⑤ ➡ 음식물 쓰레기와 금속 쓰레기는 둘 다 9%로 그 양이 같으므로 그래프와 일치한다.

구문 해설

❸ The above graph shows the percentage of different types of household wastes **that** come from people's homes.

that come from people's homes의 that은 주격 관계대명사로 바로 앞의 선행사 household wastes를 꾸며 준다.

❻ The amount of glass and plastic waste **is smaller than** that of garden cuttings.

문장의 핵심 주어는 The amount로 단수이기 때문에 3인칭 단수 현재형 동사 is가 쓰였고, smaller than은 '~보다 작은'이라는 의미로 비교급 형태이다.

More & More

2 ① 가정용 쓰레기 종류의 비율을 보여 준다.
③ 음식 쓰레기양은 전체 쓰레기양의 9%를 차지한다.
④ 정원 쓰레기양은 18%로 유리와 플라스틱 쓰레기양보다 많다.
⑤ 금속 쓰레기 기타 음식 쓰레기양보다 많다.

2

답 ①

❶Obviously, / some habits / are / good. ❷They / help / us / achieve / our goals. ❸If your goal is physical well-being, / get in the habit / of regular exercise / and / (of) healthy diet. ❹A good habit / is / a faithful friend / to help us toward our goal. ❺But / some habits / are / bad. ❻In fact, / they / are / very powerful / and / can harm / us. / ❼As the old saying goes, / "Habits / are / like a comfortable bed, / easy to enter, / but / hard to get out." ❽Make sure / (that) you / choose / your habits / wisely. 〈주제문〉

- They = some habits / help+목적어+목적격보어(원형부정사)
- 확실히 / 어떤 습관들은 / ~이다 좋은 / 그것들은 돕는다 우리가 성취하도록 우리의 목표들을
- If: 접 만약 ~이라면(조건)
- 만일 여러분의 목표가 신체의 건강이라면 / 습관을 들여라 / 규칙적인 운동의 그리고 건강한 식단의
- 좋은 습관은 / ~이다 충실한 친구 / to help: to부정사의 형용사적 용법
- 우리가 우리의 목표로 향하도록 돕는 / 그러나 몇몇 습관들은 / ~이다 나쁜 / 사실 / 그것들은(= some habits) ~이다
- 매우 강력한 / 그리고 해칠 수 있다 우리를 / As: 접 ~하듯이 / 옛말에서 말하듯이 / 습관은
- like: 전 ~와 같은 / ~이다 편안한 침대와 같은 / to enter: to부정사의 부사적 용법(형용사 수식) 들어가기 쉬운 / 그러나 / to get out: to부정사의 부사적 용법(형용사 수식) 나오기 어려운
- 확실하게 하라 / 당신이 선택하도록 당신의 습관을 현명하게

글의 구조 분석

도입
❶❷좋은 습관은 목표 달성에 도움이 됨

↓

예시
❸❹건강이 목표라면 규칙적인 운동과 건강한 식단의 습관이 필요함

↓

역접
❺❻나쁜 습관도 있으며, 습관은 매우 강력해서 우리를 해칠 수도 있음

↓

속담 인용을 통한 부연 설명
❼습관은 편안한 침대와 같아서 들어가기 쉽지만 나가기 어려움

↓

주제문
❽습관을 현명하게 선택해야 함

해석

❶확실히, 어떤 습관들은 좋다. ❷그것들은 우리가 우리의 목표를 달성하도록 돕는다. ❸만약 여러분의 목표가 신체적 건강이라면, 규칙적인 운동과 건강한 식단의 습관을 들여라. ❹좋은 습관은 우리가 목표로 나아갈 수 있도록 돕는 충실한 친구이다. ❺하지만 어떤 습관은 나쁘다. ❻사실, 그것들은 매우 강력하고 우리를 해칠 수 있다. ❼옛 속담에, "습관은 편안한 침대와 같아서 들어가기 쉽지만, 나가기 어렵다."라는 말이 있다. ❽습관을 현명하게 선택하도록 하라.

해설

습관은 목표에 도달하기 위한 좋은 수단인 동시에 매우 강력하여 습관으로 한번 형성되면 빠져나오기 어려워 조심해야 한다는 내용이므로, a comfortable bed(편안한 침대)는 '익숙해지면 벗어나기 힘든 것', 즉 습관을 비유적으로 표현한 글이다. 따라서 밑줄 친 부분의 의미로 가장 적절한 것은 ①이다.

오답 노트

② 힘을 합쳐야 해낼 수 있는 것 ➡ 본문과는 관계없는 내용이다.
③ 숙면을 위해 반드시 필요한 것 ➡ 들어가기는 쉽지만 벗어나기 힘든 습관을 a comfortable bed(편안한 침대)로 예로 드는 문장이기 때문에 숙면과는 관련이 없다.
④ 비싸지만 구입할 가치가 있는 것 ➡ 익숙해지면 벗어나기 힘든 것에 대한 예시이므로 관계없는 내용이다.
⑤ 지속적인 건강 관리에 도움이 되는 것 ➡ 건강 관리는 습관의 장점을 나타내는 예시로 습관의 속성을 언급하는 해당 문장과는 관계없는 내용이다.

구문 해설

❷They **help us achieve** our goals.
achieve는 help의 목적격보어로 목적격보어를 취하는 사역동사 help는 to부정사와 원형부정사 모두를 목적격보어로 취할 수 있다.
❹A good habit is a faithful friend **to help** us toward our goal.
to help는 바로 앞의 a faithful friend를 수식하는 to부정사의 형용사적 용법으로 사용되었다.

More & More

2 습관을 편안한 침대에 비유하며 들어가긴 쉽지만, 나오기는 어렵다고 말하며 습관을 현명하게 골라야 한다고 했다. 따라서 글의 요지로 적절한 것은 ④ '습관을 현명하게 선택하라.'이다.

● 본문 018쪽

답 ⑤

❶Human eyes / are built / for daylight. ❷Night animals' eyes / are designed / differently, / for darkness. ❸So, / while the dark of night is dark to you, / it's / not so dark / to a night animal. ❹A cat, / for example, / can see / six times better / than you / at night. ❺One reason / that makes night animals special / is / their big eyes. ❻Most of them / have / extra-big eyes. ❼Their bigger eyes / can gather / more light. ❽Flying squirrels / are / much smaller than / the tree squirrels / you see / during the day. ❾But / their eyes / are / at least twice as large. ❿An owl's eyes / are huge, / so / they / weigh / more than its brain.

(주석: 〈주제문〉 Night animals' eyes are designed differently, for darkness. / are built: 수동태 / are designed: 수동태 / while: 접 ~인 반면 / it = the dark of night / can: 가능 조동사 / six times: ~배 / that: 주격 관계대명사 / makes night animals special: make+목적어+목적격보어(형용사) / is: 동사 / Their = night animals' / much: 비교급 강조 / squirrels (that) you see / so: 결과 접속사 / they = an owl's eyes / its = an owl's)

인간의 눈은 / 만들어졌다 / 햇빛을 위해 / 야행성 동물의 눈은 / 고안되었다 / 다르게 / 어둠을 위해 / 그래서 / 밤의 어둠이 여러분에겐 어둡지만 / 그것이 / 그렇게 어둡지 않다 / 야행성 동물에게는 / 고양이는 / 예를 들어 / 잘 볼 수 있다 / 6배 더 / 당신보다 / 밤에 / 한 가지 이유는 / 야행성 동물을 특별하게 만드는 / ~이다 / 그들의 커다란 눈 / 그들 중 대부분은 / 가지고 있다 / 아주 큰 눈을 / 그들의 더 큰 눈은 / 모을 수 있다 / 더 많은 빛을 / 날다람쥐는 / ~이다 / ~보다 훨씬 작은 / 다람쥐 / 당신이 보는 / 낮 동안에 / 하지만 / 그들의 눈은 / ~이다 / 적어도 2배 이상 큰 / 올빼미의 눈은 / 몹시 크다 / 그래서 / 그것들은 / 무게가 나간다 / 그것의 머리보다 더 많이

글의 구조 분석

주제문 및 부연 설명
❶❷❸ 인간의 눈과 야행성 동물의 시력 비교

↓

예시1
❹ 고양이는 사람보다 6배 더 잘 볼 수 있음

↓

근거
❺❻❼ 대부분의 야행성 동물은 몹시 큰 눈을 가지고 있음

↓

예시2
❽❾❿ 날다람쥐와 올빼미 눈이 큰 정도를 구체적으로 묘사

해석

❶ 인간의 눈은 낮의 햇빛을 위해 만들어졌다. ❷ 야행성 동물의 눈은 어둠을 위해 다르게 고안되었다. ❸ 그래서 밤의 어둠이 여러분에겐 어두운 반면, 그것이 야행성 동물에게는 그렇게 어둡지 않다. ❹ 예를 들어, 고양이는 밤에 여러분보다 6배 더 잘 볼 수 있다. ❺ 야행성 동물을 특별하게 만드는 한 가지 이유는 그들의 커다란 눈이다. ❻ 대다수 야행성 동물들은 아주 큰 눈을 가지고 있다. ❼ 그들의 더 큰 눈은 더 많은 빛을 모을 수 있다. ❽ 날다람쥐는 낮 동안에 당신이 보는 나무다람쥐보다 훨씬 작다. ❾ 하지만 그들의 눈은 적어도 2배만큼 크다. ❿ 올빼미의 눈은 몹시 커서 그것의 머리보다 더 무겁다.

해설

대낮의 햇빛에 적합한 인간의 눈과 달리 어둠에 맞게 고안된 야행성 동물의 눈을 설명하고 있는 내용의 글이다. 따라서 이 글의 제목으로 가장 적절한 것은 ⑤ '야행성 동물이 밤에 더 잘 보는 이유'이다.

오답 노트

① 자신의 애완동물을 더 잘 알도록 해라! ➡ 고양이가 언급된 부분만 보고 애완동물과 연결 지어 답으로 헷갈리지 말아야 한다.
② 야생동물의 사계절 ➡ flying squirrels, an owl이 야생동물에 속하지만 그들의 사계절에 대해 설명한 부분은 없다.
③ 누가 밤을 두려워하는가? ➡ 야행성 동물이 밤에 잘 보는 특징에 대한 언급은 있었지만 밤을 두려워하는 상황에 대한 언급은 없었다.
④ 신체 건강의 비결 ➡ 시력에 대한 언급만으로는 신체 건강의 비결을 종합적으로 설명할 수 없다.

구문 해설

❺ One reason **that makes night animals special** is their big eyes.
핵심 주어는 One reason이고, that절은 형용사절로 One reason을 뒤에서 꾸며 주고 있다. makes night animals special은 〈make+목적어+목적격보어(형용사)〉의 5형식 구문이다.

❽ Flying squirrels are **much** smaller than the tree squirrels you see during the day.
비교급 문장으로, much는 '훨씬'이라는 의미로 비교급을 강조하여 수식하는 부사이다. 비교급을 강조하는 표현은 much 외에도 even, far, still, a lot 등이 있다. you see during the day는 관계대명사 that이 생략된 형용사절로 바로 앞의 명사 the tree squirrels를 꾸며 준다.

More & More

2 Human eyes are built for daylight.로 보아 인간의 눈은 낮에 맞게 설계되었음을 알 수 있다.

답 ①

❶Dear Mrs. Coling,

Coling 씨에게

❷My name / is / Susan Harris / and / I / am writing / on behalf of the

등위접속사 ~을 대신하여

제 이름은 Susan Harris이고 저는 편지를 쓰고 있습니다 학생들을 대신하여

students / at Lockwood High School. ❸Many students / at the school /

전치사(좁은 장소 앞)

Lockwood 고등학교의 많은 학생들은 학교의

are working on / a project. ❹This project / is / about young jobless people /

work on: ~을 수행하다 전 ~에 관한

수행하고 있습니다 한 프로젝트를 이 프로젝트는 ~입니다 실직 상태의 청년들에 대한 것

in Lockwood. ❺We / invite / you / to a special presentation. ❻This

Lockwood의 우리는 초대합니다 귀하를 특별 발표회에 이

presentation / will be held / at the auditorium / on April 16th. ❼During

열리다, 개최되다 전치사(특정일 앞) 전 ~ 동안

발표회는 열릴 것입니다 강당에서 4월 16일에 발표회 동안

the presentation / students / will introduce / a variety of ideas / for

학생들은 보여줄 것입니다 다양한 의견들을

developing / chances of getting a job / for the young people / in

동명사(전치사의 목적어)

만들기 위한 취업 기회를 청년들의

Lockwood. ❽It / would be / a pleasure and honor / to attend the event. ❾We /

가주어 진주어

Lockwood의 ~일 것입니다 기쁨과 영예 행사에 참석하는 것은 우리는

look forward to seeing / you / there.

look forward to -ing: ~하는 것을 고대하다 = in Lockwood

~을 만나는 것을 고대합니다 당신을 그곳에서

❿Sincerely,

Susan Harris

Susan Harris 올림

글의 구조 분석

글쓴이 소개
❶❷글쓴이가 소속 학교 학생 대표로 편지를 씀

↓

글을 쓴 배경
❸❹학생들이 지역 청년 실업에 대한 프로젝트를 준비 중임

↓

글을 쓴 목적
❺읽는 이를 학교 특별 발표회에 초청함

↓

글을 쓴 목적에 대한 부연 설명
❻❼발표회가 열릴 장소, 시간과 내용을 설명함

↓

목적을 다시 한 번 호소
❽❾발표회에서 보기를 고대함

해석

❶Coling 씨에게
❷제 이름은 Susan Harris이고 저는 Lockwood 고등학교 학생들을 대신해 편지를 쓰는 중입니다. ❸학교의 많은 학생들이 한 프로젝트를 수행하고 있습니다. ❹이 프로젝트는 Lockwood의 실직 상태에 있는 청년들에 관한 것입니다. ❺저희는 귀하를 특별한 발표회에 초대합니다. ❻이번 발표회는 4월 16일에 강당에서 열릴 것입니다. ❼발표회 동안 학생들은 Lockwood 청년들의 취업 기회를 만들기 위한 다양한 의견들을 소개할 것입니다. ❽(귀하께서) 행사에 참석하신다면 (저희에겐) 기쁘고 영예로울 것입니다. ❾우리는 그곳에서 당신을 만나기를 고대합니다.

❿Susan Harris 올림

해설

글쓴이가 자신의 학교에서 진행되는 프로젝트에 대해 알리고, 프로젝트와 관련된 발표회에 초대하는 글이다. 발표회의 세부 사항, 함께하기를 바란다는 표현 등에서 참석을 부탁하려는 목적의 글임을 알 수 있다. 따라서 이 글의 목적으로 가장 적절한 것은 ① '학생들이 준비한 발표회 참석을 부탁하려고'이다.

오답 노트

② 학생들을 위한 특별 강연을 해 준 것에 감사하려고 ➡ 특별 강연이 아니라 예정된 발표회에 대한 초청이고, 지난 것에 대한 감사는 아니다.
③ 청년 실업 문제의 해결 방안에 관한 강연을 의뢰하려고 ➡ 특별 발표회에서 학생들이 청년 실업 문제 해결 방안에 대해 논할 예정이나 발표회 참석 요청이지 강연 의뢰가 아니다.
④ 학생들의 발표회에 대한 재정적 지원을 요청하려고 ➡ 학생들이 발표회를 열지만, 재정적 지원 요청에 대한 언급은 없다.
⑤ 학생들의 프로젝트 심사 결과를 알리려고 ➡ 학생들이 프로젝트를 수행하는 것은 맞지만, 심사 결과를 알리는 것은 관련 없는 내용이다.

구문 해설

❽**It** would be a pleasure and honor **to attend** the event.
it은 가주어이고, to부정사구인 to attend the event는 진주어이다. 문장에서 긴 to부정사구가 주어로 오면, 주어 자리에 가주어 it을 쓰고 진주어인 to부정사구는 문장의 맨 끝에 쓴다.

❾We **look forward to seeing** you there.
〈look forward to+-ing〉는 '~을 고대하다'라는 의미로 쓰이는데 이때 to는 to부정사가 아니고 전치사이므로 뒤에는 동사원형이 아닌 명사나 동명사(-ing)가 이어져야 한다.

UNIT 02

문장은 내가 움직이는 대로! 1

CHECK BY CHECK

● 본문 023쪽

A **1** smile / Robert는 그다지 자주 웃지 않는다. **2** take, a bus / 나는 보통 학교에 버스를 타고 간다. **3** made, us, some cookies / 내 친구 Abby가 우리들에게 과자를 만들어 주었다. **4** lives / Lisa는 캐나다에서 산다. **5** buy, a new smartphone / 너는 새 스마트폰을 샀니? **6** walks / Mike는 매우 빨리 걷는다. **7** sent, me, these flowers / 누가 내게 이 꽃들을 보냈을까? **8** sit / 이 의자에 앉자. **B** (A) want / 당신은 특별한 호텔에서 머물고 싶은가? (B) poke, eat, drink / 당신이 호텔 식당에서 먹거나 마실 때 그들은 창문으로 긴 목을 쑥 내민다.

A **1** 해설 》 smile은 여기서 자동사로 쓰였다.
2 해설 》 take는 타동사이고, a bus가 목적어이다.
3 해설 》 made는 타동사이고, us는 간접목적어, some cookies는 직접목적어이다.
4 해설 》 lives는 자동사이다.
5 해설 》 buy는 타동사이고, a new smartphone이 목적어이다.
6 해설 》 walks는 여기서 자동사로 쓰였다.
7 해설 》 sent는 타동사이고, me는 간접목적어, these flowers는 직접목적어이다.
8 해설 》 sit은 자동사이다.

B 해설 》 (A) 동사는 want이고 to stay가 목적어이다. (B) 주절의 동사는 poke이고 목적어는 their long necks이다. when절의 동사는 eat과 drink이다.
해석 》 당신은 특별한 호텔에서 머물고 싶은가? 기린들과 함께 지내며 식사를 하는 것은 어떤가? 그 호텔은 케냐에 있다. 그곳은 멸종 위기에 처한 수많은 기린들의 집이기도 하다. 기린들은 매일 당신을 방문한다. 당신이 호텔 식당에서 먹거나 마실 때 그들은 창문으로 긴 목을 쑥 내민다. 그들과 당신의 음식을 나누어 먹을지 말지는 전적으로 당신에게 달려 있다.

READING 1 ~ 수능 유형

● 본문 024~027쪽

More & More

1 ⑤
1 Connect / 병뚜껑과 다른 병뚜껑의 바깥쪽을 나사로 연결해라.
2 ④

2 ③
1 feel, play / 타동사, 타동사 / 청소년들은 비디오 게임을 할 때 손가락과 손목에 50% 더 통증을 느낀다.
2 ④

3 ③
1 shows / 이 도표는 그러한 활동에 관한 설문 조사 결과를 보여 준다.
2 ②

Summing Up

수능 유형 ④
1 뒷좌석 2 감사해 함 3 기뻐함

• 본문 024쪽

답 ⑤

글의 구조 분석

안내문 제목
❶요요 제작 방법

준비물
❷요요 만드는 데 필요한 준비물 제시

만드는 방법
❸❹❺❻❼❽❾준비물을 사용하여 요요 만드는 과정을 순서대로 설명

❶How to Make / Your Own Yoyo

how(의문사)+to부정사(어떻게 ~할지, ~하는 방법)
만드는 방법 / 자신의 요요

❷◈ What you need:
선행사를 포함하는 관계대명사: ~하는 것
네게 필요한 것

• 2 plastic bottle caps • 1 screw • 1 meter long thread
플라스틱 병뚜껑 2개 / 나사 1개 / 1미터 길이의 실

• a piece of paper • scissors • glue
종이 한 장 / 가위 / 풀

❸◈ What to do:
what(의문사)+to부정사: 무엇을 ~할지
무엇을 할지

❹1. Push / the screw / through the center of one cap / from inside to outside.
명령문(동사원형 ~) / 전 ~을 관통하여 / from *A* to *B*: A부터 B까지
밀어 넣어라 / 나사를 / 병뚜껑 1개의 중앙을 통과하여 / 안쪽에서 바깥쪽으로

❺2. Tie / the thread / to the middle of the screw.
묶어라 / 실을 / 나사의 중앙에

❻3. Connect / the cap / to the outside of the other cap / with the screw.
connect *A* to *B*: A를 B와 연결하다
연결해라 / 병뚜껑을 / 다른 병뚜껑의 바깥쪽에 / 나사로

❼4. Leave / a narrow space / for the thread / in between the caps.
전 사이에
남겨라 / 좁은 공간을 / 실을 위한 / 두 병뚜껑 사이에

❽5. Cut / a piece of paper / into two pieces.
잘라라 / 종이 한 장을 / 두 조각으로

❾6. Glue / them / to both sides of your new yoyo. And / you're done.
풀로 붙여라 / 그것들을 / 너의 새 요요의 양쪽에 / 그러면 / 끝났다

해석

❶요요 만드는 방법
❷준비물: • 플라스틱 병뚜껑 2개 • 나사 1개 • 1미터 길이의 실 • 종이 한 장 • 가위 • 풀
❸방법:
❹1. 나사를 병뚜껑 1개의 중앙 안쪽에서 바깥쪽으로 밀어 넣어라.
❺2. 실을 나사의 중앙에 묶어라.
❻3. 병뚜껑과 다른 병뚜껑의 바깥쪽을 나사로 연결해라.
❼4. 두 병뚜껑 사이에 실을 위한 좁은 공간을 남겨라.
❽5. 종이 한 장을 두 조각으로 잘라라.
❾6. 너의 새 요요의 양쪽에 그것들을 풀로 붙여라. 그러면 끝났다.

해설

방법 5번과 6번에서 종이를 두 조각으로 잘라 요요의 양쪽 면에 붙이라고 했다. 따라서 글의 내용과 일치하지 않는 것은 ⑤이다.

오답 노트

① 나사를 병뚜껑 중앙의 안쪽에서 바깥쪽으로 밀어 넣는다. ➡ 방법의 1번 내용과 일치한다.
② 1미터 길이의 실을 나사의 중앙에 묶는다. ➡ 준비물에 1미터 길이의 실이 있고 이것을 나사 중앙에 묶으라고 2번에 제시되어 있다.
③ 병뚜껑과 다른 병뚜껑의 바깥쪽을 나사로 연결한다. ➡ 방법의 3번 내용과 일치한다.
④ 두 병뚜껑 사이에 실을 위한 좁은 공간을 남긴다. ➡ 방법의 4번 내용과 일치한다.

구문 해설

❶**How to Make** Your Own Yoyo
〈how(의문사)+to부정사〉의 형태로 '어떻게 ~할지, ~하는 방법'이라는 의미를 나타내는 명사구이다.
❷**What** you need: ~.
what은 선행사를 포함하는 관계대명사이고, 뒤에 주어와 동사가 온 명사절로 '네게 필요한 것'이라는 의미이다.
❹**Push** the screw through the center of one cap ~.
동사원형으로 시작하는 명령문이다.

More & More

2 방법 5번에서 종이를 두 조각으로 자르라고 한 다음 6번에서 그것들을 them으로 받아 말한 것이므로 them이 가리키는 것은 ④ '종이 두 조각'이다.

● 본문 025쪽

답 ③

❶These days, / teenagers / are plugged-in / almost all the time. ❷Only 20% of teenagers / get / the recommended nine hours of sleep / and / 45% / (of teenagers) sleep / fewer than 8 hours. ❸In addition, / they / can't concentrate / on their homework / for more than two minutes / without checking / their cell phones or computers. ❹Here is / what happens / to teenagers' bodies / because of a plugged-in life. ❺About 12.5% / suffer / serious hearing damage / from too much use / of headphones. ❻Teenagers / feel / pain / 50% more / in their fingers and wrists / when they play video games. ❼84% of teenagers / have / back pain / because they bend their backs / over their phones.

요즘(에는) / 항상 / 비교급 / 게다가 / = teenagers / 전 ~하지 않고 동명사(전치사의 목적어) / 〈주제문〉 / Here is A: 이것은 ~이다 / ~ 때문에 / 접 ~할 때(시간) / 접 ~ 때문에(이유)

요즘 청소년들은 전자 제품에 연결되어 있다 거의 항상 오직 20%의 청소년들만이 취한다 권장되는 9시간의 수면을 그리고 45%는 잠을 잔다 8시간 미만의 게다가 그들은 집중할 수 없다 그들의 숙제에 2분 이상 확인하지 않고 그들의 휴대폰이나 컴퓨터를 이것은 ~이다 무엇이 일어나는지 청소년들의 신체에 전기 통신망에 연결된 생활 때문에 약 12.5%가 겪는다 심각한 청력 손상을 과도한 사용으로 헤드폰의 청소년들은 느낀다 통증을 50% 더 손가락과 손목에 그들이 비디오 게임을 할 때 84%의 청소년들은 가지고 있다 허리 통증을 그들이 등을 구부리기 때문이다 휴대폰 위로

* plugged-in: 전기 통신망에 연결된

글의 구조 분석

❶ 청소년들의 거의 항상 전자 제품과 함께 함

↓

❷❸ 청소년들은 수면 부족을 겪고, 숙제에 집중하기 어려움

↓

❹ 전기 통신망에 연결된 삶이 청소년의 신체에 영향을 줌

↓

❺❻❼ 전자 제품 사용으로 청력 손상을 입고 손가락과 손목, 허리에 통증을 느낌

해석

❶ 요즘, 청소년들은 거의 항상 전자 제품에 연결되어 있다. ❷ 오직 20%의 청소년들만이 권장되는 9시간의 수면을 취하고 45%는 8시간 미만의 수면을 취한다. ❸ 게다가 그들은 휴대폰이나 컴퓨터를 확인하지 않고서는 2분 이상 숙제에 집중할 수 없다. ❹ 다음은 전기 통신망에 연결된 생활 때문에 청소년들의 신체에 일어나는 일이다. ❺ 약 12.5%는 과도한 헤드폰 사용으로 심각한 청력 손상을 겪는다. ❻ 청소년들은 비디오 게임을 할 때 손가락과 손목에 50% 더 통증을 느낀다. ❼ 84%의 청소년들이 휴대폰을 보면서 허리를 구부리기 때문에 허리에 통증이 있다.

해설

About 12.5% suffer serious hearing damage ~.를 통해 20% 이상이 아니라 약 12.5%의 청소년들이 청력에 손상을 입는다는 것을 알 수 있다. 따라서 글의 내용과 일치하지 않는 것은 ③이다.

오답 노트

① 청소년들의 45%는 8시간 미만으로 잠을 잔다. ➡ ~ 45% sleep fewer than 8 hours.

② 청소년들은 휴대폰이나 컴퓨터를 확인하느라 2분 이상 숙제에 집중하지 못한다. ➡ ~ they can't concentrate on their homework for more than two minutes without checking their cell phones or computers.

④ 비디오 게임을 할 때 청소년들에게는 손가락과 손목 통증이 50% 더 증가한다. ➡ Teenagers feel pain 50% more in their fingers and wrists when they play video games.

⑤ 84%의 청소년들은 구부정한 자세로 인해 허리 통증이 있다. ➡ 84% of teenagers have back pain because they bend their backs over their phones.

구문 해설

❷ Only 20% of teenagers get the recommended nine hours of sleep **and** 45% sleep fewer than 8 hours.

등위접속사 and로 2개의 절(주어+동사)이 연결된 구조이다. 두 번째 절에서 45%와 동사 sleep 사이에 전치사구 of teenagers가 생략되어 있다.

❹ **Here is** what happens to teenagers' bodies **because of** a plugged-in life.

〈Here is[are] *A*〉는 '이것은 ~이다'라는 뜻으로 A가 단수이면 is, 복수이면 are를 쓴다. because of는 '~ 때문에'라는 뜻으로 뒤에 명사(구)가 온다.

More & More

2 청소년들의 수면과 집중력에 대한 언급은 통신 생활이 '삶'에 끼치는 영향이고, 청력, 손가락과 손목, 허리에 대한 내용은 '신체'에 끼치는 영향이다. 따라서 제목으로 가장 적절한 것은 ④ '통신 생활이 청소년들의 삶과 신체에 끼치는 영향'이다.

3

● 본문 026쪽

답 ③

❶Activities / That People Want to Do / Most / With Their Parents
활동 / 사람들이 하고 싶어 하는 / 가장 / 그들의 부모와 함께

Sharing Similar Hobbies 6%
Others 7%
Having Heart-to-Heart Conversations 7%
Having Family Dinners 8%
Traveling 56%
Enjoying Entertainment 16%

❷What activities / do people / want to do / most / with their parents?
(to do: to부정사의 명사적 용법(목적어))
어떤 활동을 / 사람들은 / 하고 싶어 할까? / 가장 / 그들의 부모와

❸This chart / shows / the results of a survey / about those activities.
이 도표는 / 보여 준다 / 설문 조사 결과를 / 그런 활동에 관한

❹More than half of the people / want to travel / with their parents.
(More than half of: ~의 절반 이상; to travel: 동사 want의 목적어)
절반 이상의 사람들이 / 여행하고 싶어 한다 / 부모와

❺More people / want to enjoy / entertainment / with their parents / than to have family dinners / with them.
(to enjoy: 동사 want의 목적어; to have: 동사 want의 목적어)
더 많은 사람들이 / 즐기고 싶어 한다 / 오락을 / 부모와 / 가족 저녁 식사를 같이하기보다는 / 부모와

❻The second most preferred activity / is / to have heart-to-heart conversations / with their parents.
(to have: to부정사의 명사적 용법(주격보어))
두 번째로 가장 선호하는 활동은 / ~이다 / 마음을 터놓고 대화를 나누는 것 / 부모와

❼Less people / want to share / similar hobbies / with their parents / than to have heart-to-heart conversations / with them.
(to share: 동사 want의 목적어; to have: 동사 want의 목적어)
더 적은 사람들이 / 공유하고 싶어 한다 / 비슷한 취미를 / 부모와 / 솔직한 대화를 나누는 것보다 / 부모와

❽6% of people / want to share / similar hobbies / with their parents.
(to share: 동사 want의 목적어)
6%의 사람들이 / 공유하고 싶어 한다 / 비슷한 취미를 / 부모와

글의 구조 분석

도표 제목 및 소개
❶❷❸사람들이 부모와 가장 하고 싶은 활동에 관한 설문 조사 결과를 보여 주는 도표

↓

도표 세부 설명
❹❺❻❼❽도표에 나타난 구체적인 활동들이 각각 차지하는 비중을 비교하여 설명

해석

❶사람들이 그들의 부모와 가장 하고 싶어 하는 활동
❷사람들은 그들의 부모와 어떤 활동을 가장 하고 싶어 할까? ❸이 도표는 그런 활동에 관한 설문 조사 결과를 보여 준다. ❹절반 이상이 부모와 여행하고 싶어 한다. ❺부모와 가족 저녁 식사를 같이하기보다는 부모와 오락을 즐기고 싶어 하는 사람들이 더 많다. ❻두 번째로 가장 선호하는 활동은 부모와 마음을 터놓고 대화를 나누는 것이다. ❼부모와 솔직한 대화를 나누는 것보다 부모와 비슷한 취미를 공유하고 싶어 하는 사람들이 더 적다. ❽6%가 부모와 비슷한 취미를 공유하고 싶어 한다.

해설

도표에서 두 번째로 가장 선호하는 활동은 16%를 차지한 오락을 즐기는 것이다. 부모와의 솔직한 대화는 7%에 불과하다. 따라서 도표의 내용과 일치하지 않는 것은 ③이다.

오답 노트

① ➡ 부모와 여행하고 싶어 하는 비율이 56%이므로 절반 이상이라고 설명한 것이 도표와 일치한다.
② ➡ 부모와 오락을 즐기고 싶다고 한 비율은 16%, 가족 저녁 식사를 같이하고 싶다고 한 비율은 8%로 나타나 있으므로 도표와 일치한다.
④ ➡ 부모와 솔직한 대화를 나누는 활동은 7%, 부모와 비슷한 취미를 공유하는 활동은 6%이므로 도표와 일치한다.
⑤ ➡ 부모와 비슷한 취미를 공유하고 싶다고 한 사람들은 6%이므로 도표와 일치한다.

구문 해설

❺**More** people want **to enjoy** entertainment with their parents **than to have** family dinners with them.
비교급 문장으로, 2개의 to부정사구 to enjoy ~와 to have ~가 than을 사이에 두고 비교되고 있다. 이때 to부정사구 2개는 모두 동사 want의 목적어로 병렬 구조를 이룬다.

❻The second most preferred activity is **to have** heart-to-heart conversations with their parents.
2형식 문장으로 be동사 is 다음의 to부정사구 to have heart-to-heart conversations with their parents는 명사적 용법으로 사용된 주격보어이다.

More & More

2 56%의 사람들이 부모와 여행하고 싶어 하므로 준호는 내용을 바르게 이해했다. 오락 즐기기는 16%, 가족 저녁 식사는 8%의 사람들이 선택했으므로 미진도 내용을 바르게 이해했다. 솔직한 대화 나누기를 선택한 사람은 7%로, 취미 활동 공유하기를 선택한 6%보다 더 많으므로 태영이 잘못 이해했다. 따라서 윗글을 바르게 이해한 사람을 모두 고른 것은 ②이다.

답 ④

❶One day / I / caught / a taxi / to work. ❷I / found / a brand-new cell phone / on the back seat. ❸I / asked / the driver, / "Where / did you drop / the last person off?"/ and / I / showed / him / the phone. ❹He / pointed / at a girl / walking / up the street. ❺We / drove / up to her. ❻ I / rolled down / the window / and / told her / about her cell phone. ❼She / was very thankful. ❽When I saw her face, / I / could tell / how grateful she was. ❾Her smile / made / me / smile / and / feel really good / inside. ❿After she got the phone back, / I / heard / someone / walking past her / say, / "Today's / your lucky day!"

어느 날 나는 탔다 택시를 직장에 가려고 나는 발견했다 새로 출시된 휴대폰을 뒷좌석에서 나는 물었다 운전사에게 "어디에 운전사님은 바로 전에 탔던 사람을 내려 주셨습니까?" 그리고 나는 보여 줬다 그에게 전화기를 그는 가리켰다 한 소녀를 걷고 있는 거리를 우리는 다가갔다 그녀에게 나는 내렸다 창문을 그리고 그녀에게 얘기했다 그녀의 휴대 전화에 관해 그녀는 매우 고마워했다 내가 그녀의 얼굴을 봤을 때 나는 알 수 있었다 그녀가 얼마나 고마워하는지를 그녀의 미소는 만들었다 내가 미소 짓게 그리고 정말 기분이 좋게 속으로 그녀가 전화기를 다시 받은 후에 나는 들었다 누군가가 그녀를 지나쳐서 걸어가는 말하는 것을 "오늘은 운이 좋은 날이군요!"

drop *A* off: 누군가를 내려 주다, 데려다주다
showed: 수여동사
him = the driver
walking: 현재분사
up to: ~까지
When: 접 ~할 때(시간)
how grateful she was: 간접의문문(의문사+주어+동사)
made me smile and feel: 사역동사 make+목적어+목적격보어(원형부정사)
After: 접 ~한 후(시간)
heard: 지각동사 hear
walking: 현재분사
say: 목적격보어(원형부정사)

글의 구조 분석

❶❷ 'I'는 회사로 가는 택시에서 신형 휴대폰을 발견함
↓
❸ 운전기사에게 분실된 휴대폰이 있음을 알림
↓
❹❺❻ 걷고 있는 마지막에 탔던 손님에게 가서 얘기함
↓
❼❽❾ 휴대폰의 주인은 고마워했고, 'I'는 속으로 기분이 좋았음
↓
❿ 이 모습을 본 누군가가 그녀에게 운이 좋은 날이라고 말해 줌

해석

❶어느 날 나는 직장에 가려고 택시를 탔다. ❷나는 뒷좌석에서 새로 출시된 휴대폰을 발견했다. ❸나는 운전사에게 "바로 전에 탔던 사람을 어디에 내려 주셨습니까?"라고 묻고 그에게 전화기를 보여 줬다. ❹그는 길을 걸어가는 한 소녀를 가리켰다. ❺우리는 그녀에게 다가갔다. ❻나는 창문을 내리고 그녀에게 휴대폰에 대해 얘기했다. ❼그녀는 매우 고마워했다. ❽그녀의 얼굴을 보았을 때, 나는 그녀가 얼마나 고마워하는지를 알 수 있었다. ❾그녀의 미소는 나를 미소 짓게 했고, 속으로도 정말 기분 좋게 만들었다. ❿그녀가 전화기를 되찾은 후, 나는 그녀를 지나치는 누군가가 "오늘 운이 좋은 날이군요!"라고 말하는 것을 들었다.

해설

택시에 탄 'I'가 기사님과 함께 휴대폰을 찾아 줘서 휴대폰 주인이 매우 고마워하는 상황이고, 이에 대해 'I' 또한 기분이 좋아졌다고 했다. 따라서 'I'의 심경으로 가장 적절한 것은 ④ '기쁜'이다.

오답 노트

① 화난 ➡ 'I'는 분실된 휴대폰을 찾아 주었으므로 화가 날 상황은 아니다.
② 지루한 ➡ 'I'는 운전기사와 함께 휴대폰의 주인을 찾아 주는 과정에서 지루함을 느끼진 않는다.
③ 겁먹은 ➡ 'I'가 겁먹을 상황이나 대상은 등장하지 않는다.
⑤ 후회하는 ➡ 휴대폰을 찾아 주고 감사의 인사를 받았으므로 'I'가 후회하는 것은 어색하다.

구문 해설

❸I asked the driver, "Where did you drop the last person off?" and I **showed him the phone.**

showed him the phone은 〈수여동사 show+간접목적어+직접목적어〉 형태의 4형식 구문으로, 〈show+직접목적어+to+간접목적어〉 형태의 3형식 구문으로 바꿔 쓸 수 있다. → I showed the phone to him.

❾Her smile **made me smile** and **feel** really good inside.
made me smile and feel은 〈사역동사 make+목적어+목적격보어〉의 5형식 구문이다. 사역동사는 목적격보어로 원형부정사를 취한다.

❿After she got the phone back, I **heard** someone **walking** past her **say**, "Today's your lucky day!"
walking past her은 앞의 명사 someone을 뒤에서 꾸며 주는 현재분사구이다. someone이 걷는 주체이므로 능동·진행의 의미를 가지는 현재분사 walking이 쓰였다. heard someone walking past her say는 〈hear+목적어+목적격보어〉의 5형식 구문에서 목적격보어로 원형부정사가 쓰인 경우이다. 목적어인 someone이 말한다는 능동의 의미이므로 원형부정사 say가 쓰였다.

UNIT 03 문장은 내가 움직이는 대로! 2

CHECK BY CHECK

● 본문 031쪽

A **1** is, my younger brother / Alex는 내 남동생이다. **2** found, true / 나는 Sally의 이야기가 사실이라는 것을 알게 되었다. **3** let, go / 제가 콘서트에 가도록 허락해 주세요. **4** sounds, interesting / 그 계획은 흥미롭게 들린다. **5** make, angry / 더 이상 나를 화나게 하지 마세요. **6** seems, nice / 새로 오신 영어 선생님은 좋으신 듯하다. **7** tastes, really good / 이 스프는 정말 맛있다. **8** had, clean / 나의 아버지가 내게 내 방을 청소하라고 시키셨다. **B** embarrassed, upset, unhappy, okay, a failure, perfect, grow

A **1** **해설** » is는 불완전 자동사이고, my younger brother는 주격보어이다.
2 **해설** » found는 불완전 타동사로 사용되었고, true는 목적격보어이다.
3 **해설** » let는 불완전 타동사로 사용되었고, go는 목적격보어이다.
4 **해설** » sounds는 불완전 자동사이고, interesting은 주격보어이다.
5 **해설** » make는 불완전 타동사로 사용되었고, angry는 목적격보어이다.
6 **해설** » seems는 불완전 자동사이고 nice는 주격보어이다.
7 **해설** » tastes는 불완전 자동사이고, really good은 주격보어이다.
8 **해설** » had는 불완전 타동사로 사용되었고, clean은 목적격보어이다.

B **해설** » embarrassed(주격보어), upset(주격보어), unhappy(목적격보어), okay(주격보어), a failure(주격보어), perfect(주격보어), grow(목적격보어)
해석 » 당신은 실수를 했을 때 어떻게 느끼는가? 당신은 창피하거나 속상할 수 있다. 우리의 실수는 때때로 우리를 불행하게 만든다. 괜찮다. 실수를 한다는 것이 당신이 실패자라는 뜻은 아니다. 누구도 완벽하지 않기 때문에 우리 모두는 실수를 한다. 실수를 웃어 넘기고, 그것으로부터 배우고, 넘어가라. 실수는 당신을 더 강하고 더 신중한 사람으로 성장하도록 돕는다.

READING 1 ~ 수능유형

● 본문 032~035쪽

More & More

1	④	1 is / 겨울에는 그들의 털이 눈만큼 희다. 2 ②
2	③	1 called / 그래서 사람들은 그를 명인이라고 불렀다. 2 ④
3	④	1 allowed / 이는 그들이 한 장소에 머물도록 해 주었다. 2 food / farming

Summing Up

수능유형	④	1 중국 2 독일과 미국의 소비 비교 3 러시아

1

● 본문 032쪽

답 ④

〈주제문〉

❶To protect themselves / from other big animals, / some animals / change / their fur color / during the year. ❷In the summer, / their fur / is darker / and / they / disappear / into the surroundings. ❸In the winter, / their fur / is / as white as snow. ❹For example, / Snowshoe Rabbits / are gray or brown / in the summer / and / they / are completely white / in the winter. ❺(In order to protect themselves / from the cold, / they / need to move / to warmer and safer places / if they can.) ❻This color change / really confuses / other animals / while they are looking for / a tasty meal.

to부정사의 부사적 용법(목적: ~하기 위해) / 자신을 보호하기 위해 / 다른 큰 동물들로부터 / 어떤 동물들은 / 바꾼다 / 자신들의 털 색깔을 / 1년 동안(전 ~하는 동안) / 여름에는 / 그들의 털은 / 더 짙어진다(형용사 비교급) / 그리고 / 그들은 / 사라진다(자동사) / 환경 속으로 / 겨울에는 / 그들의 털이 / ~이다 / 눈만큼 흰(원급 비교(~만큼 …한)) / 예를 들어 / 눈신토끼는 / 회색이나 갈색이다(불완전 자동사) / 여름에는 / 그리고 / 그들은 / 완전히 흰색이다 / 겨울에는 / 자신을 보호하기 위해(~하기 위해) / 추위로부터 / 그들은 / 옮길 필요가 있다(to부정사의 명사적 용법(동사 need의 목적어)) / 더 따뜻하고 안전한 곳으로 / 만약 그들이 할 수 있다면(접 만약 ~한다면(조건)) / 이런 색깔 변화는 / 정말 혼란스럽게 한다 / 다른 동물들을 / 그들이 찾는 동안(접 ~하는 동안(시간), look for: ~을 찾다) / 맛좋은 먹잇감을

글의 구조 분석

주제문
❶어떤 동물들이 털색을 바꾸는 이유

↓

부연 설명
❷❸그 동물들은 계절별로 털 색을 바꿈

↓

예시
❹❻털색을 바꾸는 눈신토끼
(❺는 추위를 피하기 위해 이동한다는 내용이므로 흐름과 무관함)

해석

❶다른 큰 동물들로부터 자신을 보호하기 위해, 어떤 동물들은 1년 동안 자신들의 털 색깔을 바꾼다. ❷여름에는 털색이 더 짙어져서 환경 속에 묻힌다. ❸겨울에는 그들의 털이 눈만큼 희다. ❹예를 들어, 눈신토끼는 여름에는 회색이나 갈색이고, 겨울에는 완전히 흰색이다. ❺(추위로부터 자신을 보호하기 위해, 그들은 할 수 있다면 더 따뜻하고 안전한 곳으로 옮길 필요가 있다.) ❻다른 동물이 맛좋은 먹잇감을 찾는 동안 이런 색깔 변화는 그들을 정말 혼란스럽게 한다.

해설

생존을 위해 털 색깔을 계절에 따라 변화시키는 동물에 관한 글인데, 추위를 피하기 위해 따뜻하고 안전한 장소로 이동해야 한다는 내용은 털 색깔 변화와는 관련이 없다. 따라서 전체 흐름과 관계 없는 문장은 ④이다.

오답 노트

①, ② ➡ 각 계절에 맞게 털색을 바꾸는 동물에 관한 설명으로 글의 흐름에 맞다.

③ ➡ 눈신토끼를 털색을 바꾸는 동물의 구체적인 예로 들고 있으므로 글의 흐름에 맞다.

⑤ ➡ 털색을 바꾸면 먹잇감을 찾는 다른 동물들이 찾기 힘들다는 내용이므로 글의 흐름에 맞다.

구문 해설

❶**To protect** themselves from other big animals, some animals **change** their fur color during the year.

To protect는 부사적 용법으로 쓰인 to부정사구로 '~하기 위해'라는 뜻의 목적을 나타낸다. change는 타동사로 쓰였으며 뒤에 목적어 their fur color가 왔다.

❺**In order to protect** themselves from the cold, they need to move to **warmer** and **safer** places **if they can**.

〈In order to+동사원형〉은 '~하기 위해'라는 목적을 나타내며 In order를 생략하고 〈To+동사원형〉으로 바꿔 쓸 수 있다. warmer와 safer는 형용사에 -er을 붙여 만든 비교급이다. if는 조건을 나타내는 부사절을 이끄는 접속사로, can 뒤에는 바로 앞에서 언급된 move to warmer and safer places가 생략되어 있다.

More & More

2 다른 큰 동물들로부터 자신을 보호하기 위해, 계절에 따라 자신들의 털 색깔을 바꾸는 동물에 관한 글이므로 윗글의 주제로 가장 적절한 것은 ② '계절에 따라 털색을 바꾸는 동물'이다.

2

답 ③

❶According to art experts, / the greatest artists of the Renaissance /
~에 따르면
예술 전문가들에 따르면 르네상스의 가장 위대한 예술가들은

were / Leonardo, Michelangelo, and Raphael. ❷Raphael / was / the
~였다 Leonardo, Michelangelo 그리고 Raphael Raphael은 ~였다

youngest of / the three. ❸His father / was / a painter, / and / he / taught /
~ 중에 가장 어린(최상급)
~ 중에 가장 어린 세 명 그의 아버지는 ~였다 화가 그리고 그는 가르쳤다

Raphael / how to draw and paint. ❹The boy / was / a natural artist / and /
how(의문사)+to부정사: ~하는 방법
Raphael에게 그리고 색칠하는 법을 그 소년은 ~였다 타고난 예술가 그리고

learned quickly. ❺When he was a teenager, / Raphael / was very talented.
빠르게 익혔다 그가 십 대였을 때 Raphael은 몹시 재능이 있었다

❻So / people / called / him / a master. ❼Raphael / was influenced / by
접 그래서(결과) 불완전 타동사+목적어+목적격보어(5형식) 수동태
그래서 사람들은 불렀다 그를 명인이라고 Raphael은 영향을 받았다

the works of / Leonardo and Michelangelo. ❽During his short life, / he /
전 ~ 동안
작품에 의해 Leonardo와 Michelangelo의 그의 짧은 생애 동안 그는

produced / many incredible paintings. ❾But / at the height of his fame, /
~이 한창일 때에
만들어 냈다 많은 믿기지 않는 그림들을 그러나 그의 명성이 최고조에 달했을 때

Raphael / caught / a fever. ❿He / died / in Rome / on his thirty-seventh
특정일 앞
Raphael은 걸렸다 열병에 그는 사망했다 로마에서 그의 37번째 생일에

birthday.

글의 구조 분석

도입
❶❷예술가로서의 Raphael 소개
↓
어린 시절
❸❹❺❻Raphael의 아버지 및 어린 시절, 화가로서의 재능을 보여 준 십 대 시절
↓
절정기
❼❽Raphael에게 영향을 미친 화가들 및 명화 창작
↓
말기
❾❿열병에 걸려 사망

해석

❶예술 전문가들에 따르면, 르네상스 (시대)의 가장 위대한 예술가들은 Leonardo, Michelangelo, Raphael이었다. ❷Raphael은 셋 중 가장 어렸다. ❸그의 아버지는 화가였고, 그는 Raphael에게 그리고 색칠하는 법을 가르쳤다. ❹소년은 타고난 예술가였고 빠르게 익혔다. ❺그가 십 대였을 때 Raphael은 몹시 재능이 있었다. ❻그래서 사람들은 그를 명인이라고 불렀다. ❼Raphael은 Leonardo와 Michelangelo의 작품으로부터 영향을 받았다. ❽짧은 생애 동안 그는 많은 믿기지 않는 그림들을 만들어 냈다. ❾그러나 그의 명성이 최고조에 달했을 때 Raphael은 열병에 걸렸다. ❿그는 37번째 생일에 로마에서 사망했다.

해설

십 대였을 때 Raphael은 재능이 많아 사람들이 그를 명인이라고 불렀다고 했으므로 글의 내용과 일치하지 않는 것은 ③이다.

오답 노트

① Renaissance의 가장 위대한 화가 세 명 중 제일 어렸다. ➡ 위대한 예술가 Leonardo, Michelangelo, Raphael 중 Raphael이 가장 어렸다고 했으므로 글의 내용과 일치한다.
② 아버지가 그림 그리는 법을 가르쳐 주었다. ➡ 아버지가 화가로서 Raphael에게 그림 그리는 법을 가르쳤다고 했으므로 글의 내용과 일치한다.
④ Leonardo와 Michelangelo 작품의 영향을 받았다. ➡ Leonardo와 Michelangelo의 작품에 영향을 받았다고 했으므로 글의 내용과 일치한다.
⑤ 37번째 생일에 로마에서 죽었다. ➡ 맨 마지막 문장에서 37번째 생일에 로마에서 사망했다고 했으므로 글의 내용과 일치한다.

구문 해설

❸His father was a painter, and he **taught Raphael how to draw and paint.**
taught Raphael how to draw and paint는 〈수여동사+간접목적어+직접목적어(how+to부정사)〉의 4형식 구문이다.
❻So people **called him a master.**
called him a master는 〈불완전 타동사+목적어+목적격보어〉의 5형식 구문인데, 목적격보어 자리에 명사가 왔다.
❼Raphael **was influenced by** the works of Leonardo and Michelangelo.
was influenced by ~는 수동태로 by ~ 이하는 행위의 주체를 나타낸다. 이 문장을 능동태로 바꾸면 The works of Leonardo and Michelangelo influenced Raphael.이 된다.

More & More

2 Raphael이 Leonardo와 Michelangelo의 작품에 영향을 받았다는 언급만 있을 뿐 누구에게 영향을 주었는지에 대해서는 윗글에 언급되지 않았으므로 대답할 수 없는 질문은 ④ 'Raphael이 누구에게 영향을 미쳤는가?'이다.

3

● 본문 034쪽

답 ④

❶ Farming / began / a very long time ago. ❷ Before farming, / people / had to search for / food / to eat. ❸ They / ate / wild animals and plants.

(C) ❹ But, / it / was hard / to find enough food. ❺ They / had to / travel / a lot / to find more food. ❻ This / meant / a lot of moving around.

(A) ❼ So, / people / learned / to farm. ❽ They / kept / animals and plants / on farms. ❾ People / no longer had to move / to find food. ❿ This / allowed / them / to stay / in one place.

(B) ⓫ In that place, / they / built / villages. ⓬ The towns / were built / close to rivers / because the animals and plants needed water / to keep growing.

(〈주제문〉 Before: 전 ~하기 전에 / have to: ~해야 한다 / to eat: to부정사의 형용사적 용법 / it: 가주어, to find: 진주어 / moving: 동명사(목적어) / to farm: to부정사의 명사적 용법(learned의 목적어) / no longer: 더 이상 ~ 않다 / to find: to부정사의 부사적 용법(목적) / allowed ... to stay: 불완전 타동사+목적어+목적격보어(to부정사) / were built: 수동태 / because: 접 ~ 때문에(이유) / to keep: to부정사의 부사적 용법(목적))

(농사는 시작되었다 아주 오래전에 / 농사짓기 전에는 사람들은 찾아야만 했다 식량을 먹을 / 그들은 먹었다 야생 동물과 식물을 / 그러나 어려웠다 충분한 식량을 찾기가 / 그들은 ~해야 했다 이동해야 많이 더 많은 식량을 찾기 위해 / 이것은 의미했다 많이 돌아다니기 / 그래서 사람들은 배웠다 농사짓는 것을 / 그들은 두었다 동물과 식물을 농장에 / 사람들은 더 이상 이동할 필요가 없었다 식량을 찾기 위해 / 이것은 허용했다 그들이 머무는 것을 한 장소에 / 그곳에 그들은 건설했다 마을을 / 마을들은 지어졌다 강 가까이에 동물들과 식물들은 물이 필요했기 때문에 계속 성장하기 위해)

글의 구조 분석

- 도입: ❶❷❸ 농사짓기 전 사냥과 채집으로 식량을 구함
- ↓
- 단점 설명: ❹❺❻ 식량 확보의 어려움 때문에 하게 된 유목 생활
- ↓
- 결과: ❼❽❾❿ 농경 생활의 시작과 더불어 정착 생활 시작
- ↓
- 부연 설명: ⓫⓬ 정착 생활을 통한 마을 건설

해석

❶ 농사는 아주 오래전에 시작되었다. ❷ 농사짓기 전에는 사람들은 먹을 식량을 찾아야만 했다. ❸ 그들은 야생 동물과 식물을 먹었다. (C) ❹ 그러나 충분한 식량을 찾기가 어려웠다. ❺ 그들은 더 많은 식량을 찾기 위해 많이 이동해야 했다. ❻ 이것은 많이 돌아다녀야 했음을 의미했다. (A) ❼ 그래서 사람들은 농사를 배웠다. ❽ 그들은 동물과 식물을 농장에 두었다. ❾ 사람들은 더 이상 식량을 찾기 위해 이동할 필요가 없었다. ❿ 이는 그들이 한 장소에 머물도록 해 주었다. (B) ⓫ 그곳에 그들은 마을을 건설했다. ⓬ 동물들과 식물들이 계속 성장하기 위해 물이 필요했기 때문에, 마을들은 강 가까이에 지어졌다.

해설

주어진 글에서 농사 전에는 식량을 찾아다니며 야생 동식물을 먹었다고 했으므로, 충분한 식량을 찾기가 어려웠기 때문에 식량을 구하기 위해서는 많이 이동해야 했다는 내용의 (C)가 이어지는 것이 자연스럽다. 식량을 구하러 이동하는 것의 대안으로 농업을 시작하면서 한곳에 머물 수 있게 되었다는 (A)가 이어지고, 마지막으로 머물기 시작한 그곳에 마을을 건설했다는 (B)가 오는 것이 자연스럽다. 따라서 글의 순서로 가장 적절한 것은 ④ (C)–(A)–(B)이다.

오답 노트

① (A)–(C)–(B) ➡ (A)의 So는 '그래서'라는 의미로 주어진 글과 인과 관계가 있어야 하는데, 야생 동물과 식물을 먹었고 그래서 농사를 배웠다는 말은 부자연스럽다.
② (B)–(A)–(C), ③ (B)–(C)–(A) ➡ (B)가 In that place로 시작하는데, 주어진 글에 that place로 볼 만한 것이 없다.
⑤ (C)–(B)–(A) ➡ 주어진 글에 (C)는 자연스럽게 연결되지만, (B)에 나오는 that place로 볼 만한 것이 (C)에 없다.

구문 해설

❷ Before farming, people **had to** search for food **to eat**.
had to는 have to 또는 must(~해야 한다)의 과거형으로 의무나 강한 필요성을 나타낸다. to eat은 형용사적 용법으로 사용된 to부정사로 앞의 명사 food를 수식한다.

❹ But, **it** was hard **to find** enough food.
it은 가주어, to find ~가 to부정사구로서 진주어 역할을 한다.

❿ **This allowed them to stay** in one place.
This는 앞 문장의 내용(사람들이 더 이상 식량을 찾기 위해 이동할 필요가 없게 된 것)을 가리킨다. allowed them to stay는 〈불완전 타동사+목적어+목적격보어(to부정사)〉의 5형식 구문이다.

More & More

2 농사를 짓기 전에는 식량을 찾아 이동하면서 사냥이나 채집 생활을 했지만, 농업이 시작된 후 한곳에 머물러 살 수 있었다. 따라서 빈칸에 알맞은 말은 각각 food와 farming이다.

답 ④

❶World's Top International Tourism Spenders / in 2014
세계 최상위 국제 관광 소비 국가 2014년

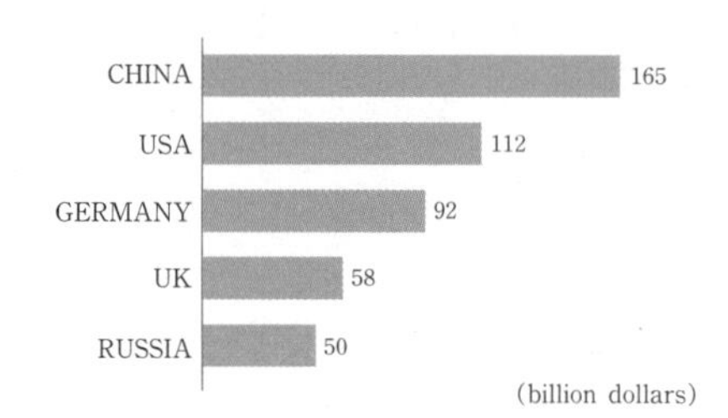

❷The above graph / shows / the world's top international tourism spenders / in 2014. ❸China / was / at the top / of the list. ❹The United States of America (USA) / spent / more than / twice as much as Russia / on international tourism. ❺Germany / spent / 20 billion dollars / less than the USA. ❻The United Kingdom (UK) / spent / less than / half of the amount / (which) the USA spent. ❼Of the five countries, / Russia / spent / the smallest amount of money / on international tourism.

위의 그래프는 / 보여 준다 / 세계 최상위 국제 관광 소비 국가를 / 2014년에 (in: 연도 앞) / 중국은 / 있었다 / 최상위에 / 목록의 / 미국은 / 소비했다 / ~ 이상 / 러시아의 두 배 (원급 비교) / 국제 관광에 (spend+돈[시간]+on ~: ~하는 데 돈[시간]을 쓰다) / 독일은 / 썼다 / 200억 달러를 / 미국보다 덜 / 영국은 / 소비했다 / ~보다 덜 (비교급: ~보다 더 적은) / 절반의 금액 (~의 절반) / 미국이 소비한 / 5개국 중에서 (~ 중에서) / 러시아가 / 썼다 / 가장 적은 금액의 돈을 / 국제 관광에

*spender: 돈을 쓰는 사람(단체)

글의 구조 분석

도표 제목 및 소개
❶❷세계 최상위 국제 관광 소비 국가 정리 도표

↓

도표 세부 설명
❸❹❺❻❼중국, 미국, 독일, 영국, 러시아 간의 국제 관광 소비 수치 설명 및 비교

해석

❶2014년 세계 최상위 국제 관광 소비 국가
❷위의 그래프는 2014년의 세계 최상위 국제 관광 소비 국가를 보여 준다. ❸중국은 목록의 최상위에 있었다. ❹미국은 러시아의 두 배 이상을 국제 관광에 소비했다. ❺독일은 미국보다 200억 달러를 덜 썼다. ❻영국은 미국이 지출한 금액의 절반에도 못 미치는 액수를 소비했다. ❼5개국 중에서 러시아가 국제 관광에 가장 적은 돈을 썼다.

해설

세계 최상위 국제 관광 소비 국가들을 나타내는 도표로, 영국이 580억 달러를 소비하였으니, 이는 미국 소비 금액(1120억 달러)의 절반(560억 달러) 이상이다. 따라서 도표의 내용과 일치하지 않는 것은 ④이다.

오답 노트

① ➡ 중국이 1,650억 달러로, 5개국 중에서 가장 많은 금액을 소비했다.
② ➡ 미국은 1,120억 달러를, 러시아는 500억 달러를 소비했으므로 미국이 러시아보다 두 배 이상 많은 돈을 소비했다.
③ ➡ 미국은 1,120억 달러를, 독일은 920억 달러를 소비했으므로, 독일이 미국보다 200억 달러 더 적게 소비했다.
⑤ ➡ 500억 달러를 소비한 러시아가 5개국 중 가장 하위를 차지하고 있다.

구문 해설

❹The United States of America (USA) **spent more than twice as much as** Russia **on** international tourism.
〈spend+돈[시간]+on+명사〉는 '~하는 데 돈[시간]을 쓰다'라는 의미이다. 원급 비교는 〈as ~ as〉의 형태로 비교하는 두 대상의 정도가 동일할 때 사용하는데, 이 문장에서는 앞에 more than twice라는 배수사가 붙어서 2배 이상만큼 많다는 의미가 된다.

❻The United Kingdom (UK) spent less than **half of** the amount the USA spent.
half of는 '~의 절반'이라는 의미로 전치사 of를 생략하여 사용할 수도 있다.

❼Of the five countries, Russia spent **the smallest** amount of money on international tourism.
the smallest는 최상급으로, 세 개 이상의 대상을 비교할 때 사용하며, 최상급은 〈the+형용사/부사+-est〉 또는 〈the+most+형용사/부사〉의 형태로 만든다.

움직임엔 상대가 필요하지!

CHECK BY CHECK

● 본문 039쪽

A **1** me / 나의 조부모님은 나를 사랑하신다. **2** to live a happy life / 모든 사람들이 행복한 삶을 살기 원한다. **3** to keep his promise / Josh는 그의 약속을 지키지 못했다. **4** smoking / 내 아버지는 오래 전에 담배를 끊었다. **5** playing the piano / 나를 위해 피아노를 쳐 주시겠어요? **6** that I met you / 내가 당신을 만났다는 것을 아무도 모른다. **7** me, her golden medal / Faith 여사는 내게 그녀의 금메달을 보여 주었다. **8** David, to come to my birthday party / 나는 David에게 나의 생일 파티에 와 달라고 부탁했다. **B** (A) to remember your dream / 왜 당신은 당신의 꿈을 기억하는 데 실패하는가? (B) making the chemical / 그것은 당신이 깨자마자 당신의 뇌가 다시 그 화학 물질을 만들어 내기 시작하기 때문이다.

A **1** **해설** » 동사 love 다음의 대명사 me가 목적어이다.
2 **해설** » 동사 wants 다음의 to부정사구 to live a happy life가 목적어이다.
3 **해설** » 동사 failed 다음의 to부정사구 to keep his promise가 목적어이다.
4 **해설** » 동사구 gave up 다음의 동명사 smoking이 목적어이다.
5 **해설** » 동사 mind 다음의 동명사구 playing the piano가 목적어이다.
6 **해설** » 동사 knows 다음의 절 that I met you가 목적어이다.
7 **해설** » 동사 showed는 목적어를 두 개 취할 수 있으며 me가 간접목적어이고, her golden medal이 직접목적어이다.
8 **해설** » 동사 asked 다음의 David가 간접목적어이고, to부정사구 to come to my birthday party가 직접목적어이다.

B **해설** » (A) to remember your dream이 동사 fail의 목적어이다. (B) making the chemical이 동사 starts의 목적어이다.
해석 » 당신은 밤사이에 꿈을 꾸었지만, 그 다음 날 아침에 그것을 기억하지 못한다. 왜 당신은 당신의 꿈을 기억하는 데 실패하는가? 당신의 뇌는 보통 기억력을 높여 주는 특수한 화학 물질을 만들어 내지만, 당신이 꿈을 꾸는 동안에는 그렇지 않다. 그러나 만약 당신이 꿈을 꾸는 도중에 깬다면 꿈을 기억할지도 모른다. 그것은 당신이 깨자마자 당신의 뇌가 다시 그 화학 물질을 만들어 내기 시작하기 때문이다.

READING 1 ~ 수능유형

● 본문 040~043쪽

More & More

1 ⑤ 1 to explore / 우리는 Tennessee 주의 숲을 탐험하기 시작할 것이다.
2 ②

2 ⑤ 1 to have good relationships with others / 만약 여러분이 정말로 다른 사람들과 좋은 관계를 맺고 싶다면 여러분 자신에 대해 말하기 전에 그들의 이야기를 먼저 들어 보세요. 2 listen more to my co-workers

3 ④ 1 her bottle, her / 그녀는 몹시 피곤하여 자신의 젖병을 원한다. 그녀의 엄마 Sophie가 이유식을 먹일 때, 그녀는 그것을 쳐다본다. 2 ③

Summing Up

⑤ 1 우주 비행사 2 8일 3 NASA를 떠남 4 의학

1

• 본문 040쪽

답 ⑤

❶2018 Eco-Adventure Camp

2018 환경 모험 캠프

〈주제문〉
❷We'll begin / to explore the woods / in Tennessee! ❸All middle school and high school students / are / welcome!

to부정사의 명사적 용법(begin의 목적어)

우리는 ~하기 시작할 것입니다 숲을 탐험하기 Tennessee 주의 모든 중학생과 고등학생을 ~이다 환영받는

• ❹Dates: March 23 – 25 (3 days and 2 nights)

날짜: 3월 23일~25일 2박 3일

• ❺Fee: $150 per person (All meals / are included.)

수동태

참가비: 1인당 150달러 모든 식사가 포함됩니다

• ❻Activities: Nature Class, / Hiking and Climbing, / and / Treasure Hunt

활동: 자연 교실 하이킹과 등산 그리고 보물찾기

• ❼Every participant / will receive / a camp backpack.

every+단수 명사

모든 참가자는 받을 것입니다 캠프 배낭을

• ❽Registration / starts / from March 12 / and / ends / on March 16 / on our website.

등위접속사(3인칭 단수 현재형 동사 starts와 ends를 연결)

등록은 시작합니다 3월 12일부터 그리고 끝납니다 3월 16일에 저희 웹 사이트에서

❾For more information, / please visit / us / at www.ecoadventure.com.

명령문(동사원형 ~)

더 많은 정보를 원하시면 방문하세요 저희를 www.ecoadventure.com에서

글의 구조 분석

행사 소개
❶❷❸ 환영 인사 및 행사 개요 소개

↓

세부 정보
❹❺❻❼❽❾ 날짜, 참가비, 활동, 무료 선물, 등록방법, 추가 정보에 대한 안내

해석

❶2018 환경 모험 캠프

❷우리는 Tennessee 주의 숲을 탐험하기 시작할 것입니다! ❸모든 중학생과 고등학생을 환영합니다!

❹날짜: 3월 23일~25일 (2박 3일)

❺참가비: 1인당 150달러 (모든 식사가 포함됩니다.)

❻활동: 자연 교실, 하이킹과 등산, 그리고 보물찾기

❼모든 참가자는 캠프 배낭을 받게 됩니다.

❽등록은 저희 웹 사이트에서 3월 12일에 시작하여 3월 16일에 끝납니다.

❾더 많은 정보를 원하시면, www.ecoadventure.com을 방문하세요.

해설

캠프에 참가하고 싶은 학생들은 온라인으로 등록 신청을 해야 하는데, 등록은 3월 12일에 시작하여 3월 16일에 끝난다고 했다. 따라서 안내문의 내용과 일치하지 않는 것은 ⑤이다.

오답 노트

① 중·고등학생이 참가할 수 있다. ➡ All middle school and high school students are welcome!

② 2박 3일 동안 진행된다. ➡ 3 days and 2 nights

③ 참가비에 식사 비용이 포함된다. ➡ All meals are included.

④ 참가자에게 캠프 배낭을 준다. ➡ Every participant will receive a camp backpack.

구문 해설

❼ **Every participant** will receive a camp backpack.

every는 '모든'이라는 의미의 형용사로 바로 다음에는 단수 명사가 온다.

❽ Registration **starts** from March 12 **and ends** on March 16 on our website.

주어 Registration은 3인칭 단수 주어로, 3인칭 단수 현재형 동사 starts와 ends가 등위접속사 and로 연결된 병렬 구조의 문장이다.

More & More

2 캠프가 열리는 장소까지 어떻게 가는지에 대해서는 설명이 없으므로 대답할 수 없는 질문으로 알맞은 것은 ② '참가자들이 캠프 장소까지 어떻게 갈 수 있는가?'이다.

2

답 ⑤

❶Do you want / to have good relationships / with your co-workers?
to부정사의 명사적 용법(want의 목적어)
여러분은 ~하고 싶습니까? 좋은 관계를 맺기 여러분의 동료들과

❷Let / me / tell / you my story. ❸I / was good at / my work / and / proud of / it. ❹But / my co-workers / did not care / about my success. ❺They / seemed to hate / listening to / my stories. ❻I / really / wanted / to be their friend. ❼So, / I / started / to talk less / about myself / and / listen / more / to my co-workers. ❽They / were / excited / to tell me / about their success / and / our relationship / got better. ❾If you really want to have good relationships / with others, / listen first / to their stories / before you talk about yourself.

- 사역동사+목적어+목적격보어 (Let me tell)
- 동사+간접목적어+직접목적어 (tell you my story)
- be good at: ~을 잘하다
- 등위접속사 (I was)
- it = my work
- They = my co-workers
- seemed to hate: ~하는 것 같다
- listening: 동명사(hate의 목적어)
- to be: to부정사의 명사적 용법(want의 목적어)
- to talk less: to부정사의 명사적 용법(start의 목적어)
- myself: 재귀대명사(전치사의 목적어)
- They = my co-workers
- to have: to부정사의 명사적 용법(want의 목적어 역할)
- before: ~하기 전에
- yourself: 재귀대명사(전치사의 목적어)

~하게 해 주다 내가 여러분에게 내 이야기를 말하기 나는 ~을 잘했다 내 일을 그리고 자랑스러워했다 그것을 하지만 내 동료들은 신경 쓰지 않았다 내 성공에 대해 그들은 싫어하는 것 같았다 듣는 것을 내 이야기를 나는 정말로 ~하고 싶었다 그들의 친구가 되기 그래서 나는 ~하기 시작했다 덜 말하기 내 자신에 대해 그리고 듣기 더 내 동료들의 말을 그들은 ~였다 즐거워하는 내게 말하는 것을 그들의 성공에 대해 그리고 우리의 관계는 더 좋아졌습니다 〈주제문〉 만약 여러분이 정말로 좋은 관계를 갖고 싶다면 다른 사람들과 먼저 들어 보세요 그들의 이야기를 자신에 대해 이야기하기 전에

글의 구조 분석

도입
❶❷동료들과 좋은 관계 맺는 법 소개

↓

사례 소개
❸❹❺자신의 성공 이야기를 듣기 싫어한 동료들

↓

해결 방안
❻❼❽동료들과 친해지기 위해 말하기보다는 듣기를 선택

↓

주제문
❾좋은 관계 맺기를 위해서는 다른 이들의 말을 들어야 함을 주장

해석

❶여러분은 동료들과 좋은 관계를 맺고 싶으십니까? ❷여러분에게 제 이야기를 말씀드리겠습니다. ❸저는 일을 잘했고 그것을 자랑스러워했습니다. ❹하지만 제 동료들은 저의 성공을 신경 쓰지 않았습니다. ❺그들은 저의 이야기를 듣는 것을 싫어하는 것 같았습니다. ❻저는 정말 그들의 친구가 되고 싶었습니다. ❼그래서 저는 제 자신에 대해 덜 말하고 동료들의 말을 더 듣기 시작했습니다. ❽그들은 저에게 그들의 성공에 대해 말해 주며 즐거워했고 우리의 관계는 좋아졌습니다. ❾만약 여러분이 정말로 다른 사람들과 좋은 관계를 맺고 싶다면, 여러분 자신에 대해 말하기 전에 그들의 이야기를 먼저 들어 보세요.

해설

동료들과 좋은 관계를 맺기 위해서는 내 이야기를 하기보다는 그들의 이야기를 들어주는 것이 더 도움이 된다는 것을 주장하고 있고, 마지막 문장(If you really want ~.)에 필자의 주장이 잘 드러난다. 따라서 필자의 주장하는 바로 가장 적절한 것은 ⑤ '나의 이야기를 하기보다는 남의 이야기를 들어라.'이다.

오답 노트

① 당신의 실수를 먼저 이야기하라. ➡ 먼저 말하기보다는 듣기를 주장했다.
② 친구들과 같은 취미 활동을 즐기라. ➡ 본문에 언급되지 않은 내용이다.
③ 당신의 성공을 다른 사람과 공유하라. ➡ 자신의 성공을 공유하려 하기 전에 다른 이의 이야기를 먼저 들을 것을 주장했다.
④ 동료와 협력을 할 때는 자신의 장점을 드러내라. ➡ 본문에 언급되지 않은 내용이다.

구문 해설

❼So, I started to talk less about **myself** and listen more to my co-workers.
myself는 재귀대명사로 동작을 행하는 주어와 그 동작을 받는 목적어가 일치할 때 목적어로 쓰는 재귀 용법과 강조 용법의 두 가지로 나뉜다. myself는 전치사 about의 목적어로 쓰인 재귀 용법으로 사용되었으며 의미는 '자기 자신, 나 스스로'이며 이때 재귀대명사는 생략할 수 없다.

❽They were excited to tell me about their success and our relationship **got better.**
〈get+형용사〉는 상태의 변화를 나타내는데 형용사 자리에 비교급을 사용하여 '더 ~해지다'라는 의미로 쓰였다.

More & More

2 '어떻게 당신의 동료들과의 관계가 나아졌습니까?'라는 질문에 알맞은 대답은 '나에 대해서 덜 말하고, 내 동료들의 이야기를 더 들어주기를 시작했다.'이므로 빈칸에는 listen more to my co-workers가 알맞다.

3

● 본문 042쪽

답 ④

❶Six-month-old Angela / is sitting / in her high chair / and / sees / her bottle / on the table. ❷She / is / pretty tired / — it's been a long day! — / and / she / wants / her bottle. ❸She / looks at / it / when her mother, Sophie, feeds her. ❹Angela / gets more and more frustrated. ❺Finally, / Angela / turns away / from her baby food. ❻Then, / she / bends / her back / and / turns around / in her high chair. ❼She / makes / sounds / and / looks / ready to cry. ❽Sophie / is clueless about / what Angela wants. ❾When Sophie looks at the table, / she / notices / the bottle / on it. ❿"That's / what you want," / she says, / and / gives / Angela / her bottle. ⓫Success / at last!

(6개월 된 / 현재진행 시제 / (six-month-old Angela) / 비인칭주어(시간) / = her bottle / 접 ~할 때(시간) / get+형용사: ~해지다 / 고개를 돌리다 / 몸을 돌리다 / to부정사의 부사적 용법(형용사 수식) / 전치사의 목적어(간접의문문) / 접 ~할 때(시간) / = the table / 관계대명사 what: ~하는 것 / 수여동사+간접목적어(Angela)+직접목적어(her bottle))

생후 6개월 된 Angela는 / 앉아 있다 / 그녀의 높은 의자에 / 그리고 / 본다 / 그녀의 젖병을 / 식탁 위에 있는 / 그녀는 ~이다 꽤 피곤한 / 긴 하루였다 / 그래서 그녀는 원한다 그녀의 젖병을 / 그녀는 바라본다 그것을 그녀의 엄마인 Sophie가 그녀를 먹일 때 / Angela는 점점 더 좌절감을 느낀다 / 결국 Angela는 고개를 돌린다 그녀의 이유식으로부터 / 그러고는 그녀는 구부린다 그녀의 등을 그리고 몸을 돌린다 그녀의 높은 의자에서 / 그녀는 낸다 소리를 그리고 보인다 울 것처럼 / Sophie는 ~에 대해 아무것도 모른다 Angela가 무엇을 원하는지 / Sophie가 식탁을 바라볼 때 그녀는 알아차린다 그 젖병을 그것 위의 / 저것이 ~이다 네가 원하는것 그녀가 말한다 그리고 준다 Angela에게 그녀의 젖병을 / 성공이다 마침내

* be clueless about: ~에 대해 아무것도 모르다

글의 구조 분석

❶❷생후 6개월 된 Angela 묘사: 아기 의자에 앉아 젖병을 바라보고 있음
↓
❸엄마인 Sophie의 등장, Angela에게 이유식을 먹이려 함
↓
❹❺❻❼젖병을 원하기 때문에 좌절감을 느끼며 고개와 몸을 돌려 결국 부정적 신호를 보내는 Angela
↓
❽ Angela가 원하는 것을 전혀 모르고 있는 Sophie
↓
❾❿Angela가 원하는 것을 찾아 그것을 Angela에게 건네 주는 Sophie
↓
⓫성공적인 마무리!

해석

❶생후 6개월 된 Angela는 자신의 어린이용 높은 의자에 앉아 있고, 식탁에 있는 자신의 젖병을 본다. ❷힘든 하루를 보내서 그녀는 몹시 피곤하여 자신의 젖병을 원한다. ❸그녀는 소리를 내며 곧 울 것처럼 보인다. ❹Angela는 점점 더 좌절감을 느낀다. ❺결국 Angela는 이유식에서 고개를 돌린다. ❻그러고는, 등을 구부리고 높은 의자에 앉은 채 돌아선다. ❼그녀는 소리를 내며 곧 울 것처럼 보인다. ❽Sophie는 Angela가 무엇을 원하는지 전혀 모르고 있다. ❾Sophie가 식탁을 볼 때, 그녀는 그 위에 있는 젖병을 알아차린다. ❿"저것이 네가 원하는 것이구나."라고 말하며, 그녀는 Angela에게 그녀의 젖병을 준다. ⓫마침내 성공한 것이다!

해설

④는 Angela의 엄마인 Sophie를 가리키지만, 나머지는 모두 Angela를 가리키고 있으므로 정답은 ④이다.

오답 노트

① She ➡ 힘든 날이어서 피곤한 사람은 Angela이다.
② her ➡ Sophie가 이유식을 먹인 대상은 Angela이다.
③ She ➡ 금방이라도 울 것처럼 소리를 낸 사람은 Angela이다.
⑤ her ➡ Angela에게 그녀의 젖병을 주었으므로 젖병의 주인은 Angela이다.

구문 해설

❽Sophie is clueless about **what Angela wants**.
의문사가 이끄는 의문문이 명사 자리(주어, 보어, 목적어)에 올 경우, what Angela wants와 같이 〈의문사+주어+동사〉 형태의 간접의문문을 쓴다.

❿"That's what you want," she says, and **gives Angela her bottle.**
수여동사(give, tell, buy, show, teach, send, ask)는 '…에게 ~을 (해)주다'라는 의미를 갖는 동사로 〈주어+수여동사+간접목적어+직접목적어〉 형태의 4형식 문장을 만든다.

More & More

2 Angela는 젖병을 향해 의자 안에서 등을 구부리고 돌아서다가 소리를 내어 우는 것이 아니라, 이내 울 것처럼 보인다. 따라서 글의 내용과 일치하지 않는 것은 ③이다.

• 본문 043쪽

답 ⑤

❶Mae C. Jemison / always hoped / that she could fulfill her dreams.
명사절(목적어)을 이끄는 접속사
Mae C. Jemison은 늘 바랐다 자신의 꿈을 이룰 수 있기를

❷She / eventually / became / the first black woman astronaut / in 1987.
그녀는 결국 되었다 최초의 흑인 여성 우주 비행사가 1987년에

❸On September 12, 1992, / she / boarded / the space shuttle *Endeavor* /
특정 날짜 앞에 전치사 on 사용
1992년 9월 12일에 그녀는 탑승했다 우주 왕복선 *Endeavor*호에

as a science mission specialist / on the historic eight-day flight. ❹Jemison
전 ~으로서(자격)
과학 임무 전문가로 역사적인 8일간의 비행에서 Jemison은

left / the National Aeronautic and Space Administration(NASA) / in
떠났다 미국 항공 우주국(NASA)을

1993. ❺She / was / a professor of Environmental Studies / at Dartmouth
1993년에 그녀는 ~이었다 환경학 교수 Dartmouth 대학에서

College / from 1995 to 2002. ❻Jemison / was born / in Decatur, Alabama.
from *A* to *B*: A부터 B까지
1995년부터 2002년까지 Jemison은 태어났다 Alabama 주 Decatur에서

❼She / moved to Chicago / with her family / when she was three
접 ~할 때(시간)
그녀는 Chicago로 이사했다 가족과 함께 그녀가 세 살이었을 때

years old. ❽She / graduated from / Stanford University / in 1977 / with a
graduate from: ~을 졸업하다
그녀는 졸업했다 Stanford 대학을 1977년에 학위를 받고

degree / in chemical engineering and Afro-American studies. ❾Jemison /
화학 공학과 아프리카계 미국학에서 Jemison은

received / her medical degree / from Cornell Medical School / in 1981.
~을 받았다 의학 학위를 Cornell 의대에서 1981년에

* environmental: 환경의

글의 구조 분석

도입
❶우주 비행사의 꿈을 꿈

↓

경력 소개 1
❷❸우주 비행사가 되어 우주 여행의 꿈 달성

↓

경력 소개 2
❹❺미 항공우주국을 떠나 교수 생활을 함

↓

부연 설명 – 성장 과정
❻❼❽❾어린 시절 및 학업 과정에 대한 보충 설명

해석

❶Mae C. Jemison은 늘 꿈을 이룰 수 있기를 바랐다. ❷그녀는 결국 1987년에 최초의 흑인 여성 우주 비행사가 되었다. ❸1992년 9월 12일, 그녀는 역사적인 8일간의 비행에서 과학 임무 전문가로 우주 왕복선 *Endeavor*호에 탑승했다. ❹Jemison은 1993년 미국 항공 우주국(NASA)을 떠났다. ❺그녀는 1995년부터 2002년까지 Dartmouth 대학의 환경학 교수였다. ❻Jemison은 Alabama 주 Decatur에서 태어났다. ❼그녀는 세 살 때 가족과 함께 Chicago로 이사했다. ❽그녀는 1977년 Stanford 대학을 화학 공학과 아프리카계 미국학 학위를 받고 졸업했다. ❾Jemison은 1981년 Cornell 의대에서 의학 학위를 받았다.

해설

글의 마지막 문장 Jemison received her medical degree from Cornell Medical School in 1981.에서 Cornell 의대에서 의학 학위를 받았음을 알 수 있다. 따라서 글의 내용과 일치하지 않는 것은 ⑤이다.

오답 노트

① 1992년에 우주 왕복선에 탑승했다. ➡ On September 12, 1992, she boarded the space shuttle *Endeavor* ~.
② 1993년에 NASA를 떠났다. ➡ Jemison left the National Aeronautic and Space Administration (NASA) in 1993.
③ Dartmouth 대학의 환경학과 교수였다. ➡ She was a professor of Environmental Studies at Dartmouth College ~.
④ 세 살 때 가족과 함께 Chicago로 이주했다. ➡ She moved to Chicago with her family when she was three years old.

구문 해설

❶Mae C. Jemison always **hoped that she could fulfill her dreams.**
동사 hoped가 접속사 that이 이끄는 명사절 that she could fulfill her dreams를 목적어로 취하고 있다.

❼She moved to Chicago with her family **when** she was three years old.
주절과 종속절로 이루어진 문장으로 when은 '~할 때'라는 뜻의 접속사로 종속절인 부사절을 이끌고 있다.

문장의 의미를 보충해 주지

CHECK BY CHECK

● 본문 047쪽

A **1** to travel all around the world / 나의 목표는 전 세계를 여행하는 것이다. **2** warm / 이 장갑이 너의 손을 따뜻하게 유지시켜 줄 것이다. **3** playing / 나는 Charlie가 기타 치고 있는 것을 보았다. **4** touching / 그녀는 누군가 그녀의 머리를 만지고 있는 것을 느꼈다. **5** called / 나는 내 이름이 불리는 것을 듣지 못했다. **6** stolen / Bill은 자신의 지갑이 도난당한 것을 알게 되었다. **7** red and yellow / 나뭇잎들이 빨갛고 노랗게 변했다. **8** silent / 그 아이는 한 시간 동안 잠자코 있다. **B** laughing, nervous laughter, embarrassed, nervous, or even angry, relax, that bad

A **1** **해설** 》 명사구 to travel all around the world가 주어 My goal을 보충해 주는 주격보어이다.
2 **해설** 》 형용사 warm이 목적어 your hands를 보충해 주는 목적격보어이다.
3 **해설** 》 현재분사 playing이 목적어 Charlie를 보충해 주는 목적격보어이다.
4 **해설** 》 현재분사 touching이 목적어 someone을 보충해 주는 목적격보어이다.
5 **해설** 》 과거분사 called가 목적어 my name을 보충해 주는 목적격보어이다.
6 **해설** 》 과거분사 stolen이 목적어 his wallet을 보충해 주는 목적격보어이다.
7 **해설** 》 형용사구 red and yellow가 주어 The leaves를 보충해 주는 주격보어이다.
8 **해설** 》 형용사 silent가 주어 The child를 보충해 주는 주격보어이다.

B **해설** 》 laughing(목적격보어), nervous laughter(목적격보어), embarrassed, nervous, or even angry(주격보어), relax(목적격보어), that bad(주격보어)
해석 》 당신은 웃지 말아야 할 때 웃고 있는 자신을 발견한 적이 있는가? 당신은 웃으려고 하지 않았다. 그저 (웃음이) 나왔을 뿐이다. 사람들은 그것을 불안한 웃음이라고 부른다. 당신이 당황했을 때나 불안할 때 심지어 화났을 때도 당신의 몸은 웃음으로 반응할 수 있다. 웃음은 당신을 편안하게 만드는 데 도움이 된다. 나쁜 상황에서 웃음으로써 당신은 그 끔찍한 일이 그렇게 정말 나쁜 것은 아니라고 믿고 싶은 것이다.

READING 1 ~ 수능유형

● 본문 048~051쪽

		More & More
1	③	1 a gentle painter / Pollock은 점잖은 화가가 아니었다. 2 ④
2	⑤	1 disappointed / 심사 위원들조차 실망한 것처럼 보였다. 2 ①, ④
3	③	1 healthy / 개 공원은 개를 건강하게 기르는 데 아주 좋은 방법이 될 것입니다. 2 ⑤
		Summing Up
수능유형	④	1 제철 재료 2 요리 3 3달러

● 본문 048쪽

답 ③

❶Jackson Pollock / was born / in Wyoming, U.S. / in 1912. ❷When he
도시명 앞 연도 앞 접 ~할 때(시간)
Jackson Pollock은 태어났다 미국 Wyoming에서 1912년에 그가 18살

was 18, / he / moved to New York / and / studied / painting. ❸When he
등위접속사 (he)
이었을 때 그는 뉴욕으로 이주하였다 그리고 공부했다 그림을 그가

finished art school, / there were / very few jobs / available. ❹So, / he /
there is[are] ~: ~이 있다 ~이 거의 없는 접 그래서(결과)
미술 학교를 마쳤을 때 ~이 있었다 아주 일자리가 거의 없는 쓸 만한 그래서 그는

had trouble finding / a job. ❺But / eventually, / Pollock / found / work /
have trouble -ing: ~하는 데 어려움을 겪다 find-found-found
~을 찾는 데 어려움을 겪었다 일자리를 그러나 결국 Pollock은 찾았다 일자리를

and / advanced / as an artist. ❻Pollock / was not / a gentle painter. ❼He /
등위접속사(found와 advanced를 연결) 주격보어(명사)
그리고 발전했다 예술가로서 Pollock은 아니었다 점잖은 화가가 그는

did not create / his works / carefully. ❽Instead, / he / poured / paint /
창작하지 않았다 자신의 작품을 세심하게 대신 그는 부었다 페인트를

right onto his canvas. ❾Over time, / this technique / became known as /
시간이 흘러 be[become] known as: ~으로 알려지다
캔버스에 바로 시간이 흘러 이 기술은 ~으로 알려지게 되었다

action painting. ❿Pollock / influenced / the next generation / of abstract
액션 페인팅으로 Pollock은 영향을 주었다 다음 세대에게 추상 미술가들의

artists.

* advance: 앞으로 나아가다, 발전하다

글의 구조 분석

도입부
❶❷❸❹Jackson Pollock의 탄생 및 이주, 학업 및 힘든 시기에 대한 설명

↓

전환점
❺❻❼❽어렵게 일자리를 찾은 후 예술가로서 성장

↓

끝맺음
❾❿액션 페인팅으로 알려지고 다음 세대의 추상 화가들에게 영향을 미침

해석

❶Jackson Pollock은 1912년에 미국의 Wyoming에서 태어났다. ❷그가 18살이었을 때, 그는 뉴욕으로 이주하여 그림을 공부했다. ❸그가 미술 학교를 마쳤을 때 아주 쓸 만한 일자리가 거의 없었다. ❹그래서 그는 일자리를 구하는 데 어려움을 겪었다. ❺그러나 결국 Pollock은 일자리를 찾았고 예술가로서 발전했다. ❻Pollock이 점잖은 화가는 아니었다. ❼그는 자신의 작품을 세심하게 창작하지 않았다. ❽대신, 그는 캔버스에 페인트를 바로 부었다. ❾시간이 지나면서 이 기술은 액션 페인팅으로 알려지게 되었다. ❿Pollock은 다음 세대의 추상 미술가들에게 영향을 주었다.

해설

글 초반부의 When he finished art school, there were very few jobs available. So, he had trouble finding a job.(그가 미술 학교를 마쳤을 때 아주 쓸 만한 일자리가 거의 없었다. 그래서 일자리를 찾는 데 어려움을 겪었다.)를 통해 학교를 졸업하기 전에 직장을 구하지 못했음을 알 수 있다. 따라서 글의 내용과 일치하지 않는 것은 ③이다.

오답 노트

① 1912년 미국 Wyoming에서 태어났다. ➡ Jackson Pollock was born in Wyoming, U.S. in 1912.
② New York으로 이주하여 그림을 공부했다. ➡ When he was 18, he moved to New York and studied painting.
④ 페인트를 부어서 작품을 만들었다. ➡ Instead, he poured paint right onto his canvas.
⑤ 후대의 추상 미술가들에게 영향을 주었다 ➡ Pollock influenced the next generation of abstract artists.

구문 해설

❸When he finished art school, **there were very few jobs available.**
there were는 '~이 있었다'라는 의미로 there are의 과거 형태이고 뒤에는 복수 주어가 온다. few는 '거의 없는'이라는 부정의 의미를 나타내는 수량형용사이다.

❹So, he **had trouble finding** a job.
〈have trouble -ing〉는 동명사의 관용 표현으로 '~하는 데 어려움을 겪다'라는 의미를 나타낸다.

More & More

2 본문에 Pollock이 일자리를 찾았다는 언급은 있지만 누가 Pollock이 화가가 되도록 도왔는지에 대한 내용은 없으므로 대답할 수 없는 질문은 ④ '누가 Pollock이 화가가 되도록 도왔는가?'이다.

● 본문 049쪽

답 ⑤

❶Finally, / it / was / Amber's turn / to give a speech. ❷When she opened her mouth, / only air / came out of her mouth. ❸Then / she / tried to speak / again, / but / she / didn't know / what to say. ❹She / prepared / to talk / about time / and / she / started / with the word: / 'Time....' ❺But / nothing / followed. ❻Amber / could not find / the words. ❼The audience / started / laughing. ❽Even the judges / looked / disappointed. ❾She / couldn't say / anything. ❿She / just / looked around. ⓫The whole crowd / was now laughing at / her / loudly.

(to부정사의 형용사적 용법 / give a speech: 연설하다; come out: 나오다; try to+동사원형: ~하려고 애쓰다; 의문사+to부정사: ~해야 할지; to부정사의 명사적 용법; (prepare의 목적어); 등위접속사; 부정대명사; 동명사(동사의 목적어); 전 ~조차; look+형용사: ~처럼 보이다; = could say nothing)

드디어 / ~였다 / Amber의 차례 / 연설을 할 / 그녀가 입을 열었을 때 / 공기만이 / 그녀의 입 밖으로 나왔다 / 그러다 / 그녀가 / 말을 하려고 시도했다 / 다시 / 하지만 / 그녀는 / 몰랐다 / 무슨 말을 해야 할지 / 그녀는 / 준비했다 / 이야기하려고 / 시간에 대해 / 그리고 / 그녀는 / 준비했다 / 단어로 / '시간은...' / 그러나 / 아무 말도 / 이어지지 않았다 / Amber는 / 찾을 수 없었다 / 말을 / 청중들은 / 시작했다 / 웃는 것을 / 심사 위원들조차 / 실망한 것처럼 보였다 / 그녀는 / 말할 수 없었다 / 아무것도 / 그녀는 / 그저 / 주위를 둘러보았다 / 군중 전체가 / 이제 비웃고 있었다 / 그녀를 / 크게

글의 구조 분석

❶ Amber가 연설할 차례

↓

❷❸❹❺❻ 연설로 준비해 온 시간에 대해 말을 하려고 하지만 할 말이 떠오르지 않는 Amber

↓

❼❽ 비웃기 시작하는 청중과 실망하는 심사 위원

↓

❾❿⓫ 여전히 아무 말이 없는 Amber와 웃고 있는 군중에 대한 묘사

해석

❶ 드디어, Amber가 연설을 할 차례였다. ❷ 그녀가 입을 열었을 때, 공기만이 입 밖으로 새어 나왔다. ❸ 그러다가 다시 말을 하려고 했지만 무슨 말을 해야 할지 몰랐다. ❹ 그녀는 시간에 대해 이야기할 것을 준비해 왔고 '시간은...'이라는 말로 시작했다. ❺ 그러나 아무 말도 이어지지 않았다. ❻ Amber는 할 말을 찾을 수가 없었다. ❼ 청중들은 웃기 시작했다. ❽ 심사 위원들조차 실망한 것처럼 보였다. ❾ 그녀는 아무 말도 할 수 없었다. ❿ 그녀는 그저 주위를 둘러보았다. ⓫ 이제 군중 전체가 그녀를 크게 비웃고 있었다.

해설

Then she tried to speak again, but she didn't know what to say.와 Amber could not find the words.을 통해 Amber가 연설하기 위해 준비해 온 말을 제대로 하지 못해 당황스러워 하고 있는 상황임을 알 수 있다. 따라서 Amber의 심경으로 가장 적절한 것은 ⑤ '당황스러운'이다.

오답 노트

① 자랑스러운 ➡ 대중 앞에서 연설할 때 말문이 막힌 상황이므로 자랑스러운 것은 아니다.

② 지루한 ➡ 연설을 이어가지 못하는 상황에 대해 지루한 것은 청중이고 Amber의 심경이 지루한 것은 아니다.

③ 질투가 나는 ➡ 대중 앞에서 연설을 하다 막힌 상황이므로 질투가 나는 것은 아니다.

④ 만족스러운 ➡ 대중 앞에서 연설을 하다 막힌 상황이므로 만족스러운 것은 아니다.

구문 해설

❸ Then she tried to speak again, but she didn't know **what to say.**

what to say와 같은 〈의문사+to부정사〉는 명사 역할을 하는 to부정사구로 '주어, 목적어, 보어'의 역할을 하는데, 주로 '목적어'로 사용되며, 〈의문사+주어+should+동사원형〉 형태의 절로 바꿔 쓸 수 있다.

❽ Even the judges **looked disappointed**.

look, sound, feel, smell, taste 등과 같이 감각을 나타내는 동사 뒤에는 형용사가 보어로 온다.

More & More

2 윗글에서 Amber의 차례가 마침내 돌아왔음을 알 수 있으나, Amber가 어디서 연설하는지는 알 수 없다. Amber가 말을 이어 나가지 못하자 청중들이 웃기 시작하고 곧 전체가 시끄러워졌으나 얼마나 오랫동안 웃었는지는 알 수 없다. 따라서 답할 수 없는 질문은 ①, ④이다.

● 본문 050쪽

답 ③

❶Dear Mayor,

친애하는 시장님께

❷I / am writing / about a problem / in this community. ❸My dog Rocky / is / overweight. ❹I / live / in an apartment. ❺There is / a park / nearby, / but / dogs / are not allowed. ❻Rocky / needs / exercise, / but / there is / no field / for him. ❼Many dog owners / in my community / have / the same problem. ❽My goal / is / to help all dogs / in this community. ❾A dog park / would be / a great way / to keep dogs healthy. ❿It / would be / a beautiful addition / to our town, / too. ⓫Thank you / for your consideration / on this important issue. ⓬I / hope / that you will be able to help.

저는 쓰고자 합니다 / 한 가지 문제에 대해 / 이 지역 사회의 / 제 강아지 Rocky는 / ~입니다 / 비만인 / 저는 삽니다 / 아파트에 / ~이 있습니다 / 공원이 / 근처에 / 그러나 / 개는 / 허용되지 않습니다 / Rocky는 / 필요합니다 / 운동이 / 그러나 / 운동장이 없습니다 / 그를 위한 / 많은 개 주인들은 / 우리 지역 사회의 / 가지고 있습니다 / 같은 문제를 / 제 목표는 / ~입니다 / 모든 개들을 돕는 것 / 이 지역 사회의 / 개 공원은 / ~이 될 것입니다 / 아주 좋은 방법 / 개를 건강하게 기르는 / 그것은 될 것입니다 / 아름다운 보탬이 / 우리 마을에 / 또한 / 감사합니다 / 고려해 주셔서 / 이 중요한 문제에 대해 / 저는 / 바랍니다 / 시장님께서 / 도와주실 수 있기를

(My dog ┗ 동격 관계 ┛ Rocky; overweight: 주격보어(형용사); There is / a park: There is+단수주어; are not allowed: 수동태; Many dog owners ← in my community: 수식어구; have: 동사; to help: 주격보어(to부정사); ❾ 〈주제문〉; a great way ← to keep dogs healthy: to부정사의 형용사적 용법; It = a dog park; that you will be able to help: 목적어 역할을 하는 명사절)

❸Sincerely,

진심으로

Joy North

Joy North

글의 구조 분석

문제 제기
❶❷ 인사말 및 편지를 쓰는 목적

↓

구체적 설명
❸❹❺❻❼ 애완견을 공원에 데리고 갈 수 없어 운동을 하지 못하고 있음

↓

제안
❽❾❿ 개 전용 공원 조성 요청

↓

맺음말
⓫⓬⓭ 감사의 말

해석

❶ 친애하는 시장님께,
❷ 저는 이 지역 사회의 한 가지 문제에 대해 쓰고자 합니다. ❸ 제 강아지 Rocky는 비만입니다. ❹ 저는 아파트에 삽니다. ❺ 근처에 공원이 있지만, 개는 허용되지 않습니다. ❻ Rocky는 운동이 필요하지만, 그를 위한 운동장이 없습니다. ❼ 우리 지역 사회의 여러 개 주인들도 같은 문제를 가지고 있습니다. ❽ 제 목표는 이 지역 사회의 모든 개들을 돕는 것입니다. ❾ 개 공원은 개를 건강하게 기르는 데 아주 좋은 방법이 될 것입니다. ❿ 그것은 우리 마을에도 아름다운 보탬이 될 것입니다. ⓫ 이 중요한 문제를 고려해 주셔서 감사합니다. ⓬ 시장님께서 도와주실 수 있기를 바랍니다.

⓭ 진심을 담아
Joy North가

해설

반려견을 운동시키고 싶지만 인근 공원에 개를 데리고 들어가는 것이 허용되지 않아 개가 운동할 수 있는 개 전용 공원을 조성해 달라는 요청을 하려고 이 편지를 작성했다. 따라서 글의 목적으로 가장 적절한 것은 ③ '개를 위한 공원 조성을 제안하기 위해'이다.

오답 노트

① 주택 부족 문제를 호소하기 위해 ➡ 집과 관련된 언급은 없었다.
② 친절한 동물 병원을 소개하기 위해 ➡ 애완견 Rocky가 언급되었지만 동물 병원이 아닌 운동할 수 있는 구역을 만들어 주기를 요청했다.
④ 마을 주변의 환경 파괴를 신고하기 위해 ➡ 마을의 주민 중 개를 데리고 있는 사람들도 글쓴이와 같은 문제가 있다고 했을 뿐 환경 관련 문제는 언급되지 않았다.
⑤ 아파트 주민 간 갈등 해결을 요구하기 위해 ➡ 주민 간 갈등에 대한 내용은 언급되지 않았다.

구문 해설

❺ There is a park nearby, **but** dogs are not allowed.
역접의 의미를 나타내는 등위접속사 but을 중심으로 2개의 절이 대등하게 연결된 병렬 구조의 문장이다.

❾ A dog park would be a great way **to keep dogs healthy.**
to부정사구 to keep dogs healthy는 to부정사의 형용사적 용법으로 쓰여 바로 앞의 a great way를 수식하며, keep dogs healthy는 〈불완전타동사+목적어+목적격보어〉 형태의 5형식 구문이다.

More & More

2 대명사 It은 바로 앞 문장의 주어 A dog park를 지칭하는 것이므로 대명사 It이 가리키는 것은 ⑤ '개 공원'이다.

● 본문 051쪽

답 ④

❶Green Chef Cooking Contest

Green Chef 요리 대회

❷Welcome to / our cooking contest! ❸This / is / a community event. ❹Your challenge / is / to use a seasonal ingredient / to create a delicious dish.

~에 환영합니다 / 우리의 요리 대회 / 이 대회는 ~입니다 / 지역 사회 행사 / 여러분의 도전은 / ~입니다 / 제철 재료를 사용하는 것 (to부정사의 명사적 용법(주격보어)) / 맛있는 요리를 만들어 내기 위해 (to부정사의 부사적 용법(목적))

■ ❺When: Sunday, April 10, 2016, 3 p.m.

일시: 2016년 4월 10일, 일요일, 오후 3시

■ ❻Where: Hill Community Center

장소: Hill 커뮤니티 센터

■ ❼Prizes: Gift cards / to three winners

상품: 상품권 / 우승자 3명에게

❽Register / at www.hillgreenchef.com

등록하세요 / www.hillgreenchef.com에서

❾Sign up / by April 6

신청하세요 / 4월 6일까지

❿Participants / should prepare / their dishes / beforehand / and / bring / them / to the event. ⓫Can't (you) cook? ⓬Come (and) eat! ⓭Join / us / by tasting the dishes / and / helping us judge / them / for just $3.

참가자들은 / 준비해야 합니다 (should: 의무 조동사(~해야 한다)) / 자신의 요리를 / 미리 / 그리고 가져와야 합니다 (and: 등위접속사:동사 prepare와 bring을 연결) / 그것들을 (= their dishes) / 행사에 / 요리를 못하시나요 / 와서 드세요 / 함께하세요 / 우리와 / 음식을 맛보는 것을 / 그리고 / 우리가 심사하는 것을 도와주세요 (준사역동사+목적어+목적격보어(to부정사)(5형식)) / 요리들을 (= the dishes) / 단 3달러로

* ingredient: (혼합물의) 성분, 재료, 요소

글의 구조 분석

도입
❶❷❸❹환영 인사 및 행사 개요 소개

↓

세부 정보
❺❻❼❽❾❿날짜, 장소, 상품, 등록, 마감일, 준비물에 대한 안내

↓

마무리
⓫⓬⓭시식에 대해 소개하면서 심사 참가 권유

해석

❶Green Chef 요리 대회
❷우리의 요리 대회 참가를 환영합니다! ❸이 대회는 지역 사회 행사입니다. ❹여러분의 도전은 제철 재료를 사용하여 맛있는 요리를 만들어 내는 것입니다.
■ ❺일시: 2016년 4월 10일, 일요일, 오후 3시
■ ❻장소: Hill 커뮤니티 센터
■ ❼상품: 우승자 3명에게 상품권
❽www.hillgreenchef.com에서 등록하세요.
❾4월 6일까지 신청하세요.
❿참가자들은 자신의 요리를 미리 준비해서 행사에 가져와야 합니다. ⓫요리를 못하시나요? ⓬와서 드세요! ⓭단 3달러로 시식에 참여하고 심사하는 것도 도와주세요.

해설

Participants should prepare their dishes beforehand and bring them to the event.를 통해 출품할 요리는 미리 만들어 와야 함을 알 수 있다. 따라서 안내문의 내용과 일치하는 것은 ④이다.

오답 노트

① 일요일 오전에 개최된다. ➡ When: Sunday, April 10, 2016, 3 p.m.에서 오후라고 했으므로 일치하지 않는다.
② 우승자에게 요리 기구를 준다. ➡ Prizes: Gift cards to three winners에서 상품권을 준다고 했으므로 일치하지 않는다.
③ 온라인으로 등록할 수 없다. ➡ Register at www.hillgreenchef.com에서 온라인으로 등록하라고 했으므로 일치하지 않는다.
⑤ 무료로 시식과 심사에 참여할 수 있다. ➡ Join us by tasting the dishes and helping us judge them for just $3.에서 참가비가 3달러라고 했으므로 일치하지 않는다.

구문 해설

❹Your challenge is **to use a seasonal ingredient to create a delicious dish**.
불완전자동사가 있는 2형식 구문으로 to use a seasonal ingredient는 to부정사의 명사적 용법으로 쓰인 주격보어이다. 뒤의 to create a delicious dish는 to부정사의 부사적 용법으로 쓰였는데 '~하기 위해서'라는 의미의 목적을 나타낸다.
⓭Join us by tasting the dishes and **helping us judge** them for just $3.
helping us judge는 5형식 구문으로 help는 준사역동사이고 목적격보어 자리에 to부정사나 원형부정사가 온다.

어제의 나와 오늘의 나와 내일의 내가!

CHECK BY CHECK

• 본문 055쪽

A **1** 현재 / 나는 매일 아침 7시에 일어난다. **2** 과거 / 모든 사람들이 여름 캠프에 대한 공지 사항을 읽었다. **3** 과거 / 그녀는 그녀의 커피에 우유를 넣었다. **4** 미래 / 당신의 부모님은 언제 휴가를 내시나요? **5** 현재진행 / Billy와 Mina는 영화관에서 영화를 보고 있다. **6** 현재진행 / 그 개는 공을 쫓아 달리고 있다. **7** 현재완료 / 그는 아직 숙제를 다 마치지 못했다. **8** 현재완료 / 그 쌍둥이 형제는 잠시도 떨어져 지내 본 적이 없다. **B** ⓐ, launch → launched / 1977년에 그들은 쌍둥이 우주선인 *Voyager 1*과 *Voyager 2*를 발사했다.

A **1** 해설 》 주어가 I이고 every morning은 매일 반복되는 일을 나타내는 부사구이므로 get은 현재 시제이다.
2 해설 》 주어 Everybody는 3인칭 단수인데 동사에 -s가 붙어 있지 않으므로 read는 과거 시제이다. read는 현재형과 과거형이 발음만 다를 뿐 동일한 형태의 불규칙 변화 동사이다.
3 해설 》 주어 She는 3인칭 단수인데 동사에 -s가 붙어 있지 않으므로 put은 과거 시제이다. put은 현재형과 과거형의 형태가 동일하다.
4 해설 》 조동사 will이 쓰였으므로 미래 시제이다.
5 해설 》 〈be동사의 현재형+현재분사〉의 형태이므로 현재진행 시제이다.
6 해설 》 〈be동사의 현재형+현재분사〉의 형태이므로 현재진행 시제이다.
7 해설 》 〈has+과거분사〉의 형태이므로 현재완료 시제이다.
8 해설 》 〈have+과거분사〉의 형태이므로 현재완료 시제이다.

B 해설 》 우주선을 발사한 것은 1977년에 있었던 일이므로 ⓐ는 과거형으로 써야 한다.
해석 》 NASA 과학자들은 우리 태양계의 외행성을 연구하고 싶었다. 1977년에 그들은 쌍둥이 우주선인 *Voyager 1*과 *Voyager 2*를 발사했다. *Voyager 1*은 오늘날 지구로부터 약 139억 마일 떨어져 있다! 만약 외계인이 그 우주선들을 발견한다면, 그들은 무엇을 얻을 수 있을까? 우주선들은 음악, 소리, 55개 언어로 된 인사말, 그리고 우주 비행사와 비행기와 교실 아이들의 사진이 담긴 도금한 디스크를 나르고 있다. 이 내용물들을 통해 외계인은 우리 세계의 이야기를 들을 것이다.

READING 1 ~ 수능유형

• 본문 056~059쪽

More & More

1 ①
1 swept / 파도는 건물, 자동차, 도로를 휩쓸었다.
2 ⑤

2 ②
1 미래 시제 / 우승한 사진들은 Malla 박물관에 전시될 것이다.
2 ①

3 ①
1 현재진행 시제 / 그들은 공부하는 동안, 그들의 친구들에게 문자 메시지를 보낸다.
2 ④

Summing Up

① 1 생활과 활동 2 활기찬 3 선호함

1

답 ①

❶When an earthquake occurs / under the ocean, / it / often moves / a huge amount of water / above it. ❷This / creates / a fast-moving wave. ❸It's called / a tsunami. ❹Out at sea, / the wave / may be / only a meter high. ❺However, / as it reaches shore, / the wave / can grow / into a horrible giant. ❻In 1960, / Earth's largest earthquake / struck / Chile. ❼This earthquake / produced / tsunami waves / along the coast, / and / they / were / up to 25 meters high. ❽The 2011 Japan earthquake / produced / tsunami waves / more than 10 meters high. ❾The waves / swept away / buildings, cars, and roads.

(접 ~할 때(시간) / 지진이 일어날 때 / 바다 밑에서 / 빈도부사(일반동사 앞에 위치) / 그것은 종종 이동시킨다 / 엄청난 양의 물을 / 그것 위로 (= the ocean) / 이것은 / 만들어 낸다 / 빠르게 움직이는 파도를 / 그것은 불린다 (수동태) / 쓰나미라고 / 먼 바다에서는 / 파도가 / ~일지도 모른다 (가능성을 나타내는 조동사) / 1미터 높이밖에 / 그러나 / 파도가 해안에 다다르면서 (접 ~하면서, = the wave) / 그 파도는 / 커질 수 있다 / 무시무시한 거구로 / 1960년에 / 지구상 최대의 지진이 (최상급) / 강타했다 (불규칙 변화 동사의 과거형(strike-struck-struck)) / 칠레를 / 이 지진은 / 발생시켰다 / 쓰나미 파도를 / 해안을 따라 / 그리고 / 그것들은 (= tsunami waves) / ~였다 / 25미터 높이까지 (~까지) / 2011년 일본 지진은 / 발생시켰다 / 쓰나미 파도를 / 높이 10미터가 넘는 / 파도는 / 휩쓸었다 / 건물, 자동차, 도로를)

* tsunami: 해일

글의 구조 분석

개념 설명
❶❷❸쓰나미 현상 소개

↓

세부 정보
❹❺쓰나미 현상에 대한 구체적인 설명

↓

예시
❻❼❽❾칠레와 일본의 쓰나미 발생 사례 및 수치

해석

❶지진이 바다 밑에서 일어날 때, 그것은 종종 엄청난 양의 물을 바다 위로 이동시킨다. ❷이것은 빠르게 움직이는 파도를 만들어 낸다. ❸그것은 쓰나미라고 불린다. ❹먼 바다에서는 파도의 높이가 1미터밖에 되지 않을지도 모른다. ❺그러나 해안에 다다르면서 그 파도는 무시무시하게 커질 수 있다. ❻1960년에 지구상 최대의 지진이 칠레를 강타했다. ❼이 지진은 해안을 따라 쓰나미 파도를 일으켰는데, 최고 25미터 높이였다. ❽2011년 일본 지진으로 높이 10미터 이상의 쓰나미 파도가 발생했다. ❾파도는 건물, 자동차, 도로를 휩쓸었다.

해설

빈칸 앞에서는 먼 바다에서 시작되는 쓰나미 파도가 고작 1미터 정도일 거라고 한 반면, 빈칸 뒤에서는 파도가 해안에 다다르면서 무시무시하게 커질 수 있다고 했으므로 두 문장의 내용이 서로 대조를 이룬다. 따라서 빈칸에 들어갈 말로 가장 적절한 것은 대조의 연결사 ① '그러나'이다.

오답 노트

② 마찬가지로 ➡ 똑같은 상황 등을 반복해서 설명할 때 사용한다.
③ 게다가 ➡ 앞 문장에 대해 부연 설명을 할 때 사용한다.
④ 결과적으로 ➡ 앞뒤에 인과 관계가 있을 때 사용한다.
⑤ 예를 들어 ➡ 예시가 이어질 때 사용한다.

구문 해설

❶**When** an earthquake occurs under the ocean, it **often** moves a huge amount of water above it.
when은 '~할 때'라는 의미의 시간을 나타내는 부사절을 이끄는 접속사이다. 시간과 조건을 나타내는 부사절에서는 미래의 일을 나타내더라도 현재 시제로 쓴다. often은 빈도부사로 '종종, 자주'의 의미이다. 빈도부사는 조동사나 be동사 뒤, 일반동사 앞에 위치하므로 moves 앞에 왔다.

❹Out at sea, the wave **may** be only a meter high.
may는 가능성을 나타내는 조동사로 '~일지도 모른다'라는 의미로 쓰이며 바로 뒤에는 동사원형이 온다.

❺However, **as** it reaches shore, the wave can grow into a horrible giant.
as는 부사절을 이끄는 접속사로 '~하면서'의 의미로 사용되었다. as는 이외에도 '~한 대로, ~하듯이, ~이기 때문에, ~할 때' 등 다양한 의미의 접속사로 사용할 수 있다.

❻In 1960, Earth's **largest** earthquake **struck** Chile.
largest는 형용사 large의 최상급이다. 문장의 시제는 과거이며, struck은 불규칙 변화를 하는 동사 strike의 과거형이다.

More & More

2 최고 25미터 높이의 쓰나미 파도는 1960년에 칠레에서 발생했으므로 글의 내용과 일치하지 않는 것은 ⑤이다.

• 본문 057쪽

답 ②

❶2015 Photograph Contest / (which is)
2015년 사진 공모전

Celebrating Summer / on Malla Island
여름을 기념하는 Malla 섬에서

❷There will be / a photo contest / again this year. ❸It / has been held / annually. ❹Our goal / is / to promote / the natural beauty / of Malla Island / including:

(will be: 미래 시제 / has been held: 현재완료 수동태 / to promote: to부정사의 명사적 용법(주격보어) / including: 전 ~을 포함하여)

열릴 것입니다 / 사진 공모전이 / 올해도 다시 / 대회는 개최되어 왔습니다 / 매년 / 우리의 목표는 / ~입니다 알리는 것 / 자연미를 / Malla 섬의 / (다음을) 포함하여

★❺The people of Malla (Malla 사람들) ★❻The animals and plants of Malla (Malla의 동식물)

★❼The views around Malla (Malla 주변의 경치)

• ❽Open to: Any visitors of Malla Island (참가 대상: Malla 섬의 방문자 누구나) • ❾Entry fee: Free (참가비: 무료)

• ❿Prizes: 1st prize $ 500 / 2nd prize $ 250 / 3rd prize $ 100 (상금: 1등 500달러 / 2등 250달러 / 3등 100달러)

• ⓫Entry due by: July 31, 2015 (출품 마감 기한: 2015년 7월 31일)

⓬The winning photos / will be / part of a display / at Malla Museum / and / may be used / to advertise the island.

(will be: 미래 시제 / at: 좁은 장소 앞 / may be used: 조동사 수동태 / to advertise: to부정사의 부사적 용법(목적))

우승한 사진들은 / 될 것입니다 / 전시의 일부가 / Malla 박물관에서 / 그리고 사용될 수 있습니다 / 섬을 광고하는 데

글의 구조 분석

안내문 소개
❶❷❸❹ 행사명 및 개요 소개

↓

세부 정보
❺❻❼❽❾❿⓫ 사진 공모전의 소재, 참가 대상, 참가비, 상금, 마감 기한에 대한 안내

↓

부가 정보
⓬ 우승작들은 박물관에 전시되거나 섬 홍보용으로 사용될 것임

해석

❶ Malla 섬의 여름을 기념하는 2015년 사진 공모전
❷ 올해도 다시 사진 공모전이 열릴 것입니다. ❸ 대회는 매년 개최되어 왔습니다. ❹ 우리의 목표는 다음을 포함하여 Malla 섬의 자연미를 알리는 것입니다.
★ ❺ Malla 사람들 ★ ❻ Malla의 동식물
★ ❼ Malla 주변의 경치
• ❽ 참가 대상: Malla 섬의 방문자 누구나 • ❾ 참가비: 무료
• ❿ 상금: 1등 500달러 / 2등 250달러 / 3등 100달러
• ⓫ 출품 마감 기한: 2015년 7월 31일
⓬ 우승한 사진들은 Malla 박물관에 전시될 것이고, 섬을 광고하는 데 사용될 수 있습니다.

해설

참가비는 무료라고 했으므로 안내문의 내용과 일치하지 않는 것은 ②이다.

오답 노트

① 섬의 동식물 사진을 출품할 수 있다. ➡ 출품 사진의 소재 가운데 The animals and plants of Malla가 있으므로 내용과 일치한다.
③ 1등을 하면 $ 500의 상금을 받는다. ➡ 1st prize $ 500라고 나와 있다.
④ 7월 31일까지 출품할 수 있다. ➡ Entry due by: July 31, 2015를 통해 마감일이 7월 31일임을 알 수 있다.
⑤ 수상 작품은 박물관에 전시될 예정이다. ➡ The winning photos will be part of a display at Malla Museum로 보아 내용과 일치한다.

구문 해설

❹ Our goal is **to promote** the natural beauty of Malla Island **including**:
to promote ~는 주격보어로, to부정사의 명사적 용법으로 쓰인 명사구이다. including은 '~을 포함하여'라는 의미의 전치사이다.
⓬ The winning photos **will be** part of a display at Malla Museum and **may be used** to advertise the island.
will be는 미래 시제를 나타내며, may be used는 조동사가 쓰인 수동태이다.

More & More

2 ⓐ 대회는 매년 열린다고 했다. ⓑ Malla 섬의 자연미 등을 알리는 것이 목표라고 했다. ⓒ Malla 섬의 방문자면 누구나 참여할 수 있다고 했다. ⓓ 누가 사진을 심사하는지는 알 수 없다. 따라서 답할 수 있는 것끼리 짝지어진 것은 ①이다.

3

• 본문 058쪽

답 ①

❶It / can be tough / to settle down to study / when there are so many distractions. ❷Most young people / like to combine / a bit of homework / with other fun things / to do. ❸While they're studying, / they / send / instant messages / to their friends, / chat on the phone, / update profiles / on social networking sites, / or / check e-mails. ❹Maybe, / you / can multi-task / and / can focus on / all these things / at once. ❺But / try / to be honest / with yourself. ❻You / will be able to work best / if you concentrate on your studies / but / take regular breaks / every 30 minutes / for those other pastimes.

(It: 가주어 / to settle: 진주어 / when: 접 ~할 때(시간) / combine A with B: A를 B와 결합하다 / to do: to부정사의 형용사적 용법 / While: 접 ~하는 동안(시간) / they're studying: 현재진행 / focus on: ~에 집중하다 / 〈주제문〉 / will be able to: ~할 수 있을 것이다(미래의 가능성) / if: 접 만약 ~한다면(조건) / concentrate on: ~에 집중하다)

힘들 수 있다 / 공부에 전념하는 것은 / 집중을 방해하는 것들이 너무 많이 있을 때 / 대부분의 젊은 사람들은 / 결합하는 것을 좋아한다 / 약간의 숙제를 / 다른 재미난 것들과 / 해야 할 / 그들은 공부하는 동안에 / 그들은 / 보낸다 / 문자 메시지를 / 그들의 친구들에게 / 전화로 잡담을 한다 / 신상 정보를 업데이트한다 / SNS에 / 혹은 / 이메일을 확인한다 / 아마도 / 여러분은 / 한꺼번에 일을 처리할 수 있다 / 그리고 / 집중할 수 있다 / 이러한 모든 일들에 / 동시에 / 그러나 / 노력해라 / 정직하려고 / 자기 자신에게 / 여러분은 / 가장 잘 일할 수 있을 것이다 / 만약 여러분이 공부에 집중한다면 / 하지만 / 규칙적인 휴식을 취한다면 / 30분마다 / 그러한 다른 취미 활동을 하기 위한

글의 구조 분석

도입
❶공부에 집중하는 데 있어서 방해가 되는 요소들

↓

구체적 예시
❷❸❹❺다른 일들(메시지 주고받기, 전화 통화, SNS활동, 이메일 확인)과 병행하면서는 공부에 잘 집중할 수 없음

↓

주장
❻공부를 할 때는 공부에만 집중하고 취미 활동은 휴식 시간에 하라고 함

해석

❶집중을 방해하는 것들이 아주 많이 있을 때, 공부에 전념하는 것은 힘들 수 있다. ❷대부분의 젊은 사람들은 약간의 숙제와 다른 재미있는 할 일들을 결합하는 것을 좋아한다. ❸그들은 공부하는 동안에, 그들의 친구들에게 문자 메시지를 보내고, 전화로 잡담을 하고, SNS에 신상 정보를 업데이트하고, 이메일을 확인한다. ❹아마도, 여러분은 한꺼번에 여러 가지 일을 처리할 수 있고 이러한 모든 일들에 동시에 집중할 수도 있다. ❺하지만 자신에게 솔직해지려고 노력해라. ❻여러분이 공부에 집중하되 그런 다른 취미 활동을 하기 위해 30분마다 규칙적인 휴식을 취한다면 여러분은 최고의 성과를 낼 것이다.

해설

필자는 공부할 때는 공부에만 집중하고 휴식 시간을 따로 가져서 하고자 하는 다른 취미 활동을 하는 것이 공부에 가장 잘 집중할 수 있는 방법이라고 말하고 있다. 따라서 필자가 주장하는 바로 가장 적절한 것은 ① '공부할 때는 공부에만 집중하라.'이다.

오답 노트

② 평소 주변 사람들과 자주 연락하라. ➡ 주변 사람들과 자주 연락하라는 내용은 본문에 언급되지 않았다.

③ 피로감을 느끼지 않게 충분한 휴식을 취하라. ➡ 다른 취미 활동을 하기 위해서 공부하는 중에 휴식을 취하라는 것이지, 피로감을 해소하기 위해 휴식을 취하라는 것은 아니다.

④ 자투리 시간을 이용하여 숙제를 하라. ➡ 자투리 시간을 활용하여 숙제를 하기보다 취미 활동을 하라고 말하는 것에 가깝다.

⑤ 학습에 유익한 취미 활동을 하라. ➡ 취미 활동과 공부를 분리해서 하라고 했지, 학습에 도움이 되는 취미 활동을 하라는 것은 아니다.

구문 해설

❶It can be tough **to settle** down to study when there are so many distractions.

It은 형식상의 주어(가주어)이고, to settle 이하는 내용상의 주어(진주어)이다. to부정사는 문장의 주어 자리에 올 수 있지만, to부정사의 내용이 긴 경우에는 이를 대신하여 가주어 It을 주어 자리에 두고, 진주어인 to부정사구를 뒤로 보낸다.

❸**While they're studying**, they send instant messages to their friends, chat on the phone, update profiles on social networking sites, or check e-mails.

while은 '~하는 동안에'라는 의미의 부사절을 이끄는 접속사이다. they're studying은 현재진행 시제로 〈be동사의 현재형+현재분사〉의 형태로 쓰며, 진행 중인 동작이나 사건을 나타낼 때 사용한다.

More & More

2 친구에게 문자 메시지 보내기, 전화로 잡담하기, SNS에 신상 정보 업데이트하기, 이메일 확인하기는 윗글에서 distractions의 예시로 언급되었다. 따라서 언급되지 않은 것은 ④ '유튜브 영상 시청하기'이다.

답 ①

〈주제문〉 수의 일치

❶Life and activity / as an urban attraction / are important. ❷People / gather / where things are happening / and / want to be / around other people. ❸If there are two kinds of streets: / a lively street and an empty street, / most people / would choose / to walk the street / with life and activity. ❹The walk / will be more interesting / and / feel safer. ❺We / can watch / people perform / or / play music / anywhere on the street. ❻This / attracts / many people / to stay and watch. ❼Also, / most people / prefer / using seats / providing the best view / of city life / and / offering a view / of other people.

(어법 표시: as 전 ~으로서 / where 관계부사 / are happening 현재진행 / to be to부정사의 명사적 용법(want의 목적어) / If 접 만약 ~한다면(조건) / to walk to부정사의 명사적 용법(choose의 목적어) / more interesting 비교급 / safer 비교급 / watch people perform 지각동사+목적어+원형부정사 / This 앞 문장 전체 / using 동명사(prefer의 목적어) / providing 현재분사(후치 수식) / offering 현재분사(후치 수식))

(끊어 읽기 해석: 생활과 활동은 / 도시의 매력으로서 / 중요하다 / 사람들은 / 모인다 / 일이 일어나는 곳에 / 그리고 / 있고 싶어 한다 / 다른 사람들 주위에 / 만약 두 종류의 거리가 있다면 / 활기찬 거리와 텅 빈 거리 / 대부분의 사람들은 / 선택할 것이다 / 거리를 걷는 것을 / 생활과 활동이 있는 / 그 산책은 / 더 흥미로울 것이다 / 그리고 더욱 안전하게 느껴질 것이다 / 우리는 / 볼 수 있다 / 사람들이 공연하는 것을 / 또는 음악을 연주하는 것을 / 길거리 어디에서나 / 이는 / 끌어들인다 / 많은 사람들을 / 머물고 관람하도록 / 또한 / 대부분의 사람들은 / 선호한다 / 좌석을 사용하는 것을 / 가장 좋은 전망을 제공하는 / 도시 생활의 / 그리고 / 전망을 제공하는 / 다른 사람들에 대한)

글의 구조 분석

주제문
❶❷사람들은 보통 어떤 일이 일어나거나 다른 사람들이 있는 곳에 모이기 마련이므로 도시에서 사람들의 생활과 활동이 매력으로서 중요함

↓

뒷받침 1
❸❹대부분이 더 흥미롭고 안전하다는 이유로 활기찬 거리를 선택할 것

↓

뒷받침 2
❺❻거리에서 공연을 보고 있으면 더 많은 사람이 모여듦

↓

뒷받침 3
❼대부분의 사람들이 도시 생활과 다른 사람들을 잘 볼 수 있는 자리를 선호함

해석

❶도시의 매력으로서 생활과 활동은 중요하다. ❷사람들은 일이 일어나는 곳에 모이고 다른 사람들 주위에 있고 싶어 한다. ❸만약 활기찬 거리와 텅 빈 거리, 두 종류의 거리가 있다면 대부분의 사람들은 생활과 활동이 있는 거리를 걷는 것을 선택할 것이다. ❹그 산책은 더 흥미롭고 더 안전하게 느껴질 것이다. ❺우리는 길거리 어디에서나 사람들이 공연하거나 음악을 연주하는 것을 볼 수 있다. ❻이는 많은 사람들이 머물며 관람하도록 끌어들인다. ❼또한, 대부분의 사람들은 도시 생활을 가장 잘 볼 수 있고 다른 사람들을 볼 수 있는 좌석을 이용하는 것을 선호한다.

해설

글쓴이는 도시에서는 사람들의 생활과 활동이 중요하다고 말하면서 사람들은 다른 사람들 주위에 있고 싶어 하며, 대부분의 사람들이 다른 사람들을 잘 볼 수 있는 좌석을 이용하는 것을 선호한다고 설명한다. 따라서 이 글의 제목으로 가장 적절한 것은 ① '도시의 가장 큰 매력: 사람들'이다.

오답 노트

② 도시를 떠나서 시골에서 살아라 ➡ 시골에 대한 내용은 본문에 언급되지 않았다.
③ 도시에 더 많은 공원을 만들어라 ➡ 공원을 더 만들라는 내용은 본문에 언급되지 않았다.
④ 혼잡한 거리에서 외로움 느끼기 ➡ 사람들의 활기로 가득한 곳에서 다른 사람들을 구경하는 것을 대부분이 선호한다고 했으므로 외로움에 관한 내용은 제목으로 적절하지 않다.
⑤ 관광 명소가 가득한 고대 도시들 ➡ 고대 도시에 대해서는 본문에 언급되지 않았다.

구문 해설

❷People gather **where** things are happening and want **to be** around other people.
where는 관계부사로, 선행사가 장소일 때 이를 수식하는 절을 이끈다. 이때 선행사가 the place처럼 일반적인 것이면 생략할 수 있다. to be는 명사적 용법으로 쓰인 to부정사로 want의 목적어이다.

❺We can **watch people perform or play** music anywhere on the street.
watch는 지각동사로 〈지각동사+목적어+목적격보어(원형부정사/현재분사)〉의 형태로 쓰이며 '(목적어)가 …하는 것을 보다'라는 의미를 나타낸다. 목적격보어로 쓰인 perform과 play는 등위접속사 or로 연결되어 있다.

❼Also, most people prefer **using** seats **providing** the best view of city life and **offering** a view of other people.
using은 prefer의 목적어로 사용된 동명사이다. providing과 offering은 둘 다 현재분사로서 seats를 뒤에서 꾸며 주고 있다.

한 것보다 받는 게 더 중요할 때!

CHECK BY CHECK

• 본문 063쪽

A **1** 능동태 / Mina가 그 딸기 케이크를 먹었다. **2** 능동태 / 그들은 나를 그들의 새 집으로 초대했다. **3** 수동태 / 이 편지는 그리스어로 쓰였다. **4** 수동태 / 나는 2007년 1월 1일에 태어났다. **5** 수동태 / Apple은 Steve Jobs에 의해 세워졌다. **6** 수동태 / 그 인형은 나의 할머니에 의해 만들어졌다. **7** 수동태 / 선생님은 그의 똑똑한 대답에 놀랐다. **8** 수동태 / 나는 음악과 미술에 매우 관심이 있다.
B ②

A **1** **해설** » Mina가 주어, ate가 동사, the strawberry cake가 목적어이므로 능동태이다.
2 **해설** » They가 주어, invited가 동사, me가 목적어이므로 능동태이다.
3 **해설** » This letter가 주어이고 was written이 ⟨be동사+과거분사⟩의 형태이므로 수동태이다.
4 **해설** » I가 주어이고 was born이 ⟨be동사+과거분사⟩의 형태이므로 수동태이다.
5 **해설** » Apple이 주어이고 was founded가 ⟨be동사+과거분사⟩의 형태이며 by Steve Jobs가 행위자를 나타내므로 수동태이다.
6 **해설** » The doll이 주어이고 was made가 ⟨be동사+과거분사⟩의 형태이며 by my grandmother이 행위자를 나타내므로 수동태이다.
7 **해설** » be surprised at은 '~에 놀라다'라는 의미로, 자주 사용되는 수동태 표현이다.
8 **해설** » be interested in은 '~에 관심이 있다'라는 의미로, 자주 사용되는 수동태 표현이다.

B **해설** » (A) '뱀이나 도마뱀처럼 보인다'라는 의미이므로 능동태를 써야 한다. (B) '어떤 용의 머리는 빙하 시대 코뿔소의 머리를 본떠서 만들어졌다'라는 의미이므로 수동태를 써야 한다. (C) '예술가들이 독을 뱉는 용을 그렸다'라는 의미이므로 능동태를 써야 한다.
해석 » 대부분의 용들은 뱀과 도마뱀처럼 생겼다. 하지만 어떤 용의 머리는 빙하 시대 코뿔소의 머리를 본떠서 만들어졌다. 다른 특징들도 실제 동물과 유사할까? 불을 뱉는 용의 입김은 어떠한가? 과거에, 예술가들은 독을 뱉는 용을 그렸는데 그 독은 불처럼 생겼다. 사람들은 그 그림들을 보고 용이 진짜 불을 뱉는다고 생각하기 시작했다.

READING 1 ~ 수능유형

• 본문 064~067쪽

		More & More
1	①	1 수동태 / Daniel은 내가 서 있는 곳으로 가라는 말을 들었다. 2 ③
2	③	1 was defeated / 먼 옛날, 한 왕이 전투에서 패했다. 2 ③
3	③	1 A textbook was written by someone. / 교과서는 누군가에 의해서 쓰였다. 2 ⑤
		Summing Up
수능유형	②	1 과거의 실패 2 두려움 3 과거

1

● 본문 064쪽

답 ①

❶When I was in elementary school, / my teacher Ms. Baker / placed / a round object / in the middle / of her desk. ❷She / asked / my friend Daniel / what color the object was. ❸"White," / he / answered. ❹I / couldn't believe / he said / the object was white. ❺For me, / it / was obviously black, / so / I / answered, / "Black." ❻Then, / Ms. Baker / told / me / to go / and / stand / where Daniel was standing. ❼Then / Daniel / was told / to come / to where I was standing. ❽Daniel and I / changed / places, / and / she / asked / me / what the color of the object was. ❾The second time, / I / had to answer, / "White." ❿I / realized / that an object / could look different / depending on your point of view.

(접 ~할 때(시간) / 동격 관계 / 간접의문문 / (that) (that) / = the object / 수동태 / 간접의문문 / ~해야 했다 / 〈주제문〉 / 명사절 접속사 that / look(지각동사)+형용사 / ~에 따라)

내가 초등학교에 있었을 때 / 나의 선생님 Ms. Baker는 / 놓으셨다 / 둥근 물건을 / 가운데에 / 그녀의 책상의 / 그녀는 / 물었다 / 내 친구 / Daniel에게 / 그 물건이 무슨 색인지를 / "흰색이요." / 그가 / 대답했다 / 나는 믿을 수 없었다 / 그가 말한 것을 / 그 물건이 흰색이라고 / 나에게는 / 그것은 분명히 검은색이었다 / 그래서 / 나는 / 대답했다 / "검은색이요." / 그러고는 / Ms. Baker는 말씀하셨다 / 내게 / 가라고 / 그리고 / 서 있으라고 / Daniel이 서 있는 곳에 / 그러고 나서 Daniel은 말씀하시는 것을 들었다 / 오라고 / 내가 서 있는 곳에 / Daniel과 나는 / 바꾸었다 / 자리를 / 그리고 / 그녀가 물었다 / 내게 / 그 물건의 색이 무엇인지를 / 두 번째에는 / 나는 대답해야 했다 / "흰색이요." / 나는 깨달았다 / 사물이 / 다르게 보일 수 있다는 것을 / 너의 관점에 따라서

글의 구조 분석

❶❷❸❹❺Ms. Baker가 책상 중앙에 둥근 물건을 올려놓으시고는 무슨 색인지 물어보자 Daniel은 흰색, 나는 검은색이라고 답함

↓

❻❼❽Ms. Baker는 나와 Daniel의 자리를 바꿔 보라 하시고 다시 무슨 색인지 물어보심

↓

❾❿자리를 바꿔 보니 흰색으로 보여서 나는 관점에 따라 사물이 다르게 보일 수 있다는 것을 깨닫게 됨

해석

❶내가 초등학교에 다닐 때, 나의 선생님 Ms. Baker는 그녀의 책상 중앙에 둥근 물건을 놓으셨다. ❷그녀는 내 친구 Daniel에게 그 물건이 무슨 색인지를 물었다. ❸"흰색이요." 그가 대답했다. ❹나는 그가 그 물건이 흰색이라고 말했다는 것을 믿을 수 없었다. ❺나에게는 그것이 분명히 검은색이었다, 그래서 나는 "검은색이요."라고 대답했다. ❻그러고는 Ms. Baker는 나에게 Daniel이 서 있는 곳에 가서 서 보라고 말씀하셨다. ❼그리고 나서 Daniel은 내가 서 있는 곳에 가라는 말을 들었다. ❽Daniel과 나는 자리를 바꾸었고, 그녀는 나에게 그 물건이 무슨 색인지를 물어보셨다. ❾두 번째에는 "흰색이요."라고 대답해야 했다. ❿나는 사물이 사람들의 관점에 따라 다르게 보일 수 있다는 것을 깨달았다.

해설

글쓴이는 동일한 물건의 색이 위치에 따라 다르게 보이는 것을 경험한 후 사물이 관점에 따라 다르게 보일 수 있음을 깨닫는다. 따라서 글의 제목으로 가장 적절한 것은 ① '다양한 관점들'이다.

오답 노트

② 유년기의 색맹 ➡ 유년기의 색맹에 관한 내용은 본문에 언급되지 않았다.
③ 무지개의 색깔: 빛은 굴절한다 ➡ 무지개의 색깔에 대해서는 본문에 언급되지 않았다.
④ 하면서 배우기: 최고의 교수법 ➡ 'I'와 Daniel이 선생님의 지시에 따라 움직이긴 하지만 교수법에 관한 내용은 아니므로 제목으로 적절하지 않다.
⑤ 흑백 논리는 위험하다 ➡ 위치에 따라 흰색 또는 검은색으로 물건의 색이 다르게 보인다는 내용의 글이지 흑백 논리의 위험성에 관한 글은 아니므로 제목으로 적절하지 않다.

구문 해설

❷She asked my friend Daniel **what color the object was**.
what color the object was처럼 의문사가 이끄는 의문문이 문장 안에 삽입될 경우 어순이 〈의문사+주어+동사〉로 바뀌며 이를 간접의문문이라 부른다.

❿I realized **that** an object could **look** different depending on your point of view.
접속사 that은 명사절을 이끌며 문장에서 주어, 목적어, 보어로 쓰일 수 있다. 이 문장에서는 목적어절을 이끌고 있고, 이 경우 생략이 가능하다. look과 같은 지각동사의 보어로 부사가 아닌 형용사가 오는 것에 유의한다.

More & More

2 Ms. Baker가 Daniel에게 그 물건이 무슨 색인지 물어보았을 때, 그는 "흰색이요."라고 대답했다. 따라서 내용과 일치하지 않는 것은 ③이다.

2

답 ③

❶Long ago, / a king / was defeated / in a battle. ❷He / was taking shelter / in a cave / from his enemy, / and / he / saw / a spider / in it. ❸It / was trying / to make a spider web. ❹As it climbed up, / a thread in its web / broke / and / it / fell down. ❺But / it / did not give up. ❻It / tried to climb / again and again. ❼Finally, / the spider / successfully completed / the web. ❽The king / thought, / "If a small spider can face failure / so bravely, / why / should I / give up?" ❾Then, / he / collected / his soldiers / and / fought / against his enemy / again and again. ❿Finally, / he / regained / his kingdom.

먼 옛날 / 한 왕이 / 패했다 / 전투에서 / 그는 / 피신하고 있었다 / 동굴 안으로 / 적으로부터 / 그리고 / 그는 / 보았다 / 거미를 / 그 안에서 / 그것은 / 애쓰고 있었다 / 거미줄을 만들려고 / 그것이 위로 올라갈 때 / 거미줄에 있는 줄 하나가 / 끊어졌다 / 그리고 그것은 아래로 떨어졌다 / 그러나 그것은 포기하지 않았다 / 그것은 오르려고 애썼다 / 되풀이해서 / 마침내 / 거미는 / 성공적으로 완성했다 / 거미줄을 / 왕은 / 생각했다 / "작은 거미가 실패에 맞설 수 있다면 / 그렇게 용감하게 / 왜 / 나는 / 포기해야 하는가?" / 그 후 / 그는 / 모았다 / 군사를 / 그리고 / 싸웠다 / 적에 맞서 / 몇 번이고 / 마침내 / 그는 / 되찾았다 / 왕국을

was defeated: 수동태
it = the cave
try+to부정사: ~하려고 애쓰다
As: 접 ~할 때(시간)
give up: 포기하다
to climb: to부정사의 명사적 용법(목적어)
Finally, the spider ...: 〈주제문〉
If: 접 만약 ~한다면(조건)

* spider web: 거미줄

글의 구조 분석

도입
❶ 전투에서 패한 왕

↓

사건 목격
❷❸❹❺❻❼ 동굴에 피신 중 거미줄을 짓는 거미를 보게 되었는데, 여러 번의 실패에도 불구하고 거미는 거미줄을 짓는 데 성공

↓

교훈 및 실천
❽❾❿ 용감한 거미를 보고 왕도 거듭 전투에 임하여 왕국을 되찾음

해석

❶먼 옛날, 한 왕이 전투에서 패했다. ❷그는 적으로부터 피신하여 동굴에 있었고, 그 안에서 그는 거미를 보았다. ❸그것은 거미줄을 만들려고 애쓰고 있었다. ❹거미가 위로 올라가자 거미줄에 있는 줄이 하나 끊어졌고 거미는 아래로 떨어졌다. ❺그러나 그것은 포기하지 않았다. ❻그것은 거듭 오르려고 애썼다. ❼마침내 거미는 성공적으로 거미줄을 완성했다. ❽"작은 거미가 그렇게 용감하게 실패에 맞설 수 있다면, 도대체 나는 왜 포기해야 하는가?"라고 왕은 생각했다. ❾그 후 그는 군사를 모아 적에 맞서 몇 번이고 싸웠다. ❿마침내 그는 왕국을 되찾았다.

해설

전투에서 패하여 동굴로 피신 중이던 왕이 포기하지 않고 계속 시도하여 거미줄을 완성한 거미를 보고 다시 전투에 여러 번 임하여 왕국을 되찾았다는 이야기이므로, 글의 요지로 가장 적절한 것은 ③ '포기하지 않고 계속 도전해야 한다'이다.

오답 노트

① 겸손은 최고의 미덕이다. ➡ 겸손과 관련된 내용은 없다.
② 상대방 입장에서 생각해야 한다. ➡ 왕 홀로 동굴에 피신해 있으면서 거미를 관찰했으므로 상대방 입장에 관한 내용은 없다.
④ 작은 일에도 감사하며 살아야 한다. ➡ 감사의 마음을 느끼게 하는 상황은 나오지 않았다.
⑤ 노력하는 자는 즐기는 자를 이길 수 없다. ➡ 노력에 관해서는 언급되었지만, 즐기는 것에 대한 내용은 없다.

구문 해설

❶Long ago, a king **was defeated** in a battle.
was defeated는 〈be동사+과거분사〉 형태의 수동태 구문으로 be동사 자리에 was가 왔으므로 과거 시제 수동태이다.

❽The king thought, "**If** a small spider can face failure so bravely, why **should** I give up?"
왕의 생각을 큰따옴표 안에 넣어 직접 전달한 문장이다. if는 '만약 ~한다면'이란 뜻의 조건의 부사절을 이끄는 접속사이며, should는 조동사로 '~해야 한다'라는 의미를 나타낸다.

More & More

2 왕은 거미가 거미줄을 만드는 과정에서 거미줄이 끊어져 떨어지는 것을 보기만 했을 뿐 직접 거미줄을 끊지는 않았다. 따라서 글의 내용과 일치하지 않는 것은 ③이다.

3

답 ③

글의 구조 분석

서론
❶❷❸수업을 위해 교사와 학생뿐만 아니라 많은 다른 사람들과 단체가 필요함

↓

본론
❹❺❻수업을 위해 필요한 일들에 대한 구체적인 예시

↓

결론
❼수업은 수백 명의 사람들의 노력의 산물임

❶Just think for a moment / of all the people / whose work / has made / your class possible. ❷Clearly, / the class / requires / a teacher and students. ❸However, / it / also depends on / many other people and organizations. ❹Someone / had to decide / when the class would be held / and in what room, / (had to) communicate / that information / to you, / and / (had to) enroll you / in that class. ❺Someone / also had to write / a textbook. ❻Many other people / like printers, editors, salespeople, and bookstore employees / help / the textbook / arrive / in your hands. ❼Although it may seem / that only you, your fellow students, and your teacher / are involved / in the class, / it / is actually / the product of the efforts / of hundreds of people.

잠시만 생각해 보라 / 모든 사람들을 / 그들의 일은(소유격 관계대명사) / 만들어 왔다(현재완료) / 여러분의 수업을 가능하게 / 분명히 / 그 수업은 / 필요로 한다 / 교사와 학생을 / 그러나 / 그것은 또한 의존한다(depend on: ~에 의존하다, 달려 있다) / 많은 다른 사람들과 단체들에 / 누군가는 / 결정해야 했다 / 언제 수업이 열릴지를(간접의문문) / 그리고 어떤 교실에서 / 전달해야 했다 / 그 정보를 / 여러분에게 / 그리고 등록해 줘야 했다 여러분을 / 그 수업에 / 누군가는 / 또한 집필해야 했다 / 교과서를 / 많은 다른 사람들은 / 인쇄업자, 편집자, 판매원, 서점 직원과 같은(전 ~과 같은) / 돕는다(준사역동사 help+목적어+목적격보어(원형부정사)) / 교과서가 / 도착하도록 / 여러분의 손에 / 비록 ~처럼 보일지 모른다(〈주제문〉 접 비록 ~할지라도(양보)) / 오직 여러분, 여러분의 동료 학생들, 그리고 여러분의 선생님이 / 연관되었다고(수동태) / 수업에 / 그것은 사실 ~이다 / 노력의 산물 / 수백 명의 사람들의(수백의)

해석

❶여러분의 수업을 가능하게 하도록 일을 해 온 모든 사람들을 잠시만 생각해 보라. ❷분명히 그 수업은 교사와 학생을 필요로 한다. ❸그러나 그 수업은 또한 많은 다른 사람들과 단체에 의존한다. ❹누군가가 언제 그리고 어떤 교실에서 수업이 열릴지를 결정하고, 그 정보를 여러분에게 전달하고, 그 수업에 여러분을 등록해 주어야 했다. ❺또한 누군가는 교과서를 집필해야 했다. ❻인쇄업자, 편집자, 판매원, 서점 직원과 같은 많은 다른 사람들은 교과서가 여러분의 손에 도착하도록 돕는다. ❼여러분, 여러분의 동료 학생들, 그리고 선생님만이 수업에 연관된 것처럼 보일지 몰라도, 사실은 그 수업은 수백 명의 사람들의 노력의 산물이다.

해설

주어진 문장은 누군가가 언제 어디서 수업이 열릴지 결정하고, 그것을 전달하고, (학생을) 등록을 해 주어야 했다는 내용이다. ③의 앞에서는 수업이 교사와 학생뿐만 아니라 많은 다른 사람들과 단체에 의존한다고 했고, ③의 뒤에서는 수업에 필요한 것 중 하나인 교과서에 관한 내용이 이어진다. 따라서 수업이 이루어지기 위해 필요한 일의 구체적 예시인 주어진 문장이 들어가기에 가장 적절한 곳은 ③이다.

오답 노트

①, ② ➡ 수업을 완성하기까지 교사와 학생만이 아니라 많은 사람들과 단체의 도움이 필요하다고 했으므로 누군가가 등장하는 주어진 문장이 ①과 ② 바로 다음에 나오는 것은 어색하다.
④ ➡ 앞에서 누군가가 교과서 집필도 해 줘야 한다고 했으며, 또한(also)이란 말이 쓰였으므로 주어진 문장이 그 다음에 오는 것은 어색하다.
⑤ ➡ 교과서가 최종 도착하기 위해 거치는 과정과 수업이 다수의 노력의 산물이라는 결론이 자연스럽게 이어지므로 주어진 문장이 들어가기에 어색하다.

구문 해설

❶Just think for a moment of all the people **whose** work has **made your class possible.**
whose는 소유격 관계대명사로 선행사가 뒤에 오는 명사와 소유의 관계일 때 사용한다. 〈make+목적어+목적격보어〉는 5형식 구문으로 '~을 …하도록 만들다'라는 의미이다.

❻Many other people **like** printers, editors, salespeople, and bookstore employees **help the textbook arrive** in your hands.
전치사 like는 '~과 같은'이라는 의미로 쓰이며, 뒤에 명사(구)나 동명사가 온다. 준사역동사 help는 목적격보어 자리에 to부정사와 원형부정사 둘 다 올 수 있다.

More & More

2 하나의 수업은, 수업의 주체인 선생님과 학생들뿐 아니라 수업 등록 등의 행정 업무를 하는 사람, 교과서를 제작하는 사람 등 여러 사람의 노력이 만든 결과라는 내용이다. 따라서 윗글의 요지로 알맞은 것은 ⑤ '수업은 많은 사람들의 노력을 통해 열릴 수 있다.'이다.

● 본문 067쪽

답 ②

❶Many people / think of / what might happen / in the future / based on / past failures. ❷They / might also get trapped / by those failures. ❸For example, / let's say / (that) you failed / in a certain area. ❹When you go through / the same situation later, / you / might expect / to fail again. ❺So, / the fear of failing / traps / you / in the past. ❻Do not base / your decision / on what yesterday was. ❼Your future / is not / your past / and / you / have / a better future. ❽You / must decide / to forget and let go of your past. ❾Your past experiences / are / the thief / of today's dreams / only when you allow them / to control you.

(what might happen: 간접의문문(of의 목적어) / based on: ~에 근거하여 / (that) / When: 접 ~할 때(시간) / to fail: to부정사의 명사적 용법(expect의 목적어) / 〈주제문〉 / Do not base: 부정 명령문 / what yesterday was: 간접의문문 / must: 조동사 must: ~해야 한다 / when: 접 ~할 때(시간) / them = your past experiences)

많은 사람들은 / ~을 생각한다 / 무슨 일이 일어날지 / 미래에 / ~에 근거하여 / 과거의 실패 / 그들은 / 또한 갇히게 될지도 모른다 / 그 실패에 의해 / 예를 들어 / ~이라고 하자 / 당신이 실패했다고 / 어떤 영역에서 / 당신이 겪을 때 / 나중에 같은 상황을 / 당신은 예상할지도 모른다 / 다시 실패할 것이라고 / 그래서 / 실패의 두려움이 / 가둔다 / 당신을 / 과거에 / 근거를 두지 마라 / 당신의 / 결정을 / 어제가 무엇이었는가에 / 당신의 미래는 / ~이 아니다 / 당신의 과거 / 그리고 / 당신은 / 가지고 있다 / 더 나은 미래를 / 당신은 / 결정해야 한다 / 당신의 과거를 잊고 보내기로 / 당신의 과거 경험은 / ~이다 / 도둑 / 오늘날의 꿈들의 / 오직 당신이 그것들에게 허락할 때 / 당신을 지배하도록

글의 구조 분석

도입(경향)
❶❷사람들이 과거의 실패에 근거해서 미래를 예상하고, 그로 인해 실패에 갇히게 됨

↓

문제점(예시)
❸❹❺과거 어떤 특정 영역에서 실패했다면, 나중에 같은 상황에 처했을 때 또 실패할 것이라고 생각하며 두려워함

↓

중심 문장(주장) 및 부연 설명
❻❼❽❾과거 경험에 근거하여 결정을 내리지 말고 더 나은 미래가 있음을 알고 과거를 잊어야 함

해석

❶많은 사람들은 과거의 실패에 근거하여 미래에 무슨 일이 일어날지 생각한다. ❷그들은 또한 그 실패에 갇히게 될지도 모른다. ❸예를 들어, 당신이 어떤 영역에서 실패했다고 하자. ❹당신이 같은 상황을 나중에 겪을 때, 당신은 다시 실패할 것이라고 예상할지도 모른다. ❺그래서 실패의 두려움이 당신을 과거에 가둔다. ❻어제가 어땠는지에 근거를 두고 결정을 내리지 마라. ❼당신의 미래는 당신의 과거가 아니며 당신은 더 나은 미래를 가지고 있다. ❽당신은 과거를 잊고 보내기로 결정해야 한다. ❾당신의 과거 경험이 당신을 지배하도록 둘 때에만 그것들은 오늘날의 꿈의 도둑이 된다.

해설

필자는 많은 사람들이 과거의 실패에 근거하여 미래를 생각하기 때문에 실패에 갇히게 된다고 주장하고 있다. 따라서 필자가 주장하는 바로 가장 적절한 것은 ② '미래를 생각할 때 과거의 실패에 얽매이지 말라.'이다.

오답 노트

① 꿈을 이루기 위해 다양한 경험을 하라. ➡ 과거의 실패에 얽매이면 꿈을 이루는 데 방해가 된다고는 했지만 다양한 경험을 하라는 내용은 본문에 언급되지 않았다.
③ 장래의 성공을 위해 지금의 행복을 포기하지 말라. ➡ 장래의 성공을 위해 과거의 실패를 잊어야 한다고 주장했다.
④ 자신을 과신하지 말고 실현 가능한 목표부터 세우라. ➡ 목표의 실현 가능성이나 목표 설정에 관한 주장은 본문에 언급되지 않았다.
⑤ 결정을 내릴 때 남의 의견에 지나치게 의존하지 말라. ➡ 의사 결정 시, 타인에게 의존하지 말라는 내용은 본문에 언급되지 않았다.

구문 해설

❶Many people think of **what might happen** in the future based on past failures.
what might happen은 목적어 역할을 하고 있는 간접의문문으로, 이때 what은 의문사이면서 주어 역할을 동시에 하고 있다.

❷They might also **get trapped** by those failures.
수동태는 어떤 동작이나 행위를 받는 대상이 주어가 되며 〈주어+be동사+과거분사(+by+행위자)〉의 형태로 '(~에 의해) …되다'라는 의미를 나타낸다. be동사 대신 become이나 get을 써서 수동태 구문을 만들 수 있다.

❹**When** you **go** through the same situation later, you **might expect to fail** again.
When은 시간을 나타내는 부사절을 이끄는 접속사로, 미래의 일을 나타내더라도 동사를 현재 시제로 쓴다. might는 불확실한 추측을 나타낼 때 쓰는 조동사로 '~일지도 모른다'라는 의미이며, expect는 to부정사를 목적어로 취하는 동사이다.

❻**Do not base** your decision on what yesterday was.
동사원형 앞에 Do not[Don't]이나 Never를 쓰면 부정 명령문이 된다.

❽You **must decide to forget and let** go of your past.
조동사 must는 '~해야 한다'라는 의미로, 강한 필요성, 중요성이나 의무를 나타낼 때 사용한다. decide는 to부정사를 목적어로 취하는 동사로 to forget과 (to) let이 and에 의해 병렬 구조로 연결되어 있다.

UNIT 08

문장은 꾸미기 나름이지!

CHECK BY CHECK

• 본문 071쪽

A **1** old, beautiful / 어떤 나이 든 사람이 그들의 아름다운 집을 샀다. **2** cold / 내게 무언가 찬 것을 가져다줄 수 있나요? **3** sleeping / 조용히 해! 너는 자고 있는 아이를 깨울지도 몰라. **4** broken by a baseball / James는 야구공에 의해 부서진 창문을 수리했다. **5** good, to visit / 서울은 방문할 만한 좋은 장소이다. **6** to hear the news / 우리는 그 소식을 듣게 되어 유감이었다. **7** really, on the wall / 나는 벽에 있는 그 그림이 정말 마음에 든다. **8** under the tree / 그들은 그 나무 밑에 앉아 있곤 했다.
B in the past, at the time they wanted, In the 1800s and early 1900s, British, in factories, at a certain time for their shifts, enough, to buy an expensive alarm clock, walking, through the street, on their customer's bedroom windows, with a wooden stick

A **1** 해설 » old는 man을 수식하는 형용사이고, beautiful은 house를 수식하는 형용사이다.
2 해설 » cold는 something을 수식하는 형용사이다. -thing으로 끝나는 대명사는 뒤에서 수식한다.
3 해설 » sleeping은 baby를 수식하는 현재분사이다.
4 해설 » broken by a baseball은 window를 수식하는 과거분사구이다.
5 해설 » good은 place를 앞에서 수식하는 형용사이고, to visit은 place를 뒤에서 수식하는 to부정사구이다.
6 해설 » to hear the news는 sorry를 수식하는 to부정사구이다.
7 해설 » really는 like를 수식하는 부사이고, on the wall은 the picture를 수식하는 전치사구이다.
8 해설 » under the tree는 sit을 수식하는 전치사구이다.

B 해설 » in the past는 people을 수식하는 전치사구이고, at the time they wanted는 wake up을 수식하는 전치사구이다. In the 1800s and early 1900s는 문장 전체를 수식하는 전치사구이고, British는 people을 수식하는 형용사이며, in factories는 worked를 수식하는 전치사구이다. at a certain time for their shifts는 wake up을 수식하는 전치사구이다. enough는 money를 앞에서 수식하는 형용사이고, to buy an expensive alarm clock은 money를 뒤에서 수식하는 to부정사구이다. walking은 human alarm clocks를 수식하는 현재분사이다. through the street은 walked를 수식하는 전치사구이고, on their customer's bedroom windows와 with a wooden stick은 tapped를 수식하는 전치사구이다.
해석 » 과거의 사람들은 그들이 원하는 시간에 어떻게 일어났을까? 1800년대와 1900년대 초기에 영국 사람들은 공장에서 일했다. 노동자들은 교대를 위해 일정한 시간에 일어나야 했다. 그러나 그들은 비싼 알람 시계를 살 만한 충분한 돈이 없었다. 그래서 그들은 걸어 다니는 인간 알람 시계를 고용했다. 이 사람들은 거리를 걸어 다니며 나무 막대기로 고객들의 침실 창문을 두드렸다.

READING 1 ~ 수능유형

• 본문 072~075쪽

More & More

1 ⑤
1 to play the violin for your students / 나는 학생들을 위해 바이올린을 연주할 기회가 생겨서 매우 기뻤다.
2 ④

2 ①
1 trembling / 떨리는 내 손가락에서 성냥이 떨어졌다.
2 ②

3 ①
1 one, to support a man / 일 하나가 한 사람을 부양하기에 충분하다.
2 live, trades

Summing Up

수능유형 ③
1 무료로 이용 가능한 정보 2 모든 정보 3 직관

● 본문 072쪽

답 ⑤

❶Dear Principal,
교장 선생님께

〈주제문〉
❷I / was very pleased / that I had a chance / to play the violin / for your students.
명사절 접속사 that / to부정사의 형용사적 용법
저는 매우 기뻤습니다 / 저에게 기회가 생긴 것에 / 바이올린을 연주할 / 학생들을 위해

❸I / am thankful / that you had me / at your school / last week.
저는 감사합니다 / 저를 초대해 주셔서 / 학교에 / 지난주에

❹It / was / my first time / to play / at a middle school.
처음이었습니다 / 연주하는 것은 / 중학교에서

❺I / was nervous / because I was not sure / if your students / would like / classical music.
접 ~ 때문에(이유) / 명사절 접속사 if: ~인지
저는 긴장했습니다 / 확신하지 못했기 때문에 / 학생들이 / 좋아할지 / 클래식 음악을

❻When I started playing, / I / realized / that I did not have to worry.
접 ~할 때(시간) / 동명사(started의 목적어) / 명사절 접속사 that / don't have to: ~할 필요가 없다
제가 연주를 시작했을 때 / 저는 깨달았습니다 / 저는 걱정할 필요가 없었다는 것을

❼Your students / were / a wonderful audience.
당신의 학생들은 / ~이었습니다 / 훌륭한 청중

❽It / is always encouraging / to see young students / interested in classical music.
가주어 / 진주어
항상 고무적입니다 / 어린 학생들을 보는 것은 / 클래식 음악에 관심이 있는

❾Thank you.
감사합니다

❿Best regards,

Clara Jung
Clara Jung 드림

글의 구조 분석

편지를 쓰는 목적 전달
❶❷❸ 바이올린을 연주할 기회를 제공해 준 것에 대한 감사 인사

↓

부연 설명1
❹❺❻ 본인의 소감 전달

↓

부연 설명2
❼❽❾❿ 연주를 잘 들어준 학생들에 대한 칭찬 및 감사 전달

해석

❶ 교장 선생님께,
❷ 저는 학생들을 위해 바이올린을 연주할 기회가 생겨서 매우 기뻤습니다. ❸ 지난주에 학교에 저를 초대해 주셔서 감사합니다. ❹ 중학교에서 연주하는 것은 처음이었습니다. ❺ 학생들이 클래식 음악을 좋아할지 확신하지 못했기 때문에 긴장했습니다. ❻ 제가 연주를 시작했을 때, 걱정할 필요가 없었다는 것을 깨달았습니다. ❼ 당신의 학생들은 훌륭한 청중이었습니다. ❽ 클래식 음악에 관심이 있는 어린 학생들을 보는 것은 항상 저에게 용기를 줍니다. ❾ 감사합니다.
❿ Clara Jung 드림

해설

첫 번째 문장인 I was very pleased that I had a chance to play the violin for your students.에 이 편지를 쓴 목적이 잘 드러나 있다. 따라서 이 글의 목적으로 가장 적절한 것은 ⑤ '바이올린 연주 기회를 준 것에 감사하기 위해'이다.

오답 노트

① 클래식 음악회를 홍보하기 위해 ➡ 클래식 음악회는 이미 끝났고 그에 대한 소감을 편지로 작성한 것이다.
② 학교 방문 계획을 취소하기 위해 ➡ 학교 방문이 이미 이루어진 상태이다.
③ 바이올린 연주회에 학생들을 초청하기 위해 ➡ 학생들을 대상으로 한 연주회는 이미 마친 상태이다.
④ 음악 경연 대회 수상 결과를 알려주기 위해 ➡ 음악 경연 대회가 아니라 연주회이다.

구문 해설

❷ I was very pleased that I had a chance **to play** the violin for your students.
to play는 to부정사의 형용사적 용법으로, 앞의 명사 a chance를 수식하고 있다. 형용사적 용법으로 사용된 to부정사는 '~할', '~하는'으로 해석한다.

❺ I was nervous because I was not sure **if** your students would like classical music.
여기서 if는 명사절을 이끄는 접속사로 쓰였으며 '~인지'의 의미를 나타낸다. whether와 바꿔 쓸 수 있으며 if절 끝에 or not을 붙이거나 생략할 수 있다.

❽ **It** is always encouraging **to see** young students interested in classical music.
it은 형식상의 주어(가주어)이고 to see 이하는 내용상의 주어(진주어)이다. to부정사는 주어 자리에 올 수 있지만 길이가 길기 때문에 대신 가주어 it을 쓰고 진주어는 뒤로 보냈다.

More & More

2 'I'는 학생들 앞에서 실수할까 봐 불안해한 것이 아니라, 학생들이 클래식 음악을 좋아할지를 염려했다. 따라서 글의 내용과 일치하지 않는 것은 ④이다.

2

답 ①

❶I heard / something / moving slowly / along the walls. ❷I / searched for / a match / in the dark / and / tried to strike / it. ❸But / it / wouldn't light. ❹This time / I / was certain: / Something alive / was moving / in the tunnels. ❺It / wasn't / a rat. ❻A very unpleasant smell / came into / my nostrils. ❼Finally, / I / could light / a match. ❽At first / I / couldn't see / anything / because of the flame; / then / I / saw / something / creeping toward me. ❾From all the tunnels. ❿Shapeless figures / crawling like spiders. ⓫The match / fell / from my trembling fingers. ⓬I / wanted / to start running, / but / I / couldn't.

(지각동사+목적어+목적격보어(현재분사) / 나는 들었다 무언가가 천천히 움직이는 것을 벽을 따라 / 나는 찾았다 성냥을 어둠 속에서 그리고 켜려고 했다 그것을 / try+to부정사: ~하려고 노력하다 / = the match / 그러나 그것은 불이 붙지 않았다 / 이번에 나는 확신했다 살아 있는 무언가가 움직이고 있었다 터널 속에서 / -thing으로 끝나는 대명사는 형용사가 뒤에서 수식 / = something alive / 그것은 ~이 아니었다 쥐가 / 매우 불쾌한 냄새가 들어왔다 내 콧구멍으로 / 마침내 나는 켤 수 있었다 성냥불을 / 처음에 나는 볼 수 없었다 아무것도 / ~ 때문에 / 불꽃 때문에 / 그러다가 나는 보았다 무언가를 나를 향해 기어오는 / 지각동사+목적어+목적격보어(현재분사) / 모든 터널로부터 / 형체가 없는 형상들 거미처럼 기어오는 / 현재분사구 / 성냥이 떨어졌다 떨리는 내 손가락에서 / 현재분사 / 나는 하고 싶었다 뛰기 시작하는 것 / to부정사의 명사적 용법(목적어) / 그러나 나는 그럴 수 없었다 / couldn't 뒤에 run 생략)

* nostril: 콧구멍

글의 구조 분석

발단
❶❷❸ 뭔가 움직이는 것을 보고 성냥을 켜려고 시도

↓

전개 – 절정
❹❺❻ 뭔가 움직이고 있음을 확신하고 불쾌한 냄새를 맡음

↓

결말
❼❽❾❿⓫⓬ 성냥불이 켜졌지만, 형체 없는 형상들이 기어오는 것을 보고 성냥을 떨어뜨리고 달아나지도 못함

해석

❶ 나는 무언가가 벽을 따라 천천히 움직이는 소리를 들었다. ❷ 나는 어둠 속에서 성냥을 찾아서 그것을 켜려고 애썼다. ❸ 그러나 불이 붙지 않았다. ❹ 이번에 나는 살아 있는 무언가가 터널 속에서 움직이고 있었다고 확신했다. ❺ 그것은 쥐가 아니었다. ❻ 매우 불쾌한 냄새가 내 콧구멍으로 들어왔다. ❼ 마침내 나는 성냥불을 켤 수 있었다. ❽ 처음에 나는 불꽃 때문에 아무것도 볼 수 없었으나, 그러다가 나는 나를 향해 기어오는 무언가를 보았다. ❾ 모든 터널로부터. ❿ 거미처럼 기어오는 형체가 없는 형상들. ⓫ 떨리는 내 손가락에서 성냥이 떨어졌다. ⓬ 나는 달아나고 싶었지만 그럴 수 없었다.

해설

'I'는 어둠 속에서 뭔가 움직이는 것을 느끼고 성냥을 켜려고 했지만 잘 켜지지 않는 상황에서 불쾌한 냄새를 맡았고, 형체가 없는 것들이 거미처럼 기어오는 것을 보게 됐다. 마지막에 도망가고 싶었지만 그럴 수 없었다고 한 것까지 종합해 보면, 두렵고 무서워하는 상황임을 알 수 있다. 따라서 'I'의 심경으로 가장 적절한 것은 ① '겁먹은'이다.

오답 노트

② 아주 기뻐하는 ➡ 기쁘거나 즐거운 심경을 느낄 상황은 아니다.
③ 우울한 ➡ 뭔지 모르는 존재 때문에 두려움을 느끼는 상황일 뿐 우울한 것과는 무관하다.
④ 질투하는 ➡ 질투심을 느끼는 상황은 글에 나타나 있지 않다.
⑤ 안도하는 ➡ 무서워서 손에서 성냥불을 떨어뜨린 'I'는 달아나지도 못했으므로 안도하는 상황은 아니다.

구문 해설

❹ This time I was certain: **Something alive** was moving in the tunnels.
something alive처럼 -thing으로 끝나는 대명사는 형용사가 뒤에서 수식한다.

❽ At first I couldn't see anything **because of** the flame; then I saw something creeping toward me.
because of는 '~ 때문에'라는 뜻으로 뒤에 명사가 온다. due to나 owing to와 바꿔 쓸 수 있다. because 다음에는 〈주어+동사〉로 이루어진 절이 오며 이때는 since나 as와 바꿔 쓸 수 있다.

❿ Shapeless figures **crawling like spiders.**
crawling like spiders는 현재분사구로 앞의 명사 figures를 뒤에서 꾸미고 있다.

⓬ I **wanted to start** running, but I **couldn't.**
want는 to부정사를 목적어로 취하는 동사이다. to start는 목적어이므로 명사적 용법으로 사용된 to부정사이다. couldn't 다음에는 의미상 앞에 나온 run이 들어가야 하지만 중복되므로 생략하였다.

More & More

2 'I'는 성냥에 불을 붙이려고 했지만 처음에는 잘 붙지 않았다고 했으므로 내용과 일치하지 않는 것은 ②이다.

답 ①

❶In small towns, / the same workman / makes / chairs, doors and tables. ❷Often, / the same man / builds / houses / as well. ❸Of course / it / isn't possible / for a man / of many trades / to be skilled / in all of them. ❹In large cities, / on the other hand, / many people / make / demands / on each trade. ❺So, / only one trade alone / is / enough / to support a man. ❻For example, / one man / makes / men's shoes / and / another / makes / women's shoes. ❼And / there are places even / where one man earns a living / by only stitching shoes, / another / by cutting them out, / and another / by sewing the uppers together. ❽Although skilled workers had simple tools, / their specialization / made / them / more efficient and productive.

작은 마을에서는 / 똑같은 직공이 / 만든다 / 의자, 문 그리고 탁자를 / 종종 / 바로 같은 사람이 / 짓는다 / 집을 / 또한 / 물론 / 가능하지 않다 / 한 사람이 / 많은 일을 가진 / 숙련되는 것 / 그 일 모두에 / 큰 도시에서는 / 반면에 / 많은 사람들이 / 만든다 / 요구를 / 각각의 일에 대한 / 그래서 / 일 하나만으로도 / ~이다 / 충분한 / 한 사람을 부양하기에 / 예를 들면 / 한 사람은 / 만든다 / 남자 신발을 / 그리고 / 다른 이는 / 만든다 / 여자 신발을 / 그리고 / 장소도 있다 / 한 사람이 / 생계를 꾸리는 / 오직 신발을 꿰맴으로써 / 또 다른 이는 / 그것들을 자름으로써 / 그리고 또 다른 이는 / 갑피를 함께 꿰맴으로써 / 비록 숙련된 일꾼들이 단순한 도구들을 가지고 있었다고 할지라도 / 그들의 분업화는 / 만들었다 / 그들을 / 더 효율적이고 생산적으로

Often: 빈도부사 / as well: 또한 / it: 가주어 / for a man: 의미상 주어(for+목적격) / to be skilled: 진주어 / on the other hand: 반면에 / So: 접 그래서(결과) / enough to support: enough+to부정사: ~하기에 충분한 / where: 관계부사 / by: 전 ~함으로써 / another ∧ by: (earns a living) / Although: 접 비록 ~일지라도(양보) / 〈주제문〉 / made / them / more efficient: make+목적어+목적격보어

* trade: 일

글의 구조 분석

도입
❶❷❸작은 마을에서는 한 사람이 여러 가지 일을 할 수 있지만, 효율이 좋진 못함

↓

대조
❹❺큰 도시에서는 각 일에 대한 수요가 많기 때문에 일 하나만으로도 충분히 먹고 살 수 있음

↓

예시
❻❼신발 제작 일을 나눠서 함

↓

결론
❽일을 효율적이고 생산적으로 할 수 있게 해 주는 분업화

해석

❶작은 마을에서는, 똑같은 직공이 의자, 문 그리고 탁자를 만든다. ❷종종 바로 같은 사람이 집도 짓는다. ❸물론 많은 일을 하는 사람이 그 일 모두에 능숙하기는 불가능하다. ❹반면에 큰 도시에서는 많은 사람들이 각각의 일을 필요로 한다. ❺그래서 일 하나만으로도 한 사람을 먹고 살게 하기에 충분하다. ❻예를 들어, 한 사람은 남자 신발을, 다른 이는 여자 신발을 만든다. ❼그리고 한 사람은 신발만 꿰매고, 다른 이는 신발을 자르고, 또 다른 이는 갑피(신발 윗부분)를 함께 꿰매서 생계를 꾸리는 곳도 있다. ❽비록 숙련된 일꾼들이 단순한 도구들을 가지고 있었다고 할지라도, 그들의 분업화는 그들을 더욱 효율적이고 생산적으로 만들었다.

해설

빈칸의 앞부분에서 신발 만드는 일을 여러 사람이 세부적으로 나누어 각자 한 가지 일만으로 생계를 꾸리는 경우를 예로 들고 있다. 빈칸이 일꾼들을 효율적이고 생산적으로 만들었다고 했으므로 빈칸에 들어갈 말로 가장 적절한 것은 ① '분업화'이다.

오답 노트

② 비평 ➡ 본문과 관련이 없다.
③ 경쟁 ➡ 한 사람이 작업하던 걸 여러 명이 나누어 함께 진행하기 때문에 경쟁과는 관련이 없다.
④ 근면 ➡ 본문과 관련이 없다.
⑤ 상상 ➡ 본문과 관련이 없다.

구문 해설

❷ **Often**, the same man builds houses as well.
Often은 '종종, 흔히, 자주'라는 의미의 빈도부사로, 횟수가 어느 정도인지를 나타낼 때 사용한다. be동사나 조동사 뒤, 그리고 일반동사 앞에 오지만 문장 맨 앞에 쓰이기도 한다.

❼ And there are places **where** one man earns a living by only stitching shoes, another by cutting them out, and another by sewing the uppers together.
where는 장소를 나타내는 선행사 places를 수식하는 절을 이끄는 관계부사이다.

More & More

2 작은 마을에서는 한 사람이 여러 가지 일을 하고, 큰 도시에서는 한 사람이 한 가지 일만 해도 충분하기 때문에 한 사람이 얼마나 많은 일을 해야 하는지는 사는 곳에 따라 달라진다. 따라서 빈칸에 알맞은 말은 live와 trades이다.

답 ③

❶Technology / has / questionable advantages. ❷In an era of / too much

기술은 지니고 있다 미심쩍은 이점을 ~의 시대에 너무 많은 정보

information, / it / is difficult / to use / only the right information / and /

가주어 진주어

~하는 것은 어렵다 사용하는 것 오직 올바른 정보만을 그리고

keep / the decision-making process / simple. ❸The Internet / has made /

동사+목적어+목적격보어(형용사) 현재완료(계속)

유지하는 것 의사 결정 과정을 단순하게 인터넷은 만들어 왔다

information / freely available / on many issues. ❹We / think / (that) we have to /

~해야 한다

정보를 무료로 이용 가능하도록 많은 사안에 대한 우리는 생각한다 우리가 해야 한다

consider all the information / in order to make a decision. ❺So / we /

~하기 위해서

모든 정보를 고려하기 결정을 내리기 위해서 그래서 우리는

keep searching for / answers / on the Internet. ❻This / makes / us /

keep+동명사: 계속해서 ~하다

계속해서 검색한다 답을 인터넷에서 이것은 만든다 우리를

information blinded, / like deer in headlights, / when we try to make /

동사+목적어+목적격보어 전 ~처럼 접 ~할 때(시간)

정보에 눈이 멀도록 전조등 불빛에 노출된 사슴처럼 〈주제문〉 우리가 내리려고 애쓸 때

personal, business, or other decisions. ❼To be successful / in anything /

to부정사의 부사적 용법(목적)

개인적, 사업적, 혹은 다른 결정을 성공하기 위해서 어떤 일에 있어서

today, / we / have to / keep in mind / that / in the land of the blind, / a

~을 명심하다 명사절 접속사 that

오늘날 우리는 ~해야 한다 명심해야만 눈먼 사람들의 세상에서는

one-eyed person / can achieve / the seemingly impossible. ❽With his

한 눈으로 보는 사람이 해낼 수 있다 겉보기에는 불가능한 것을 그의 직관의

one eye of intuition, / the one-eyed person / keeps / analysis / simple /

외눈을 지니고 한 눈으로 보는 사람은 유지한다 분석을 단순하게

and / will become / the decision maker.

그리고 될 것이다 의사 결정자가

* intuition: 직관

글의 구조 분석

문제점 및 이유 설명
❶❷❸❹❺ 의사 결정을 위해 인터넷에서 계속 답을 검색하다 보면 정보에 매몰될 수 있음

↓

비유
❻ 전조등 불빛에 노출된 사슴에 빗대어 우리의 모습을 비유

↓

주장 및 부연 설명
❼❽ 눈먼 사람들의 세계에서 한 눈으로 보는 사람이 성공하는 것처럼 의사 결정자는 정보 분석을 단순하게 하는 직관이 필요함

해석

❶ 기술은 미심쩍은 이점을 지니고 있다. ❷ 너무 많은 정보의 시대에, 오직 올바른 정보만을 사용하고 의사 결정 과정을 단순하게 유지하기는 어렵다. ❸ 인터넷은 많은 사안에 대한 이용 가능한 정보를 무료로 제공해 왔다. ❹ 우리는 결정을 내리기 위해서 모든 정보를 고려해야 한다고 생각한다. ❺ 그래서 우리는 계속 인터넷에서 답을 검색한다. ❻ 이것은 우리가 개인적, 사업적 혹은 다른 결정을 내리려고 애쓸 때, 전조등 불빛에 노출된 사슴처럼 우리를 정보에 눈멀게 만든다. ❼ 오늘날 어떤 일에 있어서 성공하기 위해서는, 우리는 눈먼 사람들의 세계에서는 한 눈으로 보는 사람이 겉보기에는 불가능한 일을 해낼 수 있다는 것을 명심해야 한다. ❽ 그의 직관의 외눈으로, 한 눈으로 보는 사람은 분석을 단순하게 하고 의사 결정자가 될 것이다.

해설

글쓴이는 의사 결정 과정에서 인터넷의 너무 많은 정보를 모두 고려해 답을 찾으려 계속 검색한다면 정보에 눈이 멀어 버린다고 말한다. 따라서 밑줄 친 부분이 의미하는 바로 가장 적절한 것은 ③ '너무나 많은 정보 때문에 의사 결정을 할 수 없는'이다.

오답 노트

① 다른 사람들의 생각을 수용하기 꺼려하는
② 무료 정보에 접근할 수 없는
④ 이용 가능한 정보의 부족에 무관심한
⑤ 의사 결정에 기꺼이 위험을 무릅쓰는
➡ information blinded는 너무 많은 정보가 의사 결정을 힘들게 한다는 의미이다. ①, ②, ④, ⑤는 모두 본문에 나온 단어로 만든 오답으로, 본문과 무관한 내용이다.

구문 해설

❹ We think we have to consider all the information **in order to** make a decision.
in order to는 '~하기 위해서'라고 목적을 나타낼 때 사용하며, so as to나 to부정사로 바꿔 쓸 수 있다.

❻ This **makes us information blinded**, ~.
information blinded는 명사 information과 과거분사 blinded를 합쳐서 만든 표현이다. 5형식 문장에서 목적어와 목적격보어의 관계가 수동일 때, 목적격보어로 과거분사를 사용한다.

❼ **To be** successful in anything today, we have to keep in mind **that** ~.
To be는 to부정사의 부사적 용법으로, 목적을 나타낸다. keep의 목적어로 접속사 that이 이끄는 명사절이 사용되었다.

문장과 문장을 이어주는 것은 나!

CHECK BY CHECK

• 본문 079쪽

A **1** if / 나는 그에게 괜찮은지 물었다. **2** because / 그는 지하철을 놓쳤기 때문에 지각했다. **3** and / 나는 복통이 있어서 병원에 갔다. **4** but / Jake는 수영하는 것을 싫어하지만, Anne은 수영하는 것을 아주 좋아한다. **5** that / 너는 이 바지가 나에게 어울린다고 생각하니? **6** neither, nor / 나는 배 여행 중에 먹지도 자지도 않았다. **7** both, and / Nathan은 영어와 프랑스어를 둘 다 말할 수 있다. **8** not, but / 나의 꿈은 비행기를 조종하는 것이 아니라 비행기를 만드는 것이다. **B** ①

A **1** **해설** » if는 '~인지'라는 의미로 명사절을 이끄는 종속접속사이다.
2 **해설** » because는 이유를 나타내는 절을 이끄는 종속접속사이다.
3 **해설** » and는 대등한 두 절을 연결하는 등위접속사이다.
4 **해설** » but은 대등한 두 절을 연결하는 등위접속사이다.
5 **해설** » that은 think의 목적어 역할을 하는 명사절을 이끄는 종속접속사이다.
6 **해설** » neither *A* nor *B*는 'A도 아니고 B도 아닌'이라는 의미를 나타내는 상관접속사이다.
7 **해설** » both *A* and *B*는 'A와 B 둘 다'라는 의미를 나타내는 상관접속사이다.
8 **해설** » not *A* but *B*는 'A가 아니라 B'라는 의미를 나타내는 상관접속사이다.

B **해설** » (A) 동사 shows는 that이 이끄는 절을 목적어로 취한다. (B) 문맥상 '낯선 사람이 그 이름을 부를 때'라는 의미이므로 접속사 when이 적절하다. (C) either *A* or *B*는 'A 또는 B'라는 의미이다.
해석 » 애완동물은 자신들의 이름을 알고 있을까? 그렇다. 한 연구는 애완동물이 그들의 이름과 비슷하게 소리 나는 단어들과의 차이점을 안다는 것을 보여 준다. 애완동물은 낯선 사람이 그들의 이름을 부를 때조차도 그것을 알아듣는다. 과학자들은 애완동물이 주인으로부터 칭찬이나 대접을 받기 위해서 그들의 이름을 듣는 것을 배운다고 생각한다. 그렇다면 왜 가끔 당신의 고양이는 이름이 불려도 오지 않는가? 고양이가 이름을 듣지 못했거나 당신을 무시하고 있기 때문이다!

READING 1 ~ 수능유형

• 본문 080~083쪽

More & More

1 ②
1 Since / 이 섬들은 지도처럼 보이기 때문에 '세계'라는 이름이 붙여졌다.
2 ④

2 ④
1 but / 날씨는 춥지 않지만, 바람이 거세다.
2 ⑤

3 ⑤
1 but / 엄마는 나에게 쿠키 한 다스를 위한 조리법을 주셨지만 여섯 다스를 만들어 달라고 내게 부탁하셨다.
2 ①

Summing Up

수능유형 ③
1 결승선을 넘도록 함 2 꼴찌로 마친 경주

1

● 본문 080쪽

답 ②

❶Off the coast of Dubai, / there are / 300 man-made islands. ❷Since the islands looked like a map, / they / were named / "The World." ❸At one time, / they / were / a success of engineering. ❹Today, / they / can only be called / a failure. ❺The islands / were designed / for expensive homes and hotels. ❻Millionaires / were invited / to buy islands / named after countries. ❼When the islands were first built, / sand in the Gulf of Oman / was moved / to build the islands. ❽Today, / the islands / are sinking / into the sea. ❾The builders / did not expect / the islands / to slide into the sea. ❿They / are now disappearing.

(there are+복수명사 ~: ~들이 있다 / 종속접속사(이유: ~이기 때문에) / look like: ~처럼 보이다 / = the islands / 수동태 / 〈주제문〉 / = the islands / = the islands / 수동태 / 전치사 (용도) / to부정사의 부사적 용법(목적) / name after: ~의 이름을 따다 / 종속접속사(시간: ~할 때) / 주어 / 수동태 / to부정사의 부사적 용법(목적) / = the islands)

두바이 해안에는 / ~이 있다 / 300개의 인공 섬들이 / 이 섬들은 지도처럼 보이기 때문에 / 그것들은 / 이름이 붙여졌다 / '세계'라는 / 한때 / 그것들은 / ~이었다 / 공학의 성공 / 오늘날 / 그것들은 / 그저 ~이라 불릴 수 있다 / 실패라고 / 그 섬들은 / 설계되었다 / 비싼 주택과 호텔 용도로 / 백만장자들은 / 초대되었다 / 섬들을 구입하도록 / 국가들의 이름을 딴 / 섬들이 처음 지어졌을 때 / 오만만의 모래는 / 이동되었다 / 그 섬을 건설하기 위하여 / 오늘날 / 이 섬들은 / 가라앉고 있다 / 바닷속으로 / 건설업자들은 / 예상하지 못했다 / 그 섬들이 / 바다로 미끄러질 것이라고 / 그것들은 / 지금 사라지고 있다

글의 구조 분석

도입
❶❷❸ 두바이 해안의 인공 섬 'The World'에 대한 소개

↓

세부 정보
❹❺❻❼ 현재 위상, 설계 목적 및 구매자, 건설 방법에 대한 구체적인 설명

↓

현재 상황
❽❾❿ 섬들이 가라앉으면서 사라지고 있는 'The World'

해석

❶ 두바이 해안에는 300개의 인공 섬이 있다. ❷ 이 섬들은 지도처럼 보이기 때문에 '세계'라는 이름이 붙여졌다. ❸ 한때, 그것들은 공학의 성공이었다. ❹ 오늘날, 그것들은 실패라고만 불릴 수 있다. ❺ 그 섬들은 비싼 주택과 호텔 용도로 설계되었다. ❻ 백만장자들은 국가들의 이름을 딴 섬들을 구입하도록 초청되었다. ❼ 섬들이 처음 지어졌을 때, 오만만의 모래가 섬을 짓기 위해 이동되었다. ❽ 오늘날, 이 섬들은 바다 속으로 가라앉고 있다. ❾ 건설업자들은 그 섬들이 바닷속으로 가라앉을 것이라고 예상하지 못했다. ❿ 그것들은 지금 사라지고 있다.

해설

빈칸이 있는 문장 앞에서 두바이 해안의 인공 섬에 대한 설명과 함께 한때 그것이 '성공'이었다고 한 반면, 빈칸 다음 문장에서 섬들이 만들어진 과정과 더불어 이제 섬들이 바다로 가라앉고 있는 부정적인 상황에 대해 설명하고 있다. 따라서 빈칸에 들어갈 말로 가장 적절한 것은 ② '실패'이다.

오답 노트

① 계획 ➡ 섬에 관한 계획에 대해서는 언급되지 않아 빈칸에 적절하지 않다.
③ 제국, ⑤ 우주 ➡ 섬의 이름 'The World'와 연관되어 답으로 헷갈릴 수 있으나, 섬의 공학적 성공 이후 섬이 가라앉고 있는 '실패'에 관한 글이므로 빈칸에 적절하지 않다.
④ 승리 ➡ 공학의 '성공'이었다는 언급을 보고 답으로 착각할 수 있지만, 빈칸이 있는 문장은 Today로 시작하면서 부정적인 현 상황에 관한 문장이므로 적절하지 않다.

구문 해설

❷ **Since** the islands looked like a map, they **were named** "The World."
since는 '이유'를 나타내는 종속접속사로 부사절을 이끌고 있으며, 주절의 동사 were named는 수동태로 쓰였다.

❻ Millionaires were invited to buy islands **named after countries**.
named after countries는 과거분사구로 바로 앞의 명사 islands를 수식하는 형용사구 역할을 하는데, 바로 앞에 〈관계대명사+be동사〉 형태인 which were가 생략되었다고 볼 수 있다.

❾ The builders did not **expect the islands to slide** into the sea.
expect the islands to slide는 〈불완전 타동사+목적어+목적격보어(to부정사)〉 형태의 5형식 구문이다.

More & More

2 백만장자들은 국가들의 이름을 딴 섬들을 구입하도록 초대받았다. 즉, 백만장자들의 이름을 따서 지은 섬이 아니므로 글의 내용과 일치하지 않는 것은 ④이다.

답 ④

〈주제문〉

❶Tristan da Cunha / is / one of the most isolated islands / on Earth.
one of the 최상급+복수명사: 가장 ~한 것들 중 하나
Tristan da Cunha는 ~이다 가장 고립된 섬들 중 하나 지구상에서

❷It / is / in the middle of the Atlantic Ocean. ❸The weather / is not cold, /
= Tristan da Cunha
그것은 있다 대서양 한가운데에 날씨는 춥지 않다

but / the winds / are / strong. ❹There are / a lot of ocean birds. ❺About
등위접속사(역접)
그러나 바람이 ~이다 거센 ~이 있다 많은 바다 새들이 약 300명의

300 people / live / on Tristan da Cunha, / and / they / share / only eight
등위접속사 = about 300 people
사람들이 산다 Tristan da Cunha에 그리고 그들은 공유하고 있다 단지 8개의

family names. ❻They / are / the families of the people / who came to the
성(性) = about 300 people 주격 관계대명사
성만을 그들은 ~이다 사람들의 가족 섬에 온

island / in 1816. ❼ They / speak / English. ❽Most people / are / farmers or
= about 300 people
1816년에 그들은 말한다 영어를 대부분의 사람들은 ~이다 농부나 어부들

fishermen. ❾There is no / airport, / and / ships / only visit / a few times / a
= per
~이 없다 공항이 그리고 배는 겨우 방문한다 몇 번 1년에

year. ❿In the past, / it was hard / for the people on the island / to
가주어 의미상 주어
과거에는 힘들었다 섬에 있는 사람들이

communicate / with the rest of the world. ⓫Now, / however, / they / have /
진주어 = the people on the island
연락을 주고받는 것이 나머지 세계 사람들과 지금은 그러나 그들은 가지고 있다

telephones and the Internet.
전화와 인터넷을

글의 구조 분석

도입부
❶Tristan da Cunha 섬 소개

↓

세부 정보1
❷❸❹❺❻❼❽❾날씨, 생물, 주민, 언어, 직업, 교통편에 대한 설명

↓

세부 정보2
❿⓫과거의 통신 상황 및 개선된 현재 통신 상황 비교

해석

❶Tristan da Cunha는 지구상에서 가장 고립된 섬들 가운데 하나이다. ❷그것은 대서양 한가운데에 있다. ❸날씨는 춥지 않지만, 바람이 거세다. ❹바다 새들이 많이 있다. ❺약 300명의 사람들이 Tristan da Cunha에 살고 있으며, 그들은 단지 8개의 성만을 공유하고 있다. ❻그들은 1816년에 섬에 온 사람들의 가족이다. ❼그들은 영어를 말한다. ❽대부분의 사람들은 농부이거나 어부들이다. ❾공항도 없고, 배도 1년에 고작 몇 번만 온다. ❿과거에는 섬에 사는 사람들이 세상 사람들과 연락을 주고받는 것이 힘들었다. ⓫하지만 지금은 전화와 인터넷을 가지고 있다.

해설

There is no airport, and ships only visit a few times a year. (공항이 없고, 배도 1년에 고작 몇 번만 온다.)를 통해 답을 알 수 있다. 따라서 글의 내용과 일치하지 않는 것은 ④이다.

오답 노트

① 춥지는 않지만 바람이 강하다. ➡ The weather is not cold, but the winds are strong.
② 대략 300명의 사람들이 거주한다. ➡ About 300 people live on Tristan da Cunha, ~.
③ 주민들이 사용하는 언어는 영어다. ➡ They speak English.
⑤ 요즘은 전화와 인터넷이 있다. ➡ Now, however, they have telephones and the Internet.

구문 해설

❻They are the families of the people **who came to the island in 1816**.
who came to the island in 1816은 주격 관계대명사 who가 이끄는 형용사절로 앞의 선행사 the people을 꾸며 준다.

❿In the past, **it** was hard **for the people** on the island **to communicate** with the rest of the world.
〈가주어-진주어〉 구문으로, it은 가주어, for the people은 의미상 주어, to communicate가 진주어로 쓰였다. 해석은 '(의미상 주어)가 (to부정사)하는 것은 ~하다'처럼 하며, 이때 가주어 it은 '그것'으로 해석하지 않는다. 전치사구 on the island는 앞의 명사 the people을 꾸며 준다.

More & More

2 섬에 연결된 교통편은 배만 있다고 했는데, 소요 시간에 대한 언급은 없으므로 윗글을 통해 대답할 수 없는 질문은 ⑤ 'Tristan da Cunha까지 배로 얼마나 걸리는가?'이다.

3

● 본문 082쪽

답 ⑤

❶For me, / math / was / only a school subject. ❷However, / I / changed / my mind / about math / last month / when my mom asked me to bake cookies for a big party. ❸My mom / gave / me / her recipe / for a dozen cookies, / but / she / asked / me / to make / six dozen. ❹I / tried, / but / the cookies / turned out / as hard as rocks / and / tasted awful. ❺Suddenly, / I / realized / that I made a mistake / in my calculation! ❻So, / this time, / before I started baking again, / I / wrote down / my calculations / to determine / the right amount of ingredients. ❼As a result, / math / helped / me / bake / the perfect chocolate cookies.

내게 / 수학은 / ~이었다 / 그저 학교 과목 / 그러나 / 나는 바꿨다 / 내 생각을 / 수학에 대한 / 지난달에 / 엄마가 나에게 큰 파티를 위한 쿠키를 구워 달라고 부탁하셨을 때 / 엄마는 / 주셨다 / 내게 / 그녀의 조리법을 / 1다스(12개)의 쿠키용 / 그러나 / 그녀는 / 부탁했다 / 나에게 / 만들어 줄 것을 / 6다스(72개)를 / 나는 노력했다. / 그러나 / 쿠키들은 / ~이 되었다 / 바위처럼 단단하게 / 그리고 / 끔찍한 맛이 났다 / 갑자기 / 나는 / 깨달았다 / 내가 실수했다는 것을 / 계산에서 / 그래서 / 이번에는 / 다시 굽기 시작하기 전에 / 나는 / 적었다 / 내 계산(식)을 / 정하는 / 재료의 적당한 양을 / 그 결과 / 수학은 / 도움을 주었다 / 내가 / 굽는 데 / 완벽한 초콜릿 쿠키를

- when: 종속접속사(시간: ~할 때)
- asked me to bake: 동사+목적어+목적격보어(to부정사)
- gave: 수여동사
- for a dozen: 전치사(용도)
- as hard as rocks: 원급 비교
- tasted awful: 감각동사+형용사(보어)
- made a mistake — make a mistake: 실수하다
- before: 종속접속사(시간: ~하기 전에)
- baking: 동명사(started의 목적어)
- 〈주제문〉
- to determine: to부정사의 형용사적 용법
- As a result: 그 결과로
- helped / me / bake: 준사역동사+목적어+목적격보어(원형부정사)

* ingredient: 재료

글의 구조 분석

문제 제기
❶단지 학교 과목일 뿐이었던 수학에 대한 글쓴이의 생각

↓

인식 변화 계기
❷쿠키를 구워 달라는 엄마의 부탁으로 인해 수학에 대한 생각이 바뀌게 됨

↓

수학의 필요성 인식 1
❸❹쿠키를 제대로 굽는 것에 실패한 글쓴이

↓

수학의 필요성 인식 2
❺❻쿠키를 굽는 과정에서 계산 실수가 있었음을 깨닫고, 굽기 전에 식을 적어 가며 정확한 재료의 양을 계산한 글쓴이

↓

결과
❼수학으로 인해 완벽한 초콜릿 쿠키를 굽는 데 도움을 얻은 글쓴이

해석

❶내게, 수학은 단지 학교의 과목일 뿐이었다. ❷그러나 지난달에 엄마가 나에게 큰 파티에 쓸 쿠키를 구워 달라고 했을 때 나는 수학에 대한 생각을 바꿨다. ❸엄마는 나에게 쿠키 12개(1다스)를 만드는 조리법을 주셨지만, 나에게 72개(6다스)를 만들어 달라고 내게 부탁하셨다. ❹나는 노력했지만, 쿠키들은 바위처럼 딱딱해졌고 맛이 끔찍했다. ❺갑자기, 나는 내가 계산에서 실수했다는 것을 깨달았다. ❻그래서 이번에 나는 다시 굽기 전에 적당한 재료의 양을 결정하기 위해 내 계산식을 적었다. ❼그 결과, 수학은 내가 완벽한 초콜릿 쿠키를 굽는 데 도움을 주었다.

해설

⑤의 앞에서는 계산에서 실수했다고 했고, ⑤의 뒤에서 수학이 완벽한 초콜릿 쿠키를 굽는 것을 도와주었다고 했다. 따라서 '그래서 이번엔 다시 굽기 전에 적당한 재료의 양을 정하기 위해 계산을 써 내려갔다.'라는 의미의 주어진 문장이 들어가기에 가장 적절한 곳은 ⑤이다.

오답 노트

①, ② ➡ 앞의 문장이 접속사 So가 이끄는 문장의 원인에 해당되지 않으므로 주어진 문장이 들어가기에 어색하다.

③, ④ ➡ 주어진 문장은 글쓴이가 빵 굽기에 실패한 후 깨달은 것을 실천한 내용이므로 주어진 문장이 들어가기에 어색하다.

구문 해설

❸My mom gave me her recipe for a dozen cookies, but she **asked me to make** six dozen.

asked me to make는 〈동사+목적어+목적격보어(to부정사)〉 형태의 5형식 문장으로, 이와 같이 목적격보어로 to부정사를 갖는 동사는 tell, want, advise, allow 등이다.

❼As a result, math **helped** me **bake** the perfect chocolate cookies.

준사역동사 help가 쓰인 문장에서 목적격보어 자리에 to부정사와 원형부정사 둘 다 올 수 있다.

More & More

2 쿠키 굽기라는 실제 생활에 적용 가능한 사례를 통해 수학이 단지 교과목에 지나지 않는 것이 아니라 실용성이 있다고 생각하게 되었다. 그러므로 글쓴이가 수학에 대한 생각을 바꾼 이유로 가장 적절한 것은 ①이다.

답 ③

❶ Meghan Vogel / was / tired. ❷ She / had just won / the state championship / in the 1,600-meter race. ❸ She / was / so exhausted / afterward / that she was in last place / during the next 3,200-meter race. ❹ As she came close to the finish line, / the runner in front of her, Arden McMath, / fell to the ground. ❺ She stopped / and / helped / McMath / get up. ❻ Together, / they walked / the last 30 meters. ❼ Vogel / guided / her / to the finish line. ❽ And then / she / gently pushed / McMath / across the finish line, / just ahead of Vogel herself. ❾ "If you work hard, / you / deserve / to finish," / she said. ❿ Later, / Vogel's hometown / held / a parade / in her honor. ⓫ It / wasn't / because of the race / she won. ⓬ It / was / because of the race / where she finished last.

(had just won: 과거완료 / so ~ that: 매우 ~해서 …하다 / As: 종속접속사(시간: ~ 할 때) / the runner in front of her, Arden McMath: 동격 관계 / helped McMath get up: 준사역동사+목적어+목적격보어(원형부정사) / ahead of: ~의 앞에서(공간, 시간상으로) / herself: 재귀대명사(강조) / If: 종속접속사(조건: ~이라면) / her = Vogel's / It: 앞 문장 전체 / because of+구: ~ 때문에 / race (which) she won / where: 관계부사(the race가 선행사))

Meghan Vogel은 ~이었다 피곤한 / 그녀는 막 우승했다 주 선수권 대회 1,600미터 경주에서 / 그녀는 ~였다 너무 기진맥진해서 그 후에 그녀는 꼴찌였다 다음 3,200미터 경주 동안 / 그녀가 결승선에 가까워졌을 때 그녀 앞의 주자인 Arden McMath가 넘어졌다 / 그녀는 멈췄다 그리고 도왔다 McMath가 일어나는 것을 / 함께 그들은 걸었다 마지막 30미터를 / Vogel은 이끌었다 그녀를 결승선까지 / 그리고 그 다음 그녀는 부드럽게 밀었다 McMath를 결승선 너머로 자신 바로 앞에서 / 열심히 운동한다면 너는 자격이 있어 마무리할 그녀는 말했다 / 나중에 Vogel의 고향은 열었다 퍼레이드를 그녀에게 경의를 표하여 / 그것은 ~이 아니었다 경주 때문 그녀가 이겼던 / 그것은 ~이었다 경주 때문 그녀가 꼴찌로 마쳤던

글의 구조 분석

사건 배경
❶❷ 주 선수권 대회 1,600미터 경주에서 우승한 Meghan Vogel 소개

↓

사건 전개
❸❹❺❻❼❽❾ 3,200미터 경주에서 꼴찌로 달리던 Vogel이 넘어진 바로 앞의 주자 Arden McMath가 완주하도록 도와줌

↓

결말
❿⓫⓬ Arden McMath를 도와준 Vogel을 위해 고향에서 퍼레이드를 열어 줌

해석

❶ Meghan Vogel은 피곤했다. ❷ 그녀는 주 선수권 대회의 1,600미터 경주에서 막 우승했다. ❸ 그녀는 그 후 너무 기진맥진해서 다음 경주인 3,200미터 경주 동안 꼴찌였다. ❹ 그녀가 결승선에 가까워졌을 때, 그녀 앞의 주자인 Arden McMath가 바닥에 넘어졌다. ❺ 그녀는 멈춰서 McMath가 일어나는 것을 도와주었다. ❻ 함께 그들은 마지막 30미터를 걸었다. ❼ Vogel은 그녀를 결승선까지 이끌었다. ❽ 그리고 그 후 Vogel은 자신 바로 앞에서 McMath가 결승선을 넘도록 부드럽게 밀었다. ❾ "열심히 운동한 거라면, 마무리할 자격이 있어."라고 그녀는 말했다. ❿ 나중에 Vogel의 고향은 그녀에게 경의를 표하여 퍼레이드를 했다. ⓫ 그것은 그녀가 우승한 경주 때문이 아니었다. ⓬ 그것은 그녀가 꼴찌로 마쳤던 경주 때문이었다.

해설

①, ②, ④, ⑤는 Meghan Vogel을 가리키지만, ③은 바로 앞 문장에서 언급된 Arden McMath를 가리킨다.

오답 노트

① ➡ her는 3,200미터 경주에서 꼴찌로 달리던 Meghan Vogel을 가리킨다.
② ➡ 자기 앞에서 넘어진 Arden McMath를 보고 멈췄으므로 she는 Meghan Vogel을 가리킨다.
④ ➡ 고향에서 Meghan Vogel을 축하하기 위해 퍼레이드를 해 준다고 했으므로 her는 Meghan Vogel을 가리킨다.
⑤ ➡ Meghan Vogel이 꼴찌로 마친 경주 때문이므로 she는 Meghan Vogel을 가리킨다.

구문 해설

❸ She was **so exhausted afterward that** she was in last place during the next 3,200 meters.
so exhausted that ~은 '매우 지쳐서 …하다'라는 의미이며 so ~ that 구문이 쓰인 문장이다.

⓬ It was because of the race **where she finished last.**
where she finished last는 형용사 역할을 하는 관계부사절로 where가 이끄는 문장은 바로 앞의 the race를 꾸며 준다.

UNIT 10

비교해 보니 내가 최고지!

CHECK BY CHECK

• 본문 087쪽

A **1** 가능한 한 빨리 내게 다시 전화해 주세요. **2** 그 의자는 그 소파만큼 편하다. **3** 나의 형의 침실은 내 침실의 2배만큼 크다. **4** 그는 다른 사람들보다 세 배 더 많은 돈을 번다. **5** 그녀는 나에게 가장 최악의 충고를 해 주었다. **6** Cathy는 우리 학교에서 가장 인기 있는 학생이다. **7** 더 많이 가지면 가질수록, 더 많이 원한다. **8** 매년 점점 더 더워진다. **B** ③

A **1** 해설 » as soon as possible: 가능한 빨리
2 해설 » as+원급+as: …만큼 ~한
3 해설 » twice as big as: ~의 2배만큼 큰
4 해설 » three times more ~ than: …보다 세 배 더 ~한
5 해설 » the+최상급: 가장 ~한
6 해설 » the most+원급(최상급): 가장 ~한
7 해설 » the+비교급 ~, the+비교급 ...: ~하면 할수록 더 …한
8 해설 » 비교급+and+비교급: 점점 더 ~한

B 해설 » (A) as~as는 원급비교 구문이므로 원급 형태인 bad를 써야 한다. (B) safe의 최상급 형태는 safest이다. (C) 'than to get unnaturally energized'가 있는 비교급 구문이므로 비교급 형태인 better를 써야 한다.
해석 » 과유불급이라는 속담이 있다. 한 연구는 너무 많은 에너지 음료를 마시는 것은 당신의 심장에 무리를 주어 당신을 병원에 보낼 수 있다는 것을 보여 준다. 그것은 또한 당신을 졸리게 느끼도록 만들어서 당신은 일에 집중할 수 없을지도 모른다. 에너지 음료는 당신의 몸에 가장 안전한 선택이 아니다. 부자연스럽게 기운을 차리는 것보다 피곤할 때 쉬는 것이 더 좋다.

READING

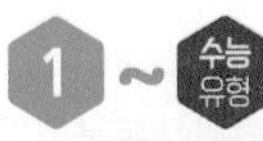

• 본문 088~091쪽

More & More

1 ③
1 larger / 그의 옷 사이즈는 평균 옷 사이즈보다 더 컸다.
2 normal-sized, 8 feet 11.1 inches

2 ⑤
1 bigger / 그것은 더 크게 자라기 위해 햇빛을 흡수하며 씨앗을 만든다.
2 ④

3 ④
1 More surprisingly / 더 놀랍게도, 그들 중 누구도 칫솔을 사용한 적이 없었다!
2 ③

Summing Up

수능유형 ②
1 400만 2 항공사 CEO 3 충실한 고객

1

답 ③

〈주제문〉
❶ Robert Pershing Wadlow / is listed / by Guinness World Records / as the tallest person / who ever lived. ❷ He / was born / in 1918 / in Alton, Illinois / in the United States. ❸ When he was born, / he / was just / a normal-sized baby. ❹ He / grew up / quickly, / and / at age 13, / he / was / already 7 feet 4 inches tall, / and / weighed / 270 pounds. ❺ His clothing size / was larger than / the average clothing size. ❻ So / he / needed / custom clothing, / and / his feet / became large / enough to wear / size 19 shoes. ❼ His full height / reached / 8 feet 11.1 inches tall.

(수동태: is listed / 최상급 표현: the tallest person / 주격 관계대명사: who / be born: 태어나다 / 전치사(특정 지명 앞): in / 접 ~할 때(시간): When / 보통 크기의: normal-sized / 비교급+than: ~보다 더 …한 / 접 그래서(결과): So / enough to부정사: ~만큼 충분히 …한)

Robert Pershing Wadlow는 / 등재되었다 / 기네스 세계 기록에 / 가장 키가 큰 사람으로 / 지금까지 살았던 / 그는 / 태어났다 / 1918년에 / Illinois 주 Alton에서 / 미국에 있는 / 그가 태어났을 때 / 그는 / 단지 ~였다 / 보통 크기의 아기 / 그는 / 자랐다 / 빨리 / 그리고 / 13세에 / 그는 / ~였다 / 이미 키가 7피트 4인치(223.5cm)였다 / 그리고 / 무게에 달했다 / 270파운드(122.5kg)의 / 그의 옷 사이즈는 / ~보다 더 컸다 / 평균적인 옷 사이즈 / 그래서 그는 / 필요했다 / 맞춤옷이 / 그리고 / 그의 발은 / 커졌다 / 신을 만큼 / 신발 19사이즈(370cm) / 그의 전체 키는 / ~에 달했다 / 8피트 11.1인치(272cm)에

글의 구조 분석

도입
❶ 세계에서 가장 키가 큰 사람으로 기네스 세계 기록에 등재된 Robert Pershing Wadlow

↓

세부 설명1
❷❸❹ 미국, Illinois 주 Alton 태생으로 태어났을 때는 보통 크기의 아기였지만, 빨리 자라 13세에 이미 키가 7피트 4인치(223.5cm)였고, 몸무게는 270파운드(122.5kg)였음

↓

세부 설명2
❺❻ 그는 기성복이 맞지 않아 맞춤옷이 필요했고, 발 사이즈도 19사이즈(370cm) 신발을 신을 만큼 컸음

↓

세부 설명3
❼ 전체 키가 8피트 11.1인치(272cm)에 달한 Robert Pershing Wadlow

해석

❶ Robert Pershing Wadlow는 기네스 세계 기록에 지금까지 살았던 사람들 중 가장 키가 큰 사람으로 등재되었다. ❷ 그는 1918년 미국 Illinois 주 Alton에서 태어났다. ❸ 태어났을 때 그는 고작 보통 크기의 아기였다. ❹ 그는 빨리 자라서 13세에 이미 키가 7피트 4인치(223.5cm)였고, 몸무게는 270파운드(122.5kg)였다. ❺ 그의 옷 사이즈는 평균 옷 사이즈보다 컸다. ❻ 그래서 그에겐 맞춤옷이 필요했고, 그의 발은 19사이즈(370cm) 신발을 신을 만큼 커졌다. ❼ 그의 전체 키는 8피트 11.1인치(272cm)에 달했다.

해설

When he was born, he was just a normal-sized baby.를 통해 Robert Pershing Wadlow가 태어날 때는 보통 크기의 아기였다는 것을 알 수 있다. 따라서 글의 내용과 일치하지 않는 것은 ③이다.

오답 노트

① Guinness World Records에 올라 있다. ➡ Robert Pershing Wadlow is listed by Guinness World Records ~.
② 1918년에 Illinois에서 태어났다. ➡ He was born in 1918 in Alton, Illinois in the United States.
④ 13살에 몸무게가 270파운드였다. ➡ ~ at age 13, he was already 7 feet 4 inches tall, and weighed 270 pounds.
⑤ 키가 8피트 11.1인치까지 자랐다. ➡ His full height reached 8 feet 11.1 inches tall.

구문 해설

❶ Robert Pershing Wadlow is listed by Guinness World Records as **the tallest** person **who ever lived**.
최상급 구문은 세 개 이상의 대상을 비교할 때 사용하는데, 「the+형용사/부사+-est」 또는 「the+most+형용사/부사」의 형태로 만든다. who는 주격 관계대명사로 관계사절 내에서 주어 역할을 하며, 뒤에 주어가 없는 불완전한 절이 온다.
❺ His clothing size was **larger** than the average clothing size.
비교급 구문은 두 개의 대상을 비교할 때 사용하며, 비교급은 형용사나 부사 뒤에 -er를 붙여 만드는데 대부분의 2음절 이상의 형용사는 〈more+원급〉 형태로 만든다.

More & More

2 Robert Pershing Wadlow가 태어났을 때는 보통 크기의 아이였으나 8피트 11.1인치까지 자랐다고 했다. 따라서 빈칸에 들어갈 말로 가장 적절한 것은 각각 normal-sized와 8 feet 11.1 inches이다.

2

• 본문 089쪽

탑 ⑤

〈주제문〉
❶Our world / is / a collection / of all kinds of ecosystems. ❷An ecosystem / is / a community / of all the living things, their habitats, and the climate. ❸Everyone / in these communities / shares / food and natural resources. ❹Ecosystems / can be / as big as the whole world. ❺They / can be / as tiny as a rock, / too. ❻A tree / is / a great example / of an ecosystem. ❼It / provides / a habitat / for small animals, birds, and insects. ❽It / provides / shade / for plants / on the ground. ❾It / drinks / in sunlight / to grow bigger / and / makes / seeds. ❿The small animals and birds / eat / its seeds / and / scatter them around. ⓫And when it dies, / it / becomes / a part of the ground / again.

우리의 세계는 / ~이다 / 집합체 / 모든 종류의 생태계의 (all kinds of: 모든 종류의)
생태계는 / ~이다 / 공동체 / 모든 생물, 그들의 서식지, 그리고 기후의 (나열할 때 and는 맨 마지막에 배열 (A, B, and C))
모든 사람들은 / 이 지역 사회의 (전치사구) / ~을 공유한다 (주어 everyone은 단수 취급) / 음식과 천연자원
생태계는 / ~일 수 있다 / 전 세계만큼 큰 (~만큼 큰 (원급 비교))
그것들은 (= ecosystems) / ~일 수 있다 / 바위만큼 작은 (~만큼 조그마한 (원급 비교)) / 또한
나무는 / ~이다 / 좋은 예 / 생태계의
그것은 (= a tree) / 제공한다 / 서식지를 / 작은 동물, 새, 곤충들을 위한
그것은 (= a tree) / 제공한다 / 그늘을 / 식물들을 위한 / 땅에 있는
그것은 (= a tree) / 흡수한다 / 햇빛을 / 더 크게 자라기 위해 (to부정사의 부사적 용법(목적), 형용사의 비교급) / 그리고 / 만든다 (주어 it의 동사) / 씨앗을
작은 동물들과 새들이 / 먹는다 / 그것의 씨앗들을 (= a tree's) / 그리고 / 그것들을 (= its seeds) 여기저기 뿌린다
그리고 그것이 (= the tree) 죽으면 /
그것은 (= the tree) / ~이 된다 / 땅의 일부가 / 다시

* habitt: 서식지, 거주지

글의 구조 분석

주제문
❶세상은 모든 종류의 생태계의 집합체

↓

부연 설명
❷❸❹❺세상은 다양한 종류와 크기의 생태계로 이루어져 있고, 생태계는 공동체임

↓

뒷받침 – 예시
❻❼❽❾❿⓫생태계의 한 예인 나무가 서식지가 되고 햇빛을 받아 씨앗을 만들고, 다시 땅으로 돌아가는 생태계의 순환에 관한 설명

해석

❶우리의 세계는 온갖 종류의 생태계의 집합체이다. ❷생태계는 모든 생물, 그들의 서식지, 그리고 기후의 공동체이다. ❸이 지역 사회의 모든 사람들은 음식과 천연자원을 공유한다. ❹생태계는 전 세계만큼 클 수 있다. ❺생태계는 또한 바위만큼 아주 작을 수도 있다. ❻나무는 생태계의 좋은 예이다. ❼그것은 작은 동물, 새, 곤충들을 위한 서식지를 제공한다. ❽그것은 땅에 있는 식물을 위해 그늘을 제공한다. ❾그것은 더 크게 자라기 위해 햇빛을 흡수하며 씨앗을 만든다. ❿작은 동물들과 새들이 그 씨앗들을 먹고 여기저기 뿌린다. ⓫그리고 그것이 죽으면 다시 땅의 일부가 된다.

해설

빈칸에는 생태계의 한 예에 해당하는 단어가 들어가야 하는데, 빈칸이 있는 문장 다음에 그것이 하는 생태계 활동을 구체적으로 설명하고 있다. 즉, 그것은 작은 동물, 새, 곤충들을 위한 서식지를 제공하고, 땅에 있는 식물을 위해 그늘을 제공한다. 또한 햇빛을 받아 더 크게 자라고, 씨앗을 만들어 내어 작은 동물들과 새들이 먹고 여기저기 뿌린다고 했다. 따라서 빈칸에 가장 적절한 것은 ⑤ '나무'이다.

오답 노트

① 구름 ➡ 구름의 현상에 관해서는 본문에 언급되지 않았다.
② 사막 ➡ 동식물의 서식지가 될 수는 있지만, 성장하여 씨앗을 만들지는 않으므로 빈칸에 적절하지 않다.
③ 둥지 ➡ birds가 언급되어 답으로 혼동할 수 있지만 식물을 위한 그늘을 제공하지는 못하므로 빈칸에 적절하지 않다.
④ 강 ➡ 강에 대한 내용은 본문에 언급되지 않았다.

구문 해설

❹Ecosystems can be **as big as** the whole world.
as big as는 원급 비교 형태로 '…만큼 큰'이란 의미를 나타낸다.
❾It **drinks** in sunlight to grow **bigger** and **makes** seeds.
주어 It은 a tree를 지칭하는 3인칭 단수 주어로 3인칭 단수 현재형 동사 drinks와 makes가 접속사 and로 병렬 구조로 연결되어 있다. bigger는 big의 비교급 형태이다.

More & More

2 4행에서 They can be as tiny as a rock, too.라고 했으므로 글의 내용과 일치하지 않는 것은 ④이다.

3

답 ④

❶Dr. Weston Price / was / a well-known dentist. ❷He / was traveling / to small villages / in the Swiss Alps. ❸He / found / that very few / of the people he examined / had tooth decay. ❹More surprisingly, / none of them / had ever used / a toothbrush! ❺After careful observation, / Dr. Price / found / that the key to their strong teeth / was in their food. ❻People in the village / ate / natural food, / and / it / did not contain / any colorings or sugar. ❼They / ate / a lot of vegetables, / and / drank / a lot of fresh milk and grain drinks / every day. ❽Their mineral and vitamin rich diet / helped / them / have / healthy teeth.

(was traveling: 과거진행 / that: 명사절을 이끄는 접속사 / very few: 극히 소수의(부정의 의미) / people he: whom(목적격 관계대명사) / More surprisingly: 더 놀랍게도 / none: 부정대명사: 아무도 ~ 않다 / had ever used: 과거완료 시제 / that the key to their strong teeth / was in their food: 동사 found의 목적어 역할을 하는 명사절 / it = natural food / and (they) drank / helped / them / have: 준사역동사+목적어+목적격보어(원형부정사))

Weston Price 박사는 ~였다 유명한 치과 의사 그는 여행하고 있었다 작은 마을을 스위스 알프스에 있는 그는 발견했다 극히 소수만이 자신이 연구한 사람들 중 충치를 앓고 있었다 더 놀랍게도 그들 중 아무도 사용한 적이 없었다 칫솔을 세심한 관찰 끝에 Price 박사는 발견했다 튼튼한 치아의 열쇠는 그들의 음식에 있었다는 것을 마을 사람들은 먹었다 천연 음식을 그리고 그 음식은 ~이 들어 있지 않았다 어떤 색소나 설탕도 그들은 먹었다 많은 채소를 그리고 마셨다 많은 신선한 우유와 곡물 음료를 매일 미네랄과 비타민이 풍부한 그들의 식단은 도움을 주었다 그들이 갖는 데 건강한 치아를

➡ ❾People / in the Swiss Alps / didn't have / tooth decay / because their food didn't include any colorings or sugar.

글의 구조 분석

도입
❶치과 의사 Weston Price 소개

↓

사건 전개
❷❸❹여행 중이던 Price 박사는 극히 소수의 스위스 알프스 사람들만 충치를 앓는다는 사실을 발견

↓

이유 설명
❺❻❼❽관찰을 통해 치아가 튼튼한 이유가 음식에 있음을 발견

해석

❶Weston Price 박사는 유명한 치과 의사였다. ❷그는 스위스 알프스의 작은 마을을 여행하고 있었다. ❸그는 자신이 검사한 사람들 중 극히 소수의 사람들만이 충치를 앓고 있다는 것을 발견했다. ❹더 놀랍게도, 그들 중 누구도 칫솔을 사용한 적이 없었다! ❺세심한 관찰 후에 Price 박사는 튼튼한 치아의 열쇠는 그들의 음식에 있다는 것을 발견했다. ❻마을 사람들은 자연 식품을 먹었고, 그 음식에는 어떤 색소나 설탕도 들어 있지 않았다. ❼그들은 채소를 많이 먹었고, 매일 신선한 우유와 곡물 음료를 많이 마셨다. ❽미네랄과 비타민이 풍부한 그들의 식단은 그들이 건강한 치아를 갖는 데 도움을 주었다.

해설

스위스 알프스 사람들이 '충치'가 없었던 이유는 그들이 먹는 음식에 색소나 설탕이 '포함되지' 않았기 때문이다. 따라서 요약문의 빈칸에 들어갈 말로 가장 적절한 것은 ④ '충치 - 포함하다'이다.

오답 노트

① 좋은 치과 의사 – 취하다 ② 건강한 치아 – 취하다
③ 건강한 치아 – 포함하다 ⑤ 충치 – 가져오다

구문 해설

❸He found **that very few of the people he examined had tooth decay.**

문장 전체의 동사는 found이고 that 이하의 절은 found의 목적어 역할을 하는 명사절이다. that절의 주어는 very few of the people이고 동사는 had이며, he examined는 바로 앞에 목적격 관계대명사 whom이 생략된 관계대명사절이다.

❹**More surprisingly**, none of them had ever used a toothbrush!

More surprisingly는 부사의 비교급 형태로 문장 전체를 수식한다.

❽Their mineral and vitamin rich diet **helped them have** healthy teeth.

helped them have는 〈준사역동사+목적어+목적격보어(원형부정사)〉의 5형식 구문으로, healthy teeth는 have의 목적어이다.

More & More

2 3행의 More surprsingly, none of them had ever used a toothbrush!에서 스위스 알프스 사람들은 칫솔을 거의 사용하지 않았다고 했다. 따라서 내용과 일치하지 않는 것은 ③이다.

• 본문 091쪽

답 ②

❶I / was / on a flight to Asia / and / I / met / a woman (who was) named Debbie.
나는 ~이었다 아시아로 향하는 비행 중 그리고 나는 만났다 Debbie라는 이름의 여성을

❷She (= Debbie) / was warmly greeted (수동태 표현) / by the flight attendants / and / even by the pilot.
그녀는 따뜻하게 인사를 받았다 승무원들에게 그리고 심지어 기장에게

❸I / was amazed (수동태 표현) by / the special treatment.
나는 ~에 놀랐다 특별한 대접

❹So (접 그래서(결과)) / I / asked / if (접 ~인지(명사절을 이끎)) she worked for the airline / but (등위접속사(역접)) / she / did not (work for the airline).
그래서 나는 물어보았다 그녀가 그 항공사에서 근무하는지를 그러나 그녀는 그렇지 않았다

❺They / gave / her / special treatment / because (접 ~ 때문에(이유)) this flight marked the point (which) she flew 4 million miles with the same airline.
그들은 주었다 그녀에게 특별한 대접을 이 비행이 그녀가 동일한 항공사로 400마일을 비행했던 점수를 나타내기 때문에

❻During (전 ~ 동안) the flight / I / learned / that the airline's CEO personally called her (learned의 목적어로 쓰인 명사절) / to thank her (to부정사의 부사적 용법(목적)) / for using (동명사(전치사의 목적어)) their service / for a long time / and / she / received / a catalogue / of fine luxury gifts / to choose from (to부정사의 형용사적 용법).
비행 동안에 나는 알았다 그 항공의 최고 경영자가 그녀에게 직접 전화를 걸었다는 것을 그녀에게 감사하기 위해 그들의 서비스를 이용해 준 것에 대해 오랫동안 그리고 그녀는 ~을 받았다 목록을 멋진 고급 선물들의 선택할

❼Debbie / was able to acquire / this most special (최상급) treatment / for one very important reason: / she / was / a loyal customer / to that (지시형용사) one airline.
Debbie는 받을 수 있었다 이러한 가장 특별한 대우를 한 가지 매우 중요한 이유 때문에 그녀는 ~이었다 충실한 고객 그 항공사에

글의 구조 분석

❶❷승무원과 기장에게 환대를 받은 Debbie

↓

❸❹Debbie가 환대받은 이유가 궁금했던 필자

↓

❺❻❼오랫동안 동일한 항공사를 이용해 온 충실한 고객이었던 Debbie와 그런 그녀에게 감사의 뜻을 전한 항공사 최고 경영자

해석

❶나는 아시아로 비행 중이었고, Debbie라는 이름의 한 여성을 만났다. ❷그녀는 승무원들과 심지어 기장에게조차 따뜻한 인사를 받았다. ❸나는 특별한 대우에 놀랐다. ❹그래서 나는 그녀가 그 항공사에 근무하는지 물어보았지만, 그녀는 그렇지 않았다. ❺이 비행이 그녀가 동일한 항공사로 400만 마일을 비행하는 점수를 기록했기 때문에 그들은 그녀에게 특별한 대우를 했다. ❻비행 동안에 나는 그 항공사의 최고 경영자가 그녀에게 직접 전화를 걸어 그녀가 오랫동안 그들의 서비스를 이용한 것에 감사했으며, 그녀가 선택할 수 있는 멋진 고급 선물 목록을 받았다는 것을 알았다. ❼Debbie는 한 가지 매우 중요한 이유 때문에 이러한 가장 특별한 대우를 받을 수 있었는데, 그것은 그녀가 그 항공사에 충실한 고객이었기 때문이다.

해설

빈칸이 있는 문장은 Debbie가 비행기에서 특별한 대우를 받았던 이유에 대한 내용인데, 그것은 바로 한 항공사의 서비스를 오랫동안 이용했기 때문임을 알 수 있다. 따라서 빈칸에 들어갈 말로 가장 적절한 것은 ② '충실한'이다.

오답 노트

① 용감한 ➡ Debbie가 비행기를 많이 탔다는 것만으로 확인할 수 없는 사실이다.
③ 불평하는 ➡ Debbie가 불평을 했다는 언급은 없었다.
④ 위험한 ➡ 본문에 위험에 대해 언급된 적이 없다.
⑤ 일시적인 ➡ 'for a long time(오랫동안)' 이용해 준 고객이었기 때문에 일시적이라고 할 수 없다.

구문 해설

❶I was on a flight to Asia and I met **a woman named** Debbie.
a woman과 named 사이에 〈관계대명사+be동사〉 형태인 who was가 생략되었다고 볼 수 있다.

❹So I asked **if** she worked for the airline but she did not.
접속사 if(whether)는 '~인지 아닌지'라는 뜻으로 명사절을 이끈다. if(whether)가 이끄는 명사절은 〈if(whether)+주어+동사〉 어순으로 쓴다.

UNIT 11

주제를 알아야 요지가 보인다!

CHECK BY CHECK

• 본문 095쪽

A sound[background music], food, taste / 배경 음악은 음식이 더 맛있게 느껴지도록 도울 수 있다. **B** ⑤

A 해설 》 도입부인 첫 문장을 통해 '배경 음악과 음식의 맛'이라는 중심 소재(주제)와 요지를 동시에 제시하는 글이다. 뒤에 이에 관한 연구와 이를 적용한 사례가 이어진다.

해석 》 소리는 음식이 더 맛있게 느껴지도록 도울 수 있다. Oxford 대학의 한 연구에 따르면, 사람들은 배경 음악에 따라 음식이 더 쓰거나 더 달다고 생각했다. 과학자들은 뇌에 무슨 일이 일어났고 왜 사람들이 그런 식으로 생각했는지 확신하지 못했다. 그러나 몇몇 회사들은 이미 음식 맛에 대한 소리의 효과를 실험하기 시작하고 있다. 예를 들어, 한 회사는 배경 음악을 이용해 너무 많은 설탕 없이도 커피가 단맛이 나게 하기를 원한다. 미래에 우리가 음식 맛을 더 낫게 하기 위해 음악을 고르게 될지 누가 알겠는가?

B 해설 》 도입부에서 심각한 플라스틱 오염이라는 중심 소재를 제시한 후, 플라스틱 오염이 인간에게 미치는 폐해와 해결 방안으로서 먹을 수 있는 음식 포장에 대해 설명하고 있다. 마지막 부분에 요지가 제시되어 있는데 '먹을 수 있는 음식 포장이 플라스틱 오염을 줄일 수 있다'라는 것이다.

해석 》 플라스틱 오염은 심각한 문제이다. 수백만 톤의 플라스틱이 바다로 버려지고 있고 해양 동물들이 그 쓰레기를 먹고 있다. 그 다음에 무슨 일이 일어나는지 추측할 수 있을 것이다. 그 쓰레기는 결국 우리의 배 속으로 들어간다. 많은 과학자들과 정부, 기업들은 플라스틱 제품을 줄이기 위해 협력하고 있다. 해결 방안 중에 하나가 먹을 수 있는 음식 포장이다. 당신은 밥 한 그릇으로 시작해서 디저트로 버섯으로 만든 그 그릇을 먹을 수 있다. 비슷하게, 수초로 만들어진 먹을 수 있는 물병도 있다. 우리는 미래에 플라스틱 오염을 줄이도록 돕는 먹을 수 있는 포장들이 더 많이 나오기를 희망한다.

READING 1 ~ 수능유형

• 본문 096~099쪽

More & More

1 ③ — 1 Do you play any sports?, What kinds of music do you listen to? / try to spend more time listening than talking about yourself 2 ⑤

2 ① — 1 vitamin D, healthy
2 ⑤

3 ② — 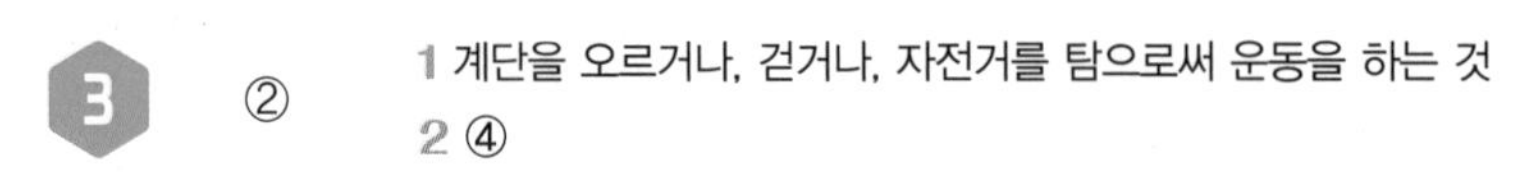
1 계단을 오르거나, 걷거나, 자전거를 탐으로써 운동을 하는 것
2 ④

Summing Up

수능유형 ④ — 
1 소유 2 5명 3 주차장 부족

답 ③

❶Being a good listener / is / the most important skill / for making new friends. ❷When you first meet someone, / try / to spend more time / listening / than talking about yourself.

(동명사 주어 / 잘 들어주는 것이 / 〈주제문〉 ~이다 / 최상급 / 가장 중요한 기술 / 새 친구를 사귀는 데 / 접 ~할 때(시간) / 당신이 누군가를 처음 만났을 때 / 노력하라 / spend+시간+동명사: ~하는 데 시간을 보내다 / 더 많은 시간을 보내려고 / 듣는 데 / 자신에 대해 이야기하기보다)

(B) ❸To do that, / just ask questions / to the other person.

(to부정사의 부사적 용법(목적) / 그러기 위해서는 / 그저 질문을 해라 / 상대방에게)

(C) ❹For example, / ask, / "Do you play any sports?" / or / "What kinds of music / do you listen to?"

(예를 들어 / 물어봐라 "너는 어떤 운동을 하니?" / 또는 / "어떤 종류의 음악을 / 너는 듣니?")

(A) ❺By asking these questions / rather than talking about yourself, / you / are showing / that you are interested / in the other person.

(by+동명사: ~함으로써 / 이런 질문을 함으로써 / ~보다는 / 자신에 대해 이야기하기보다 / be interested in: ~에 관심이 있다 / 당신은 / 보여 주는 것이다 / 당신이 관심이 있다는 것을 / 상대방에게)

글의 구조 분석

주제문
❶❷새 친구를 사귈 때 잘 들어주는 것이 중요한 기술임

↓

구체적 방법
❸상대방에게 질문을 할 것

↓

예시
❹상대방에게 할 질문의 예를 보여 줌

↓

결론
❺질문을 통해 상대방에 대한 관심을 보여 줄 수 있음

해석

❶잘 들어주는 것이 새 친구를 사귀는 데 가장 중요한 기술이다. ❷누군가를 처음 만났을 때, 자신에 대해 이야기하기보다 듣는 데 더 많은 시간을 보내려고 노력하라. (B) ❸그러기 위해서는 그저 상대방에게 질문을 해라. (C) ❹예를 들어, "너는 어떤 운동을 하니?" 또는 "어떤 종류의 음악을 듣니?"라고 물어봐라. (A) ❺자신에 대해 이야기하기보다 이런 질문을 함으로써 당신이 상대방에게 관심이 있다는 것을 보여 주는 것이다.

해설

주어진 글 후반부에서 자신의 이야기를 하기보다는 듣는 데 더 많은 시간을 보내라고 했다. (B)에 지시어인 that이 있는데, 주어진 글 후반부 내용이 that에 해당하므로 (B)가 주어진 글 다음에 이어지는 것이 자연스럽다. (C)에 구체적인 질문들의 예가 나오므로 (B) 뒤에 오는 것이 적절하다. 그리고 (A)에 these questions가 있으므로 '질문들'이 있는 (C) 다음에 (A)가 오는 것이 적절하다. 따라서 글의 순서로 가장 적절한 것은 ③ (B)-(C)-(A)이다.

오답 노트

① (A)-(C)-(B) ➡ (A)의 these questions가 주어진 글에 없다.
② (B)-(A)-(C) ➡ (B)가 주어진 글 다음에 이어지는 것은 자연스러우나 구체적인 질문 예시인 (C)보다 (A)가 먼저 오는 것은 흐름상 어색하다.
④ (C)-(A)-(B), ⑤ (C)-(B)-(A) ➡ (C)에서 질문의 예들을 보여 주고 있는데, 주어진 글에 질문에 관한 내용이 없다.

구문 해설

❶**Being a good listener** is **the most important skill** for making new friends.
Being a good listener는 동명사구 주어로서 단수 취급하기 때문에 단수 동사 is가 왔다. the most important skill은 주격보어로, 최상급 표현이다.

❺**By asking** these questions **rather than** talking about yourself, you are showing **that** you are interested in the other person.
〈by+동명사〉는 '~함으로써'의 의미이고 rather than은 '~보다는'의 의미이다. that ~ 이하의 명사절이 are showing의 목적어로 사용되었다.

More & More

1 these questions는 (C)에 있는 질문 두 개를 가리킨다. 주어진 글 바로 다음에 (B)가 오므로, that은 주어진 글의 후반부에 있는 try to spend more time listening than talking about yourself를 가리킨다.
2 글의 첫 문장에서 '잘 들어주는 것이 새 친구를 사귀는 데 가장 중요한 기술'이라고 했다. 그렇게 하기 위한 방법으로, 질문을 많이 던져 상대방에게 관심이 있다는 것을 보여 주면서 상대방의 말을 더 많이 들어주어야 한다고 했다. 따라서 글의 요지로 가장 적절한 것은 ⑤ '상대방의 말을 잘 들어주기 위해서는 질문을 하면 된다.'이다.

2

• 본문 097쪽

답 ①

〈주제문〉
❶ Without the Sun, / none of us would be / here. ❷ It / heats / our planet / to the right temperature. ❸ The planet / would freeze / if the Sun did not exist. ❹ The Sun / helps / plants / to grow. ❺ Plants / turn / light from the Sun / into energy. ❻ Without sunlight, / plants / would not live. ❼ It / is necessary / for our health / as well. ❽ The Sun / helps / our bodies / produce vitamin D. ❾ This / keeps / our bones, skin, and hair / healthy. ❿ It / gives / us / light. ⓫ The Sun / is really important / because it helps us / to see things. ⓬ Apart from electric lights and candles, / it / is / our only light source.

(none: 부정대명사 / our planet = Earth / if: 접 만약 ~한다면(가정) / turn A into B: A를 B로 바꾸다 / helps our bodies produce: 준사역동사 help+목적어+목적격보어(원형부정사) / This = vitamin D / keeps ~ healthy: 불완전 타동사+목적어+목적격보어(형용사) / gives us light: 수여동사+간접목적어+직접목적어 / because: 접 ~ 때문에(이유) / Apart from: ~을 제외하고)

태양이 없이 / 우리 중 누구도 없었을 것이다 / 여기 / 그것은 가열한다 / 우리 행성을 / 적정 온도로 / 행성은 / 얼어붙을 것이다 / 만약 태양이 존재하지 않는다면 / 태양은 / 돕는다 / 식물을 / 성장하도록 / 식물은 / 바꾼다 / 태양으로부터의 빛을 / 에너지로 / 햇빛이 없으면 / 식물은 / 살지 못할 것이다 / 그것은 / 필요하다 / 우리의 건강에 / 또한 / 태양은 / 돕는다 / 우리 몸을 / 비타민 D를 생성하도록 / 이는 / 유지시켜 준다 / 우리의 뼈, 피부, 머리카락을 / 건강하게 / 그것은 준다 / 우리에게 / 빛을 / 태양은 / 매우 중요하다 / 왜냐하면 우리를 도와주기 때문에 / 사물을 보도록 / 전깃불과 촛불을 제외하고 / 그것은 / ~이다 / 우리의 / 유일한 광원

글의 구조 분석

❶ 생존에 꼭 필요한 태양
↓
❷❸ 행성이 적정 온도를 유지하게 해 줌
↓
❹❺❻ 식물의 성장을 도움
↓
❼❽❾ 인간의 건강에 도움을 줌
↓
❿⓫⓬ 태양은 사물을 볼 수 있게 하는 중요한 광원

해석

❶ 태양이 없으면 우리 중 누구도 여기 없었을 것이다. ❷ 그것은 우리 행성을 적정 온도로 가열한다. ❸ 만약 태양이 존재하지 않는다면, 행성은 얼어붙을 것이다. ❹ 태양은 식물이 성장하는 것을 돕는다. ❺ 식물은 태양으로부터 받은 빛을 에너지로 바꾼다. ❻ 햇빛이 없으면 식물은 살지 못할 것이다. ❼ 그것은 우리의 건강에도 필요하다. ❽ 태양은 우리 몸이 비타민 D를 생성하도록 돕는다. ❾ 이는 우리의 뼈, 피부, 머리카락을 건강하게 유지시켜 준다. ❿ 그것은 우리에게 빛을 준다. ⓫ 태양은 우리가 사물을 볼 수 있도록 도와주기 때문에 매우 중요하다. ⓬ 전깃불과 촛불을 제외하고, 그것은 우리의 유일한 광원이다.

해설

첫 문장에서 태양이 없으면 아무도 존재하지 않을 것이라고 하면서 태양이 필요한 이유에 대해 설명하고 있으므로, 글의 제목으로 가장 적절한 것은 ① '왜 우리는 태양이 필요한가?'이다.

오답 노트

② 식물은 어디에서 가장 잘 자라는가? ➡ 태양이 식물의 성장을 돕는다는 내용은 세부 내용이고 태양의 중요한 역할에 관한 글 전체의 내용을 포괄하지 못하므로 답이 될 수 없다.
③ 태양의 모습은 어떠한가? ➡ 태양의 모습이 어떠한지에 대해서는 언급되지 않았다.
④ 태양은 에너지를 어떻게 만드는가? ➡ 태양이 지구와 지구상의 생물을 도와주는 것에 대한 글로, 태양이 에너지를 만드는 방법에 대해서는 언급되지 않았다.
⑤ 우리는 전깃불을 언제 사용하는가? ➡ 태양이 광원으로서의 역할을 한다는 언급만 있었을 뿐 사람들이 전깃불을 언제 사용하는지에 관한 내용은 없었다.

구문 해설

❸ The planet **would freeze** if the Sun **did not exist**.
현재 태양이 존재한다는 사실과 반대되는 상황을 설명하기 위해 가정법 구문을 사용했다. 현재 사실과 반대되는 내용이나 일어나기 힘든 일을 나타낼 때 가정법을 사용하며, if절의 동사는 과거형으로 쓰고, 주절의 동사는 〈would+동사원형〉의 형태로 쓴다.

❿ **It gives** us light.
It은 the Sun을 가리키며, gives는 수여동사이므로 〈수여동사+간접목적어+직접목적어〉의 어순으로 썼다.

More & More

1 인간은 햇빛을 받아 비타민 D를 생성하며, 비타민 D는 우리를 건강하게 해 준다고 했으므로 빈칸에 알맞은 말은 vitamin D, healthy이다.
2 전깃불과 촛불을 제외하고, 태양이 유일한 광원이라고 했다. 따라서 글의 내용과 일치하지 않는 것은 ⑤이다.

3

● 본문 098쪽

답 ②

❶Experts / advise / people / to "take the stairs / instead of the elevator" / or / "walk or bike to work." ❷These / are / good ways: / climbing stairs / provides / a good workout, / and / people / can get exercise / from walking or riding a bicycle. ❸However, / the environment / makes it difficult / for many people / to do so. ❹Few people would / choose roadways / without safe sidewalks or marked bicycle lanes / and / with fast cars or polluted air. ❺Few would / walk up stairs / in inconvenient and unsafe stairwells / in modern buildings. ❻In contrast, / safe biking and walking lanes, public parks, and exercise facilities / allow / people / to exercise. ❼People / who live near them / use them / often. ❽Their surroundings / encourage / physical activity.

(to부정사의 명사적 용법(목적격보어) / ~ 대신에 / 동명사(주어) / 동사 / 가목적어 / 진목적어 / (수가) 적은, 거의 없는 / 전 ~ 없이 / 과거분사 / allow+목적어+목적격보어(to부정사) / 〈주제문〉 / 주격 관계대명사 / = safe biking ~ and exercise facilities)

전문가들은 조언한다 사람들에게 "계단을 이용하라 승강기 대신" 또는 "직장까지 걷거나 자전거를 타라" 이러한 것들은 ~이다 좋은 방법 계단을 오르는 것은 제공한다 좋은 운동을 그리고 사람들은 운동을 할 수 있다 걷거나 자전거를 탐으로써 하지만 환경은 어렵게 만든다 많은 사람들이 그렇게 하는 것을 ~하는 사람이 거의 없을 것이다 도로를 선택할 안전한 인도나 표시된 자전거 도로가 없는 그리고 빠른 차나 오염된 공기가 있는 ~하는 이가 거의 없을 것이다 계단을 오르는 불편하고 안전하지 않은 계단에서 현대식 건물에 있는 그에 반해서 안전한 자전거 도로와 산책로, 공원, 그리고 운동 시설들은 가능하게 해 준다 사람들이 운동하도록 사람들은 그것들 근처에 사는 그것들을 사용한다 자주 그들의 주변 환경이 장려한다 신체 활동을

* stairwell: 계단을 포함한 건물의 수직 공간

글의 구조 분석

도입
❶❷일상생활 중 신체 활동을 하는 것은 좋음

↓

가정(구체적 사례)
❸❹❺위험하고 안전하지 않은 곳에서 신체 활동을 하는 사람은 거의 없을 것임

↓

대조 및 결론
❻❼❽안전한 주변 환경은 신체 활동을 장려함

해석

❶전문가들은 사람들에게 "승강기 대신 계단을 이용하거나 직장까지 걷거나 자전거를 타라"라고 조언한다. ❷그것들은 좋은 방법으로, 계단을 오르는 것은 좋은 운동이 되고, 걷거나 자전거를 탐으로써 사람들은 운동을 할 수 있다. ❸하지만 환경은 많은 사람들이 그렇게 운동하는 것을 어렵게 만든다. ❹안전한 인도 혹은 표시된 자전거 도로가 없고, 빠른 차나 오염된 공기가 있는 도로를 선택하는 사람은 거의 없을 것이다. ❺현대식 건물의 불편하고 안전하지 않은 계단에서 계단을 오르는 사람은 거의 없을 것이다. ❻그에 반해서, 안전한 자전거 도로와 산책로, 공원, 그리고 운동 시설들은 사람들이 운동하는 것을 가능하게 해 준다. ❼그 근처에 사는 사람들은 자주 그 시설들을 사용한다. ❽그들의 주변 환경이 신체 활동을 장려한다.

해설

적절한 주변 환경이 신체 활동을 장려한다고 했으며 그렇지 않은 환경일 때를 가정하여 구체적인 사례로 뒷받침하고 있다. 따라서 글의 요지로 가장 적절한 것은 ② '일상에서의 운동 가능 여부는 주변 여건의 영향을 받는다.'이다.

오답 노트

① 자연환경을 훼손시키면서까지 운동 시설을 만들어서는 안 된다.
➡ 운동 시설이 언급되었을 뿐, 운동 시설과 자연환경과의 관련성에 대한 내용은 없다.
③ 운동을 위한 시간과 공간을 따로 정해 놓을 필요가 있다.
④ 자신의 건강 상태를 고려하여 운동량을 계획해야 한다.
⑤ 짧더라도 규칙적으로 운동하는 것이 건강에 좋다.
➡ ③, ④, ⑤는 본문에 언급되지 않은 내용이다.

구문 해설

❸However, the environment makes **it difficult for many people to do so.**
it ~ to do so는 〈가목적어 ~ 진목적어〉 구조로, it이 가목적어이고 to do so가 진목적어이다. 이때 to do so의 의미상 주어를 표시하기 위해 for many people을 썼다.

❹**Few** people would choose roadways without safe sidewalks or marked bicycle lanes ~.
Few는 '거의 없는'의 부정적 의미를 지니며 셀 수 있는 명사와 함께 쓰인다. a few/few(소수의)는 셀 수 있는 명사와 함께 쓰고, a little/little(소량의)은 셀 수 없는 명사와 함께 쓴다.

More & More

1 do나 so는 앞에 나온 내용을 가리킬 때 주로 사용하므로 to do so가 의미하는 바는 앞 문장에 나온 '계단을 오르거나, 걷거나, 자전거를 탐으로써 운동을 하는 것'이다.
2 현대식 건물의 불편하고 안전하지 않은 계단을 오르는 사람은 거의 없을 것이라고 언급된다. 따라서 글의 내용과 일치하지 않는 것은 ④이다.

답 ④

〈주제문〉
❶Today / car sharing movements / have appeared / all over the world.
현재완료
요즘 차량 공유 운동이 나타나고 있다 전 세계적으로

❷In many cities, / car sharing / has made a strong impact / on how city residents travel.
현재완료 / 간접의문문(전치사 on의 목적어)
여러 도시에서 차량 공유는 강력한 영향을 미쳤다 도시 주민들이 이동하는 방법에

❸Even in strong car-ownership cultures, / car sharing / has gained / popularity.
현재완료
차량 소유 문화가 강한 곳에서조차도 차량 공유가 얻었다 인기를

❹In the U.S. and Canada, / membership in car sharing / now goes beyond / one in five adults / in many urban areas.
go beyond: ~을 넘어서다
미국과 캐나다에서는 차량 공유 회원 수가 이제 넘어섰다 성인 5명 중 1명을 많은 도시 지역에서

❺As each shared vehicle replaces / around 10 personal cars, / car sharing / has a big impact on / traffic jams and pollution / from Toronto to New York.
접 ~함에 따라(비례) / have an impact on: ~에 영향을 미치다
한 대의 공유 차량이 대체함에 따라 약 열 대의 개인 차량을 차량 공유는 큰 영향을 미친다 교통 체증과 오염에 토론토부터 뉴욕까지

❻(The best thing / about driverless cars / is / that people won't need / a license / to operate them.)
명사절 접속사 that / to부정사의 부사적 용법(목적) = driverless cars
가장 좋은 점은 무인 자동차에 관한 ~이다 사람들이 필요 없을 것 면허가 그것들을 조작하기 위해

❼The popularity of car sharing / has grown / especially / with city governments / that are having / problems / such as traffic jams and lack of parking lots.
현재완료 / 주격 관계대명사 / ~과 같은
차량 공유의 인기는 늘어나고 있다 특히 시의 정부와 함께 가지고 있는 문제를 교통 체증과 주차장 부족 같은

글의 구조 분석

주제문
❶❷차량 공유 문화의 발생과 그것이 주민에게 미치는 영향력

↓

구체적 예시 및 장점1
❸❹❺미국과 캐나다에서도 차량 공유가 인기가 높으며 차량 공유가 교통 체증과 오염에도 큰 영향을 미침

↓

❻무인 자동차의 장점은 조작하는 데 면허가 필요 없다는 것(전체 흐름과 관계가 없는 문장)

↓

구체적 예시 및 장점2
❼교통 체증과 주차장 부족 문제 해결에 도움이 되는 차량 공유의 인기가 높아짐

해석

❶요즘 차량 공유 운동이 전 세계적으로 나타나고 있다. ❷여러 도시에서 차량 공유는 도시 주민들이 이동하는 방법에 강력한 영향을 미쳤다. ❸차량 소유 문화가 강한 곳에서조차도 차량 공유가 인기를 얻었다. ❹미국과 캐나다에서는, 많은 도시 지역에서 이제 차량 공유 회원 수가 성인 5명 중 1명을 넘어섰다. ❺한 대의 공유 차량이 약 열 대의 개인 차량을 대체함에 따라, 차량 공유는 토론토부터 뉴욕까지 교통 체증과 오염에 큰 영향을 미친다. ❻(무인 자동차의 가장 좋은 점은 사람들이 자동차를 조작하는 데 면허가 필요 없을 것이라는 점이다.) ❼차량 공유의 인기는 특히 교통 체증과 주차장 부족 같은 문제를 겪는 시 정부와 함께 늘어나고 있다.

해설

차량 공유는 차량 소유 문화가 강한 곳을 포함해 전 세계적으로 나타나고 있고, 차량 공유가 도시의 교통 체증이나 오염에 강력한 영향을 미칠 수 있다는 것이 이 글의 주제이다. 그런데 무인 자동차의 장점을 설명하는 내용이 중간에 오면서 전체 흐름을 끊고 있다. 따라서 전체 흐름과 관계 없는 문장은 ④이다.

오답 노트

① ➡ 차량 소유 문화가 강한 곳에서 나타나는 차량 공유 현상의 인기에 대한 내용이다.
② ➡ 차량 공유 회원 수가 성인 5명 중 1명을 넘어섰다는 것은 차량 공유의 인기와 관련 있다.
③ ➡ 한 대의 공유 차량이 약 열 대의 개인 차량을 대체한다는 내용은 차량 공유의 이점이므로 흐름상 적절하다.
⑤ ➡ 시 정부로 인해 차량 공유의 인기가 높아진다는 내용이므로 전체 흐름과 관련 있는 문장이다.

구문 해설

❶Today car sharing movements **have appeared** all over the world.
have appeared는 현재완료로, 과거에 일어난 일의 영향이 현재까지 이어질 때 쓰는 표현이다.

❷In many cities, car sharing has made a strong impact on **how city residents travel**.
how city residents travel은 〈의문사+주어+동사〉 형태의 간접의문문으로 전치사 on의 목적어 역할을 한다.

❼The popularity of car sharing has grown especially with city governments **that** are having problems **such as** traffic jams and lack of parking lots.
that은 주격 관계대명사로 선행사 city governments를 수식하는 관계대명사절을 이끈다. such as는 예시를 나열할 때 사용하는 표현이다.

UNIT 12

글의 주제문을 찾아라!

CHECK BY CHECK

• 본문 103쪽

A A human-technology integration specialist will be one of the most popular jobs in the next twenty years. / 인간-기술 통합 전문가는 앞으로 20년 내에 가장 인기 있는 직업 중 하나가 될 것이다. **B** 패스트 패션, 환경, 에너지, 업무 환경, 안전하지 않은

A **해설** ›› 앞으로 20년 내에 인기 있을 직업 중의 하나는 인간-기술 통합 전문가라고 첫 문장을 주제문으로 제시한 뒤, 뒷받침 문장들에서 그러한 전문가가 필요한 이유와 그들이 할 일을 설명하는 내용의 글이다.

해석 ›› 인간-기술 통합 전문가는 앞으로 20년 내에 가장 인기 있는 직업 중 하나가 될 것이다. 사람들은 그들의 직장에서 점점 더 많은 기술들을 사용하게 될 것이다. 그러나 그들은 너무 많은 선택권 중에서 적절한 기술을 고르는 데 어려움을 겪을지도 모른다. 그 경우에, 그들은 이 전문가들로부터 도움을 얻을 수 있다. 그들은 고객들의 업무와 이용 가능한 기술들을 살펴볼 것이다. 그들은 어떤 기술을 사용하거나 제거할지를 가르침으로써 고객들의 업무 환경을 개선할 것이다.

B **해설** ›› 글의 앞부분에서 패스트 패션의 뜻과 장점을 열거하고, 중간에 '패스트 패션의 피해'라는 주제문을 제시한 후, 뒷부분에서 주제문을 뒷받침하는 2개의 근거를 제시하였다.

해석 ›› 패스트 패션은 싸고 최신 유행하는 옷을 의미한다. 당신은 싼 가격에 유행하는 옷을 얻을 수 있다. 그러나 그것은 패스트푸드처럼 많은 면에서 해롭다. 먼저 그것은 환경에 좋지 않다. 많은 양의 옷은 생산되고 쉽게 버려진다. 그것을 생산하기 위한 천연자원과 쓰레기를 처리하기 위한 에너지가 너무 많이 쓰인다. 환경 문제뿐만 아니라, 패스트 패션은 공장에 열악한 업무 환경을 가져온다. 노동자들은 매우 낮은 임금을 받고 안전하지 않은 환경에서 일하도록 강요받는다.

READING 1 ~ 수능유형

• 본문 104~107쪽

More & More

1	⑤	1 아내가 14번째 아기를 낳고 죽었기 때문에 2 ④
2	⑤	1 wear special clothes or uniforms 2 ⑤
3	②	1 the conversation 2 ①

Summing Up

수능유형	③	1 불타는 것 2 불의 온도 3 더 뜨거운

1

답 ⑤

❶The Taj Mahal / is / in India. ❷It / is / one of the most beautiful buildings / in the world. ❸There are / gardens and fountains / around the building. ❹It / was built / about 400 years ago, / and / it / took / 22 years / to complete the building. ❺The Emperor Shah Jahan / built / it / for his wife, Mumtaz Mahal. ❻She / died / when she had her 14th baby. ❼Shah Jahan / was / very sad, / so / he / built / the Taj Mahal / to remember her. ❽When Shah Jahan died, / people / put / his body / in the Taj Mahal, / so that / he could be / with his wife / forever.

one of the+최상급+복수명사: 가장 ~한 것 중 하나 / = the building / 수동태 / 비인칭주어(시간, 거리 등을 나타냄) / 접 그래서(결과) / to부정사의 부사적 용법(목적) / ~할 수 있도록(목적)

Taj Mahal은 / 있다 / 인도에 / 그것은 ~이다 가장 아름다운 건물들 중 하나 / 세계에서 / ~이 있다 / 정원과 분수대가 / 건물 주위에는 / 그것은 지어졌다 / 약 400년 전에 / 그리고 / 걸렸다 / 22년이 / 그 건물을 완공하는 데 / Shah Jahan 황제는 / 지었다 / 그것을 / 그의 아내 Mumtaz Mahal을 위해 / 그녀는 / 죽었다 / 14번째 아기를 낳았을 때 / Shah Jahan은 / 매우 슬펐다 / 그래서 그는 지었다 / Taj Mahal을 / 그녀를 기억하기 위해 / Shah Jahan이 죽었을 때 / 사람들은 / 안치했다 그의 시신을 / Taj Mahal에 / 그가 있을 수 있도록 / 아내와 함께 / 영원히

글의 구조 분석

도입
❶❷세계에서 가장 아름다운 건물 중 하나인 Taj Mahal
↓
세부설명1
❸❹Taj Mahal 묘사 및 건축하는 데 걸린 시간
↓
세부설명2
❺❻❼Taj Mahal의 건축 배경
↓
끝맺음
❽사후에 왕비와 함께하게 된 Shah Jahan

해석

❶Taj Mahal은 인도에 있다. ❷그것은 세계에서 가장 아름다운 건물들 중 하나이다. ❸건물 주위에는 정원과 분수대가 있다. ❹그것은 약 400년 전에 지어졌고, 건물을 완공하는 데 22년이 걸렸다. ❺Shah Jahan 황제는 그의 아내 Mumtaz Mahal을 위해 그것을 지었다. ❻그녀는 14번째 아기를 낳았을 때 죽었다. ❼Shah Jahan은 매우 슬퍼서 그녀를 기억하기 위해 Taj Mahal을 지었다. ❽Shah Jahan이 죽었을 때, 사람들은 Taj Mahal에 그의 시신을 안치하여, 그가 아내와 영원히 함께 있을 수 있게 했다.

해설

주어진 문장은 'Shah Jahan은 매우 슬퍼서 그녀를 기억하기 위해 Taj Mahal을 지었다.'라는 의미이다. 여기서 그녀는 Taj Mahal을 지은 Shah Jahan 황제의 아내이므로, 그녀가 14번째 아기를 낳고 사망했다는 문장과 Shah Jahan이 죽은 후 아내와 함께 영원히 있을 수 있도록 그의 시신도 Taj Mahal에 두었다는 문장 사이에 주어진 문장이 들어가야 문맥이 자연스럽다. 따라서 주어진 문장이 들어가기에 가장 적절한 곳은 ⑤이다.

오답 노트

① ➡ Taj Mahal이 아름다운 건축물이라는 앞 문장과 주변에 정원과 분수가 있다는 뒤의 문장은 Taj Mahal에 관한 설명이다.
② ➡ Taj Mahal 주변에 정원과 분수가 있다고 묘사하는 문장에 이어 Taj Mahal이 400여 년 전에 건축되었다는 내용이 이어진다.
③ ➡ 400여 년 전에 Taj Mahal을 완공하는 데 22년이 걸렸다는 내용에 이어 황제가 아내를 위해 지었다는 Taj Mahal 건축에 관한 세부 정보가 이어진다.
④ ➡ 황제가 아내를 위해 Taj Mahal을 지었다는 문장에 이어 Shah Jahan의 아내가 죽었다는 내용이 이어진다.

구문 해설

❹It was built about 400 years ago, and **it took 22 years to complete** the building.
〈It takes+소요 시간+to부정사〉는 '~하는 데 (소요 시간)이 걸리다〉라는 의미의 구문이며, 이때 it는 비인칭주어로 '그것'이라고 해석하지 않는다.

❽**When Shah Jahan died**, people put his body in the Taj Mahal, **so that** he could be with his wife forever.
When Shah Jahan died는 '때'를 나타내는 부사절이고, people put his body in the Taj Mahal이 주절이다. so that은 '~하기 위해서'라는 의미의 목적을 나타내는 접속사이다.

More & More

1 6행의 She died when she had her 14th baby.가 Shah Jahan이 매우 슬펐던 이유에 해당된다.
2 Taj Mahal을 완공하는 데 22년이 걸렸다고 했으므로, 글의 내용과 일치하지 않는 것은 ④이다.

답 ⑤

〈주제문〉
❶Some jobs / require / special clothing or uniforms. ❷Sometimes / these special clothes / are meant / to protect / workers / or / the people / that they work with. ❸For instance, / an emergency room doctors / may wear / special clothes / to protect / themselves / from blood and dangerous agents. ❹The special clothing / also / protects / patients / from the germs / that may be present / on ordinary clothing. ❺Most often, / though, / special clothes or uniforms / are worn / so that / workers / can be easily recognized / by other people. ❻Occupations / that require uniforms / are frequently / service jobs. ❼These types of workers / help / or perform services / for other people. ❽Workers / in stores and restaurants / frequently / wear uniforms / so that / customers know / who to ask for help.

어떤 직업은 / ~을 필요로 한다 / 특별한 옷이나 유니폼을 / 때때로 / 이 특별한 옷들은 / ~하기로 되어 있다 / 보호하기 / 노동자들이나 / 또는 / 사람들을 / 그들과 함께 일하는 / 예를 들어 / 응급실 의사는 / 입을 수도 있다 / 특별한 옷을 / 보호하기 위해 / 자신을 / 혈액과 위험한 약품으로부터 / 그 특별한 옷은 / 또한 / ~을 보호한다 / 환자들을 / 세균들로부터 / 존재할 수 있는 / 일반 의복에 / 대부분의 경우 / 하지만 / 특별한 옷이나 유니폼은 / 입혀진다 / ~하도록 / 노동자들이 / 쉽게 인식될 수 있도록 / 다른 사람들에 의해 / 직업은 / 유니폼을 필요로 하는 / 흔히 ~이다 / 서비스 직종 / 이런 종류의 노동자들은 / 돕거나 / 서비스를 수행한다 / 다른 사람들을 위한 / 노동자들은 / 가게나 레스토랑에서 일하는 / 자주 / 유니폼을 입는다 / ~하도록 / 고객이 알다 / 누구에게 도움을 요청해야 하는지

that: 목적격 관계대명사 / they = workers / may: 추측 조동사 / protect A from B: B로부터 A를 보호하다 / so that: ~할 수 있도록(목적) / that require uniforms: 주격 관계대명사절 / who(의문사)+to부정사: 누구에게 ~할지

* agent: 약품, 작용제

글의 구조 분석

주제문
❶❷특별한 옷이나 유니폼을 필요로 하는 직업이 있음

↓

뒷받침1(예시)
❸❹응급실 의사의 경우, 자신과 환자를 보호하기 위해 특별한 옷을 입음

↓

부연 설명
❺대부분의 경우, 사람들에게 쉽게 인식되기 위해 유니폼이나 특별한 옷을 입음

↓

뒷받침2(예시)
❻❼❽서비스직에 종사하는 사람들에게 유니폼이 필요한 이유

해석

❶어떤 직업은 특별한 옷이나 유니폼을 필요로 한다. ❷때때로 이 특별한 옷들은 노동자들이나 그들이 함께 일하는 사람들을 보호하기 위함이다. ❸예를 들어, 응급실 의사는 혈액과 위험한 약품으로부터 자신을 보호하기 위해 특별한 옷을 입을 수도 있다. ❹그 특별한 옷은 또한 환자들을 일반 의복에서 있을 수 있는 세균들로부터 보호한다. ❺하지만, 대부분의 경우 노동자들이 다른 사람들에게 쉽게 인식될 수 있도록 특별한 옷이나 유니폼을 입는다. ❻유니폼이 필요한 직업은 흔히 서비스직이다. ❼그런 종류의 노동자들은 다른 사람들을 돕거나 서비스를 수행한다. ❽가게나 레스토랑의 노동자들은 고객이 누구에게 도움을 요청해야 하는지 알 수 있도록 유니폼을 자주 입는다.

해설

글쓴이는 특별한 옷이나 유니폼이 필요한 직업이 있다고 말하며 응급실 의사와 서비스직에 종사하는 사람들의 경우를 예로 들고 있다. 따라서 이 글의 제목으로 가장 적절한 것은 ⑤ '왜 어떤 직업은 특별한 옷을 필요로 하는가?'이다.

오답 노트

① 누가 유니폼을 디자인하는가? ➡ 본문에 유니폼은 나왔지만, 유니폼 디자인에 대해서는 언급되지 않았다.
② 중고 유니폼은 어디로 가는가? ➡ 중고 유니폼에 대해서는 언급되지 않았다.
③ 일자리를 얻기 위해 우리는 무엇을 해야 하는가? ➡ 일자리를 얻는 방법에 대해서는 언급되지 않았다.
④ 우리는 어떻게 좋은 노동자를 알아볼 수 있는가? ➡ 좋은 노동자를 알아보는 방법에 대해서는 언급되지 않았다.

구문 해설

❷Sometimes these special clothes are meant to protect workers or the people **that** they work with.
관계대명사가 관계사절에서 목적어 역할을 할 때 이를 목적격 관계대명사라고 하는데, 이때 목적격 관계대명사는 생략할 수 있다.
❺Most often, though, special clothes or uniforms are worn so that **workers can be easily recognized by other people.**
workers can be easily recognized by other people은 수동태 구문으로 other people can easily recognize workers의 능동태 구문으로 바꿀 수 있다.

More & More

2 유니폼은 주로 서비스직이 주로 착용하고, 사람들이 도움을 원할 때 누구를 찾아야 하는지 알려 주는 기능이 있지만, 손님을 더 유치하기 위해 유니폼을 입는 것은 아니다. 따라서 윗글의 내용과 일치하지 않는 것은 ⑤이다.

3

● 본문 106쪽

답 ②

❶All of us / tend to / be shy or nervous / when we are talking to someone / we have not met before. ❷The best way / to overcome shyness / is / to remind / yourself / of the old saying / that the person / that you are talking to / puts / his pants / on one leg / at a time. ❸That expression / shows / that / we are all human. ❹You / don't have to / be nervous / when you are talking / to a professor / with four degrees / or an astronaut / who has been / in space. ❺They / feel like crying / when things go wrong / and / do the laundry / after work / just the same as / you. ❻Always / remember / this: / People / you are talking to / will enjoy / the conversation / more / if they see / that you are enjoying it.

우리 모두는 / ~하는 경향이 있다 / 수줍어하거나 긴장하는 / 우리가 누군가와 대화를 할 때 / 우리가 전에 만난 적이 없는 / 가장 좋은 방법은 / 수줍음을 극복하는 / ~이다 / 떠올리는 것 / 스스로에게 / 속담을 / 사람이 / 당신이 대화하고 있는 / 입는다 / 그의 바지를 / 한 쪽씩 / 한 번에 / 그 표현은 / ~을 보여 준다 / 우리가 모두 인간이라는 것을 / 당신은 / ~할 필요가 없다 / 긴장할 / 당신이 이야기할 때 / 교수와 / 4개의 학위를 가진 / 혹은 / 우주 비행사와 / 가 본 적이 있는 / 우주에 / 그들은 / 울고 싶어 한다 / 일이 잘못될 때 / 그리고 / 빨래를 한다 / 퇴근 후에 / 그저 ~과 마찬가지로 / 당신 / 항상 / ~을 기억해라 / 이것을 / 사람들은 / 당신이 이야기하고 있는 / 즐길 것이다 / 대화를 / 더 / 만약 그들이 본다면 / 당신이 즐기고 있다는 것을

- when: 접 ~할 때(시간)
- 〈주제문〉
- someone (who) we have not met before
- to overcome: to부정사의 형용사적 용법
- remind A of B: A에게 B를 연상시키다
- that the person: 동격을 나타내는 접속사
- that you: 목적격 관계대명사
- are talking to: 현재진행형
- puts: 주어 the person에 수 일치
- That expression = puts his pants on one leg at a time
- that: 명사절을 이끄는 접속사
- don't have to: ~할 필요가 없다
- when: 접 ~할 때(시간)
- who: 주격 관계대명사 / has been: 현재완료(경험)
- feel like -ing: ~하고 싶다
- go wrong: (일이) 잘못되다
- after: 전 ~ 후에
- the same as: ~과 마찬가지로
- remember: 명령문
- People (who) you are talking to
- if: 접 만약 ~이라면(조건)
- that: 명사절을 이끄는 접속사
- it = the conversation

글의 구조 분석

도입
❶사람들은 보통 처음 만난 상대와 대화를 할 때 수줍어하거나 긴장하는 경향이 있음

↓

주제문
❷속담을 이용하여 수줍음을 극복하는 법

↓

뒷받침(예시)
❸❹❺수줍음을 극복하는 방법은 상대도 우리와 같은 보통 사람이라는 것을 떠올리는 것

↓

주제에 대한 부연 설명
❻우리가 상대와의 대화를 즐기면 상대도 그 대화를 더 즐길 것

해석

❶우리 모두는 우리가 전에 만난 적이 없는 누군가와 대화를 할 때 수줍어하거나 긴장하는 경향이 있다. ❷수줍음을 극복하는 가장 좋은 방법은 지금 대화하고 있는 사람이 한 번에 바지를 한 쪽씩 밖에 못 입는다는 속담을 떠올리는 것이다. ❸그 표현은 우리가 모두 인간이라는 것을 보여 준다. ❹4개의 학위를 가진 교수나 우주에 가 본 적 있는 우주 비행사와 이야기하고 있을 때 당신이 긴장해야 할 필요는 없다. ❺그들은 당신과 마찬가지로 일이 잘못되면 울고 싶고, 퇴근 후 빨래도 한다. ❻항상 이것을 기억하라, 즉 당신이 이야기하고 있는 사람들은 당신이 대화를 즐기고 있는 것을 보면 대화를 더 즐길 것이다.

해설

4개의 학위를 가진 교수나 우주에 가 본 적 있는 우주 비행사도 모두 일이 잘못되면 울고 싶고, 퇴근 후 빨래를 하는 등 우리와 똑같다고 말하고 있다. 따라서 'puts his pants on one leg at a time(한 번에 바지 한 쪽씩 밖에 못 입는다)'의 의미로 가장 적절한 것은 ② '똑같은 보통 사람이다.'이다.

오답 노트

① 규칙을 잘 지킨다.
③ 옷을 특이하게 입는다.
④ 전문 지식을 갖추고 있다.
⑤ 한 번에 한 가지 일만 한다.
➡ puts his pants on one leg at a time은 한 번에 바지 한 쪽씩 밖에 못 입는 결국 다 똑같은 보통 사람이라는 의미이다. ①, ③, ④, ⑤는 모두 본문과 무관한 내용이다.

구문 해설

❷The best way **to overcome** shyness is **to remind** yourself of the old saying that the person you are talking to puts his pants on one leg at a time.
to overcome은 the best way를 수식하는 형용사적 용법의 to부정사로 '~할', '~하는'으로 해석한다. to remind는 to부정사가 be동사 뒤에 와서 주어를 보충 설명하는 주격보어로 쓰였으며, '~하는 것(이다)'라고 해석한다.

❸That expression shows **that** we are all human.
접속사 that은 주어와 동사를 갖춘 절을 이끌어 명사의 역할을 하는데, 문장에서 주어, 목적어, 보어로 쓰일 수 있다. that이 이끄는 절이 문장에서 목적어로 쓰이는 경우에는 접속사 that을 생략할 수 있다.

More & More

1 9행의 it은 바로 앞의 the conversation을 대신 받는 대명사이다.
2 '대화하는 동안 부끄러움을 극복하기 위해서는 이야기하는 사람들이 당신처럼 평범한 사람이라는 것을 기억하라.'라는 내용이다. 따라서 요약문의 빈칸에 들어갈 적절한 말은 ① '부끄러움 ····· 평범한'이다.

• 본문 107쪽

답 ③

글의 구조 분석

주제문
❶❷ 불타오르는 것처럼 보이는 해넘이

↓

이유
❸❹❺❻ 태양 중심의 불이 매우 높은 온도임

↓

추가 정보
❼❽ 태양보다 훨씬 더 뜨거운 별들이 우주에 많음

❶Maybe / you / have watched / the sunset / in the sky. ❷Sometimes / the sun / looks / as though / it is on fire, / especially / when it is shining / through the clouds.
(have watched: 현재완료(경험), Sometimes ~: 〈주제문〉, as though: 접 마치 ~인 것처럼)
아마도 당신은 ~을 본 적이 있을 것이다 해넘이를 하늘에서 때때로 태양은 ~해 보인다 마치 ~인 것처럼 불타고 있다 특히 태양이 빛나고 있을 때 구름 사이로

(B) ❸The reason / it looks that way / is / that the sun is on fire. ❹How hot / is / the fire / at the center of the sun?
((why) 관계부사절, that the sun is on fire: 명사절(주격보어))
이유는 태양이 그렇게 보이는 이다 태양이 불타고 있어서 얼마나 뜨거울까? 불은 태양의 중심에 있는

(C) ❺It / is / more than 25 million degrees / on the Fahrenheit scale!
(It = the sun)
그것은 ~이다 2,500만 도 이상이다 화씨 눈금에서
❻That's / 250,000 times hotter / than the hottest summer day / at your favorite amusement park.
그것은 ~이다 25만 배 더 뜨거운 가장 더운 여름날보다 여러분이 가장 좋아하는 놀이공원에서

(A) ❼But / you / may be surprised / even more / with this fact: ❽There are / many stars / in the universe / that are thousands of times hotter / than the sun.
(even: 훨씬(비교급 강조 부사), that: 주격 관계대명사)
하지만 여러분은 놀랄 수 있다 훨씬 더 다음 사실에 ~이 있다 많은 별들이 우주에는 수천 배 더 뜨거운 별들이 태양보다

해석

❶아마도 여러분은 하늘의 해넘이를 본 적이 있을 것이다. ❷때때로 태양은 불타고 있는 것처럼 보이기도 하는데, 특히 태양이 구름 사이로 빛나고 있을 때 그렇다. (B) ❸태양이 그렇게 보이는 이유는 그것이 불타고 '있기' 때문이다. ❹태양의 중심에 있는 불이 얼마나 뜨거울까? (C) ❺그것은 화씨 눈금에서 2,500만 도가 넘는다! ❻그것은 가장 좋아하는 놀이공원에서의 가장 더운 여름날보다 25만 배 더 뜨겁다. (A) ❼하지만 여러분은 다음 사실에 훨씬 더 놀랄 수 있다. ❽우주에는 태양보다 수천 배 더 뜨거운 별들이 많이 있다는 것이다.

해설

주어진 글은 태양이 질 때 불타고 있는 것처럼 보이는 모습에 대해 설명하고 있으므로 '그렇게 보이는 이유는 태양이 실제로 불타고 있기 때문'이라고 설명한 (B)가 그 다음에 이어져야 자연스럽다. 그리고 태양의 중심이 얼마나 뜨거운지 물었으므로 이에 대한 대답으로 구체적인 온도를 말한 (C)가 이어진다. 이어, 우주에 태양보다도 수천 배 더 뜨거운 별들이 많다는 사실을 설명한 (A)가 이어져야 글의 흐름이 자연스럽다. 따라서 이어질 글의 순서로 가장 적절한 것은 ③ (B)–(C)–(A)이다.

오답 노트

① (A)–(C)–(B) ➡ 해넘이에 대해 설명한 주어진 글 다음에 But으로 시작하여 태양보다 훨씬 더 뜨거운 별들이 많다는 (A)가 이어지는 것은 부자연스럽다.
② (B)–(A)–(C) ➡ 태양의 중심 온도가 얼마인지 묻는 질문이 있는 (B) 다음에는 온도로 답하는 내용이 이어져야 하는데, 태양보다 훨씬 더 뜨거운 별들이 많다는 (A)가 이어지는 것은 어색하다.
④ (C)–(A)–(B), ⑤ (C)–(B)–(A) ➡ (C)는 화씨 눈금에서 2,500만 도가 넘는다는 내용으로 시작하는데, 주어진 글에서 태양이 질 때의 석양을 묘사하고 있으므로 온도에 대해 언급하는 (C)가 바로 이어지는 것은 어색하다.

구문 해설

❷Sometimes the sun looks **as though** it is on fire, especially **when it is shining through the clouds.**
as though는 '마치 ~인 것처럼'이라는 의미를 나타내는 접속사이다. especially when it is shining through the clouds는 when이 이끄는 부사절로 때를 나타낸다.

❸**The reason** it looks that way **is that the sun is on fire.**
핵심 주어는 The reason이기 때문에 동사는 3인칭 단수 현재형인 is가 쓰였고, that ~ 이하의 절은 주격보어로 쓰인 명사절이다.

❽There are many stars in the universe **that** are thousands of times hotter than the sun.
that은 주격 관계대명사이고 that이 이끄는 절이 앞의 선행사 many stars를 수식한다.

글을 꼼꼼히 읽어라!

CHECK BY CHECK

• 본문 111쪽

A **1** × **2** ○ **3** ○ **4** ○ **5** × **B** **1** ○ **2** × **3** × **4** ○ **5** ○

A **1** **해설** 》 두 번째 문장에서 여름이 아니라 겨울 동안에 알을 낳는다고 했다.

5 **해설** 》 마지막 문장에서 가족의 먹이를 구하기 위해서가 아니라 아빠 자신이 먹기 위해 바다로 간다고 했다.

해석 》 황제펭귄은 남극의 얼음 위에서 생존하고 새끼를 기를 수 있을 만큼 충분히 강하다. 겨울 동안 엄마 황제펭귄은 알을 하나 낳아서 아빠에게 준다. 알은 얼음 위에서 살아남을 수 없기 때문에 아빠는 그 알을 자신의 발 위에 놓고 두 달 동안 따뜻하게 유지한다. 그 시간 동안 그는 아무것도 먹지 않는다. 그가 알을 지키는 동안 엄마는 바다로 나가서 새끼의 먹이를 사냥한다. 그녀가 돌아온 후, 비쩍 여윈 아빠는 자신이 먹기 위해 바다로 간다.

B **2** **해설** 》 세 번째 문장에서 앰뷸런스 드론에는 쌍방향 통신 기구와 구급상자가 있다고 했다.

3 **해설** 》 다섯 번째 문장에서 앰뷸런스 드론은 실제 구급차가 도착하기 전에 먼저 사고 현장에 도착한다고 했다.

해석 》 드론은 다양한 영역에서 사용되고 있다. 네덜란드에서는 응급 의료 상황에서조차 드론이 사용되고 있다. 앰뷸런스 드론은 쌍방향 통신 기구와 구급상자를 나를 수 있도록 설계되었다. 사고가 발생했을 때, 첫 몇 분이 인명을 구하는 데 가장 중요하다. 그래서 앰뷸런스 드론은 진짜 구급차가 도착하기 전에 먼저 사고 현장에 도착한다. 그러고 나서 그것은 부상자나 근처에 있는 사람에게 구급상자로 무엇을 해야 할지 말해 준다. 앰뷸런스 드론 덕분에 많은 사람들이 사고에서 살아남을 가능성이 더 커졌다.

READING 1 ~ 수능 유형

• 본문 112~115쪽

		More & More
1	⑤	1 Because he saved his family from the fire. 2 ④
2	④	1 많은 사람들이 애완동물을 원할 때 곧장 애완동물 가게로 가는 것 2 ④
3	④	1 혈압을 조절한다. 스트레스를 완화한다. 활력을 준다. 어렸을 때부터 하면 몸과 마음을 건강하게 발달시킬 수 있다 2 ③
		Summing Up
수능 유형	①	1 영구적으로 2 부분적으로 3 열린 결말

1

• 본문 112쪽

답 ⑤

❶Robert Vick, / 11 years old, / was at home / with his great-grandmother,
삽입구
Robert Vick은 11살인 집에 있었다 증조할머니, 여자 형제, 그리고 어린 남동생과
sister, and baby brother. ❷He / smelled / smoke / and / shouted, /
함께 그는 맡았다 연기 냄새를 그리고 소리쳤다
"The house / is on fire! / Get out!"
"집에 불이 붙었어요! 나가세요!"

(C) ❸Robert quickly took / his sister and brother / to a neighbor's house.
부사(뒤의 동사 수식)
Robert는 재빨리 데리고 갔다 그의 여자 형제와 남동생을 이웃집으로
(B) ❹He / then / returned / to his home / to get his great-grandmother
to부정사의 부사적 용법(목적)
그는 그러고 나서 돌아왔다 집으로 증조할머니를 안전하게 구하기 위해
safely away / from the fire.
화재로부터
(A) ❺Boy Scout Robert Vick / was / a member of Troop 17 / in Newsoms,
보이 스카우트 Robert Vick은 ~이었다 17분대의 대원 Virginia 주 Newsoms에
Virginia. ❻He / received / an Honor Medal / for his brave actions.
있는 그는 받았다 명예 메달을 그의 용감한 행동으로

글의 구조 분석

❶Robert Vick이 가족과 함께 집에 있었음

↓

사건 전개
❷❸❹화재가 발생하여 Robert가 가족을 구함

↓

결말
❺❻용감한 행동에 대해 명예 메달 수상

해석

❶11살인 Robert Vick은 증조할머니, 여자 형제, 그리고 어린 남동생과 함께 집에 있었다. ❷그는 연기 냄새를 맡고 소리쳤다. "집에 불이 붙었어요! 나가세요!" (C) ❸Robert는 재빨리 여자 형제와 남동생을 이웃집으로 데리고 갔다. (B) ❹그러고 나서 그는 증조할머니를 화재로부터 안전하게 구하기 위해 집으로 돌아왔다. (A) ❺보이 스카우트 Robert Vick은 Virginia 주 Newsoms에 있는 17분대의 대원이었다. ❻그는 용감한 행동으로 명예 메달을 받았다.

해설

화재 사건에 관한 글로, 시간의 흐름에 따라 글을 배열한다. 집에 불이 난 상황 다음에 Robert가 여자 형제와 남동생을 이웃집으로 피신시켰다는 (C)가 오고, 그 다음 증조할머니를 구하러 집으로 돌아왔다는 (B)가 이어지는 게 자연스럽다. Robert가 한 용감한 행동으로 명예 메달을 받았다는 (A)가 마지막에 오는 것이 적절하다. 따라서 이어질 글의 순서로 가장 적절한 것은 ⑤ (C)–(B)–(A)이다.

오답 노트

① (A)–(C)–(B) ➡ 불이 난 것을 안 상황 다음에 바로 메달을 받았다는 내용의 (A)가 이어지는 것은 적절하지 않다.
② (B)–(A)–(C), ③ (B)–(C)–(A) ➡ (B)에서 Robert가 집으로 돌아왔다고 했는데, 주어진 글에서는 집에 있을 때 불이 난 상황이었으므로 주어진 글 다음에 (B)가 바로 이어질 수 없다.
④ (C)–(A)–(B) ➡ 주어진 글 다음에 여자 형제와 남동생을 구했다는 (C)가 이어지는 것은 자연스럽지만, 다시 돌아와 증조할머니를 피신시켰다는 (B)가 맨 뒤에 오고, 오히려 용감한 행동에 대해 메달을 받았다는 (A)가 (C) 바로 뒤에 이어지는 것은 부자연스럽다.

구문 해설

❶Robert Vick, **11 years old,** was at home with his great-grandmother, sister, and baby brother.
11 years old는 주어 Robert Vick을 보충 설명하는 삽입구이다.
❹He **then** returned **to** his home **to get** his great-grandmother safely away from the fire.
then은 '그 다음에'라는 의미로 시간 순서상으로 어떤 사건 뒤에 이어지는 사건에 대해 말할 때 사용한다. to his home의 to는 전치사로서 뒤에 명사가 왔고, to get의 to는 동사원형 앞에 쓰여 to부정사로 만든 것이다. to get은 목적을 나타내는 to부정사의 부사적 용법으로 쓰였다.

More & More

1 Robert Vick은 화재로부터 가족을 구했기 때문에 명예 메달을 받았다.
2 Robert는 여자 형제와 남동생을 먼저 이웃집으로 피신시킨 후 다시 돌아와 증조할머니를 안전하게 구했으므로, 글의 내용과 일치하지 않는 것은 ④이다.

2

• 본문 113쪽

답 ④

❶When people want a pet, / many of them / go straight / to a pet store.
접 ~할 때(시간)
사람들이 애완동물을 원할 때 / 그들 중 많은 사람들은 / 곧장 간다 / 애완동물 가게로

❷I / made / that mistake, / too. ❸Now, / I / think / it is much better / to adopt / from a shelter / because so many animals / have been badly treated, abandoned, / or / just really need a home.
make a mistake: 실수를 하다 / 〈주제문〉 / (that)가주어 / 비교급 강조 / 진주어 / 접 ~ 때문에(이유) / 현재완료 수동태 / 등위접속사
나는 했다 / 그러한 실수를 / 또한 / 이제 / 나는 생각한다 / 훨씬 더 낫다고 / 입양하는 것이 / 보호소로부터 / 왜냐하면 너무 많은 동물들이 / 나쁜 대우를 받고 있거나 / 버려지고 있고 / 아니면 / 단지 정말로 집이 필요하기 때문에

❹They / can be just / as cute, amazing, and sweet / as the little puppy or cat / in the pet store.
= many animals / 원급 비교
그들은 / 단지 될 수 있다 / 귀엽고, 멋지고, 사랑스러운 / 작은 강아지나 고양이만큼 / 애완동물 가게의

❺I / wish / people / would give / them / a chance. ❻I / know / it is hard sometimes / because you do not know their past. ❼But / that / is just part / of the process / of getting to know / them. ❽Through this process, / you / will ultimately love / them.
수여동사 / (that)
나는 소망한다 / 사람들이 / 주기를 / 그들에게 / 기회를 / 나는 안다 / 때때로 힘들다는 것을 / 왜냐하면 여러분이 그들의 과거를 모르기 때문에 / 그러나 / 그것은 / 단지 일부이다 / 과정의 / 알아 가는 것 / 그들을 / 이 과정을 통해서 / 당신은 / 결국 사랑하게 될 것이다 / 그들을

글의 구조 분석

주제문 및 부연 설명
❶❷❸사람들이 애완동물을 원할 때, 애완동물 가게로 가는 경향이 있는데 그것보다는 보호소에서 입양하는 것이 훨씬 낫다고 생각함

↓

뒷받침(근거 제시)
❹보호소에 있는 동물들도 애완동물 가게에 있는 동물들만큼이나 귀엽고, 멋지고, 사랑스러울 수 있음

↓

재정리
❺❻❼❽보호소에서 데려온 동물들을 키우는 것이 힘들 수 있지만, 그 또한 그들을 알아 가는 과정의 일부이며 결국 사랑하게 될 것임

해석

❶사람들이 애완동물을 원할 때, 그들 중 많은 사람들은 곧장 애완동물 가게로 간다. ❷나도 그런 실수를 했다. ❸이제, 나는 보호소에서 입양하는 것이 훨씬 더 낫다고 생각하는데, 왜냐하면 너무 많은 동물들이 나쁜 대우를 받고 있거나, 버려지고 있고, 아니면 그저 집이 필요하기 때문이다. ❹그들은 애완동물 가게에 있는 작은 강아지나 고양이만큼 귀엽고, 멋지고, 사랑스러울 수 있다. ❺나는 사람들이 그들에게 기회를 줬으면 좋겠다. ❻나는 여러분이 그들의 과거를 모르기 때문에 가끔 힘들다는 것을 안다. ❼하지만 그것은 그들을 알아 가는 과정의 일부일 뿐이다. ❽이 과정을 통해서 당신은 결국 그들을 사랑하게 될 것이다.

해설

글쓴이는 사람들에게 애완동물을 원할 때 애완동물 가게로 가서 사기보다는 보호소에서 입양하는 것이 훨씬 더 낫다고 말하고 있다. 따라서 글의 요지로 가장 적절한 것은 ④ '유기 동물 보호소에 있는 동물을 입양하는 것이 좋다.'이다.

오답 노트

① 유기 동물 보호소를 늘려야 한다. ➡ 동물 보호소를 늘리자는 내용은 언급되지 않았다.
② 애완동물의 건강을 위해 산책이 필요하다. ➡ 본문에 언급되지 않았다.
③ 애완동물을 공공장소에 풀어놓아서는 안 된다. ➡ 본문에 언급되지 않았다.
⑤ 애완동물을 잃어버리지 않도록 대책을 마련해야 한다. ➡ 본문에 언급되지 않았다.

구문 해설

❸Now, I think **it** is **much** better **to adopt from a shelter** because so many animals have been badly treated, abandoned, or just really need a home.
〈가주어~진주어〉 구문으로 it이 가주어이고 to adopt from a shelter가 진주어이다. much는 '훨씬 더 …한'의 의미로 비교급 better를 강조하는데, much 대신 a lot, far, still 등을 쓸 수 있다.

❹They can be just **as** cute, amazing, and sweet **as** the little puppy or cat in the pet store.
〈as ~ as …〉는 '…만큼 ~한[하게]'라는 뜻의 원급 비교 표현으로 두 개의 비교 대상이 서로 동등한 상태임을 나타낸다. They가 보호소에 있는 많은 동물들을 가리키므로 그 동물들이 애완동물 가게에 있는 동물들만큼 귀엽고, 멋지고, 사랑스럽다는 의미가 된다.

More & More

1 that mistake는 바로 앞 문장의 내용 '많은 사람들이 애완동물을 원할 때 곧장 애완동물 가게로 가는 것'을 의미한다.
2 보호소에 있는 동물들의 과거를 모르기 때문에 키우기 힘들 수 있다고 했다. 따라서 글의 내용과 일치하지 않는 것은 ④이다.

● 본문 114쪽

답 ④

〈주제문〉
❶Walking / in the morning / regularly / is beneficial / to everyone / and / anyone / can do / it. ❷The benefits / of a morning walk / for your health / are / numerous. ❸Science / says / that walking regularly / in the morning / controls blood pressure, / relieves stress, / and energizes you. ❹If you walk in the morning / from childhood, / you / are more likely to develop / a sound body and mind. ❺We live / a very fast-paced life. ❻We work / around the clock. ❼We / rarely have time / to care for our health, / but / if we walk each morning, / we can enjoy / all the benefits / that it provides.

(Walking: 동명사(주어) / do it = walk in the morning regularly / that: 명사절(목적어)을 이끄는 접속사 / and: 등위접속사 / If: 접 만약 ~한다면(조건) / be more likely to: 더욱 ~할 것 같다 / around the clock: 24시간 내내, 밤낮으로 / rarely: 빈도부사 / to care: to부정사의 형용사적 용법 / if: 접 만약 ~한다면(조건) / that: 목적격 관계대명사)

걷는 것은 아침에 규칙적으로 유익하다 모든 사람들에게 그리고 누구나 할 수 있다 그것을 혜택은 아침 산책의 여러분의 건강에 ~이다 많은 과학은 말한다 규칙적으로 걷는 것은 아침에 혈압을 조절한다 스트레스를 완화한다 그리고 여러분에게 활력을 준다 만약 여러분이 아침에 걷는다면 어린 시절부터 여러분은 더욱 발달시킬 것 같다 건강한 몸과 마음을 우리는 살고 있다 매우 속도가 빠른 삶을 우리는 일한다 24시간 내내 우리는 좀처럼 시간이 없다 우리의 건강을 돌보기 위한 하지만 우리가 매일 아침마다 걷는다면 우리는 즐길 수 있다 모든 혜택을 그것이 제공하는

➡ ❽A morning walk / is worth taking habitually / because of many merits / for keeping your body and mind healthy.

(be worth+동명사: ~할 가치가 있다 / because of: ~ 때문에 / keeping: 동명사(전치사의 목적어))

아침 산책은 습관적으로 할 가치가 있다 많은 장점 때문에 여러분의 몸과 마음을 건강하게 유지하는

글의 구조 분석

주제문
❶❷아침에 규칙적으로 걷는 것은 많은 이점을 가짐

↓

뒷받침(예시)
❸❹과학적으로 설명된 아침 산책의 이점

↓

재정리
❺❻❼바쁜 현대인은 매일 아침마다 걷는 것만으로도 건강상의 혜택을 누릴 수 있음

↓

요약문
❽아침 산책은 몸과 마음의 건강을 유지하는 데 장점이 많으므로 습관적으로 할 가치가 있음

해석

❶아침에 규칙적으로 걷는 것은 모두에게 유익하고, 누구나 그렇게 할 수 있다. ❷아침 산책이 갖는 건강상의 장점은 매우 많다. ❸과학은 아침에 규칙적으로 걷는 것이 혈압을 조절하고, 스트레스를 완화하며, 여러분에게 활력을 준다고 말한다. ❹어린 시절부터 아침 산책을 한다면, 여러분은 몸과 마음을 건강하게 발달시킬 가능성이 더욱 크다. ❺우리는 매우 속도가 빠른 삶을 살고 있다. ❻우리는 24시간 내내 일한다. ❼우리는 좀처럼 건강을 돌볼 시간이 없지만, 매일 아침 걷는다면 우리는 아침 산책이 주는 모든 혜택을 즐길 수 있다.
➡ ❽아침 산책은 몸과 마음을 건강하게 유지하는 데 많은 장점이 있기 때문에 습관적으로 할 가치가 있다.

해설

어린 시절부터 꾸준히 아침 산책을 하면 건강한 몸과 마음을 발전시킬 가능성이 크다는 내용이다. 따라서 요약문의 빈칸에 들어갈 말로 가장 적절한 것은 ④ '습관적으로 ····· 장점'이다.

오답 노트

① 자신 있게 ····· 단점 ➡ '자신 있게'는 본문 내용과 상관이 없고, 아침 산책의 '단점'이 아니라 '장점'에 대한 글이다.
② 습관적으로 ····· 단점 ➡ 본문은 아침 산책의 '단점'이 아니라 '장점'에 대한 글이다.
③ 느리게 ····· 장점 ➡ '느리게'는 본문 내용과 관련이 없다.
⑤ 자신 있게 ····· 효과 ➡ '자신 있게'는 본문 내용과 상관이 없다.

구문 해설

❸Science says **that** walking regularly in the morning controls blood pressure, relieves stress, **and** energizes you.
that은 명사절을 이끄는 접속사로, says의 목적어절을 이끌고 있으며 생략할 수 있다. that절의 주어는 walking이고, 동사 controls, relieves, energizes가 등위접속사 and로 연결되어 있다.

❼We rarely have time **to care** for our health, but if we walk each morning, we can enjoy all the benefits **that** it provides.
to care는 명사 time을 수식하는 형용사적 용법으로 쓰였다. that은 목적격 관계대명사로 생략이 가능하다.

More & More

1 윗글에 언급된 활동은 아침 산책이며, 혈압 조절, 스트레스 완화, 활력 제공과 같은 장점이 있으며, 어렸을 때부터 하면 몸과 마음을 건강하게 발달시킬 수 있다고 했다.
2 아침 산책을 꾸준히 하면 얻게 되는 건강상의 장점에 대한 글이다. 따라서 글의 제목으로 가장 적절한 것은 ③ '건강한 습관: 아침에 걷기'이다.

답 ①

❶In the classical fairy tale / the conflict / is often permanently settled.
수동태
고전 동화에서 갈등은 흔히 영구적으로 해결된다

❷The hero and heroine / always live / happily ever after. ❸By contrast, /
그 후로 내내 / 그에 반해서
남자 주인공과 여자 주인공은 항상 산다 그 후로 내내 행복하게 그에 반해서

many present-day stories / have / a less definitive ending. ❹Often / the
많은 오늘날의 이야기들은 가진다 덜 확정적인 결말을 흔히 갈등은

conflict / in those stories / is only partly settled, / or / a new conflict
그러한 이야기 속의 부분적으로만 해결된다 아니면 새로운 갈등이

appears / and / makes / the audience / think further. ❺This / is
사역동사+목적어+목적격보어(원형부정사)
나타난다 그리고 만든다 관객을 더 생각하게 이것은

particularly true of / thriller and horror genres / since they keep the
접 ~ 때문에(이유)
특히 해당된다 스릴러와 공포물 장르에 왜냐하면 그것들은 관객을 아주

audience thrilled. ❻Consider / Henrik Ibsen's play, / *A Doll's House*. ❼At
명령문
흥분된 상태로 유지하기 때문에 생각해 보라 Henrik Ibsen의 연극 〈인형의 집〉을

the end, / Nora leaves / her family and marriage. ❽Nora / disappears / out
마지막에 Nora가 떠난다 그녀의 가정과 결혼 생활을 Nora는 사라진다 현관

of the front door / and / we / are left / with many unanswered questions /
수동태
밖으로 그리고 우리는 남겨진다 답이 나오지 않은 많은 질문들과 함께

such as / "Where did Nora go?" / and / "What will happen / to her?" ❾An 〈주제문〉
~과 같은
~과 같은 "Nora는 어디로 갔을까?" 그리고 "무슨 일이 일어날까? 그녀에게"

open ending / is a powerful tool / that forces the audience to think /
주격 관계대명사 동사+목적어+목적격보어(to부정사)
열린 결말은 강력한 도구이다 관객을 어쩔 수 없이 생각하게 하는

about what might happen / next.
간접의문문
무슨 일이 일어날지에 대해 다음에

* definitive: 확정적인

글의 구조 분석

기존의 내용
❶❷고전 동화에서 모든 갈등은 영구적으로 해결됨

↓

대조(현대의 내용)
❸❹❺오늘날의 이야기들은 열린 결말을 가져서 관객들을 더 생각하도록 이끄는데, 특히 스릴러와 공포물이 대표적인 장르임

↓

예시
❻❼❽Henrik Ibsen의 연극 〈인형의 집〉을 통해 알 수 있는 현대적 결말

↓

결론
❾관객에게 다음에 무슨 일이 일어날지 생각하게 만드는 열린 결말의 강력한 힘

해석

❶고전 동화에서 갈등은 흔히 영구적으로 해결된다. ❷남자 주인공과 여자 주인공은 항상 그 후로 내내 행복하게 산다. ❸그에 반해서, 많은 오늘날의 이야기들은 덜 확정적인 결말을 가진다. ❹흔히 그러한 이야기 속의 갈등은 부분적으로만 해결되거나, 새로운 갈등이 나타나서 관객을 더 생각하게 만든다. ❺이것은 특히 스릴러와 공포물 장르에 해당되는데, 그 장르들은 관객을 매우 흥분된 상태로 유지하기 때문이다. ❻Henrik Ibsen의 연극 〈인형의 집〉을 생각해 보라. ❼마지막에 Nora가 그녀의 가정과 결혼 생활을 떠난다. ❽Nora가 현관 밖으로 사라지고, "Nora는 어디로 갔을까?", "그녀에게 무슨 일이 일어날까?"와 같이 답이 나오지 않은 많은 질문들이 우리에게 남는다. ❾열린 결말은 관객이 다음에 무슨 일이 일어날지 어쩔 수 없이 생각하게 하는 강력한 도구이다.

해설

도입부에서 고전 동화의 결말은 갈등이 영원히 해결되고 남녀 주인공이 그 후로 내내 행복하게 사는 것이라고 언급했는데, ①의 뒤에는 갈등이 부분적으로 해결되거나 새로운 갈등이 나타나는 경우를 언급하고 있어서 글의 흐름이 끊어진다. 따라서 주어진 문장이 들어가기에 가장 적절한 곳은 ①이다.

오답 노트

② ➡ This는 앞 문장에 나온 갈등이 부분적으로만 해결되거나 새로운 갈등이 나타나는 것을 가리킨다.
③ ➡ 갈등 미해결 구조의 예로 한 연극 작품을 들고 있다.
④ ➡ 앞에 언급한 연극의 주인공 Nora에 대한 이야기가 이어진다.
⑤ ➡ Nora가 현관 밖으로 사라지는 것이 열린 결말이고, 그에 대한 부연 설명이 이어지고 있다.

구문 해설

❹Often the conflict in those stories **is** only partly **settled**, or a new conflict appears and **makes the audience think** further.
주어 the conflict가 해결되는 대상이므로 is settled의 수동태로 썼다. makes는 사역동사로 쓰여 목적격보어로 원형부정사가 왔다.

❼At the end, Nora **leaves** her family and marriage.
줄거리를 설명할 때는 현재 시제를 사용하므로 leaves를 썼다.

❾An open ending is a powerful tool **that forces** the audience to think about what might happen next.
that은 선행사 a powerful tool을 수식하는 관계사절을 이끄는 주격 관계대명사이다. 선행사가 3인칭 단수이므로 관계사절의 동사도 수를 일치시켜 3인칭 단수 현재형인 forces로 썼다.

UNIT 14

글의 흐름을 파악하라!

CHECK BY CHECK

● 본문 119쪽

A 연결어: Other than, Luckily, However / 글의 순서: (C) – (B) – (A)　**B** (A) For example (B) Besides (C) However

A 1 해설 » (A)의 Other than those cases에서 those cases는 앞서 제시한 경우들을 가리키므로 (A)는 그 경우들 다음에 온다는 것을 알 수 있다. (B)에서 여러 예외적인 경우를 설명하고 있으므로, (B)가 (A)앞에 온다는 것을 알 수 있다. (C)의 However는 역접의 연결어로 앞의 내용과 반대되는 내용을 설명하고 있다. (C)는 '이탈리아의 밀라노에서는 항상 웃는 것이 법이다'라는 내용이고 이 내용과 반대되는 내용은 처음에 제시된 문장, 즉 '기분이 안 좋을 때 웃는 것은 꽤 어렵다.'이므로 (C)가 제일 처음에 와야 한다.

해석 » 기분이 안 좋을 때 웃는 것은 꽤 어렵다. (C) 그러나 이탈리아의 밀라노에서는 항상 웃어야 하는데 그것이 법이기 때문이다. 그것은 오스트리아-헝가리 시대 때부터 도시 규정에 쓰여 있었다. (B) 다행히도, 약간의 예외는 있다. 장례식에 갈 때나 병원에서 일할 때, 아픈 가족을 돌볼 때는 웃지 않아도 된다. (A) 그 경우들을 제외하고는 슬퍼서 조용히 있는 것에 대한 변명의 여지가 없다. 만약 법을 어기면, 벌금을 받게 될 것이다.

B 해설 » (A) 문어가 적으로부터 자신을 보호하는 방법 중 하나를 예로 들고 있으므로 '예를 들어'라는 의미의 연결어가 적절하다. (B) 문어가 자신을 보호하는 여러 가지 방법을 계속해서 열거하고 있으므로 '게다가, 또한'이라는 의미의 연결어가 적절하다. (C)는 문어가 자신을 보호하지 못하고 공격당하는 경우를 설명하고 있으므로 '그러나'라는 의미의 연결어가 적절하다.

해석 » 문어는 놀랍고도 영리한 동물이다. 그것은 9개의 뇌를 가지고 있는데, 중앙의 뇌와 각 팔의 아랫부분에 8개의 더 작은 뇌들이 있다. 그것은 자신의 적들로부터 자신을 매우 잘 보호한다. 예를 들어 상어가 공격하려고 하면, 그것은 모양을 바꾸어서 작은 구멍 속으로 비집고 들어간다. 그것은 자신의 색을 파란색에서 분홍색, 초록색 또는 회색으로 바꿀지도 모른다. 게다가 그것은 숨기 위해 검은색 잉크를 쏠 수도 있다. 그러나 그것은 때때로 공격을 받아서 팔을 잃을 수도 있다. 그러한 경우에서도 문어는 나중에 팔을 다시 자라게 할 수 있다.

READING 1 ~ 수능유형

● 본문 120~123쪽

More & More

1	⑤	1 the bright light bulb, the moon, a street lamp 2 ③
2	②	1 태양 에너지를 사용하여 집을 따뜻하게 하는 것 2 ①
3	⑤	1 give him the house 2 ②

Summing Up

수능유형	②	1 농담　2 독일

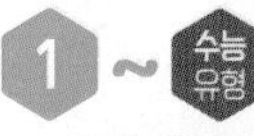

1

답 ⑤

❶Have you ever sat out / in a backyard / at night / and (have) turned on / a light? ❷What happens? ❸Within moments, / many insects / start flying / around the bright light bulb. ❹Why do these insects go / toward light / at night? ❺There are / a number of theories / about this. ❻Most scientists / suspect / that when an insect flies / at night, / it / uses / a light source, / such as the moon, / to keep on a straight path. ❼If there is a closer source of light, / such as a street lamp or a light bulb, / the insect / gets confused, / causing it to fly / to the nearest light.

(Have ~ sat: 현재완료 시제 / flying: 동명사(동사 start의 목적어) / a number of: 많은 / this: 앞 문장 전체 / when: 명사절을 이끄는 접속사 / it = an insect / such as: ~과 같은 / to keep: to부정사의 부사적 용법(목적) / gets confused: get+과거분사: ~되다 / causing ~ light: 분사구문)

당신은 앉아 있던 적이 있는가? 뒤뜰에 밤에 그리고 ~을 켠 적이 있는가? 불을 무슨 일이 생기는가? 순식간에 많은 곤충들이 날아다니기 시작한다 밝은 전구 주위를 이 곤충들은 왜 가는가? 빛을 향해 밤에 ~이 있다 많은 이론들 이에 대해서는 대부분의 과학자들은 의심한다 곤충이 날 때 밤에 그것이 이용한다 광원을 달과 같은 똑바른 길로 가기하기 위해 만약 더 가까운 빛의 원천이 있으면 가로등이나 전구와 같은 곤충은 혼동한다 그것이 날아가게 해서 가장 가까운 빛으로

글의 구조 분석

문제 제기
❶❷❸밤에 불을 켜면 곤충들이 빛을 향해 오는 이유

↓

근거 제시
❹❺❻❼많은 이론이 있는데, 광원을 이용해 똑바른 길로 가기 때문에 가장 가까운 빛을 향해 날아가는 것으로 추정

해석

❶밤에 뒤뜰에 앉아서 불을 켠 적이 있는가? ❷무슨 일이 생기는가? ❸순식간에 많은 곤충들이 밝은 전구 주위를 날아다니기 시작한다. ❹이 곤충들은 왜 밤에 빛을 향해 달려드는가? ❺이에 대해서는 많은 이론들이 있다. ❻대부분의 과학자들은 곤충이 밤에 날 때, 달과 같은 광원을 이용해 똑바른 길로 가는 것이 아닐까 의심하고 있다. ❼가로등이나 전구 등 더 가까운 광원이 있으면, 가장 가까운 빛으로 날아가게 해서 곤충은 혼동한다.

해설

밤에 불을 켰을 때 곤충들이 빛을 향해 달려드는 이유에 대해 설명하고 있는 내용의 글이다. 따라서 이 글의 제목으로 가장 적절한 것은 ⑤ '곤충들은 왜 빛에 매혹되는가?'이다.

오답 노트

① 곤충은 언제 자는가? ➡ at night이 언급되었지만, 밤에 빛을 향해 달려드는 곤충에 대한 설명을 위한 것이고 곤충의 잠에 대한 내용은 아니다.
② 우리는 곤충을 어디에 이용할 수 있는가? ➡ 곤충을 활용하는 용도 등에 대해서는 글에서 언급된 것이 없다.
③ 가장 작은 곤충은 어디에 있는가? ➡ 가장 작은 곤충들이 있는 곳에 대해서 언급된 것이 없다.
④ 우리는 어떻게 곤충을 쫓아버리는가? ➡ 곤충을 쫓아버리는 방법에 대한 설명이 없으므로 제목으로 적절하지 않다.

구문 해설

❶**Have** you ever **sat** out in a backyard at night and **turned** on a light?
〈have+과거분사〉 형태의 현재완료 시제의 문장으로 2개의 과거분사 sat과 turned가 and로 동사 have에 병렬 구조로 연결되어 있다.
❼**If** there is a closer source of light, such as a street lamp or a light bulb, the insect gets confused, **causing it to fly to the nearest light**.
If가 이끄는 조건절과 주절로 이루어져 있는 문장이며, the insect gets confused이 주절인데, 그 뒤에 분사구문이 이어지고 있다.

More & More

1 광원으로 맨 처음에 the bright light bulb가 언급되었고, 뒤이어 the moon, a street lamp도 광원으로 각각 언급되었다.
2 it은 바로 앞의 부사절의 주어 an insect를 가리키는 것이므로 알맞은 것은 ③ '곤충'이다.

● 본문 121쪽

답 ②

❶ About 2,500 years ago, / builders in ancient Greece / thought of / a way / to use the sun's free energy. ❷ The south / was / the sunniest direction. ❸ So / they / built / houses / (which were) facing south.

약 2,500년 전에 / 고대 그리스의 건설업자들은 / 생각했다 / 방법을 / 태양의 무료 에너지를 사용하는 (to부정사의 형용사적 용법) / 남쪽이 / ~였다 / 가장 햇볕이 잘 드는 (최상급) / 방향 / 그래서 / 그들은 / 건설했다 / 집들을 / 남쪽으로 향하는 (현재분사)

(B) ❹ As a result, / sunlight / came in / through the windows / and / warmed / the houses / of Greek people / during all winter.

결과적으로 / 햇빛이 / 들어왔다 / 창문을 통해 / 그리고 / 따뜻하게 했다 / 집들을 / 그리스 사람들의 / 겨울 내내

(A) ❺ In the American Southwest, / native peoples / such as the Hopis, Pueblos, and Navajos / had / the same idea.

미국 남서부에서는 / 원주민들은 / Hopi족, Pueblo족, Navajo족과 같은 / 가졌다 / 같은 생각을

(C) ❻ For nine hundred years, / they / have used / solar power / to provide sunlight and heat / to their homes / just as the Greeks did.

900년 동안 / 그들은 / 이용했다 (현재완료 시제) / 태양 에너지를 / 햇빛과 열을 공급하기 위해 (to부정사의 부사적 용법(목적)) / 그들의 집에 / 그리스인들이 그랬던 것처럼 (대동사(= used))

글의 구조 분석

도입
❶ 고대 그리스인들의 태양 에너지 사용 아이디어

↓

세부 설명
❷❸❹ 집들을 햇볕이 잘 드는 남향으로 지어 겨울에 따뜻하게 지냄

↓

부연 설명
❺❻ 미국 남서부의 원주민들도 그리스인들처럼 태양 에너지를 이용하여 집에 햇빛과 열을 공급

해석

❶ 약 2,500년 전에 고대 그리스의 건설업자들은 태양의 무료 에너지를 사용하는 방법을 생각했다. ❷ 남쪽이 가장 햇볕이 잘 드는 방향이었다. ❸ 그래서 그들은 남쪽으로 향하는 집들을 건설했다. (B) ❹ 그 결과, 햇빛이 창문을 통해 들어와 겨울 내내 그리스 사람들의 집을 따뜻하게 해주었다. (A) ❺ 미국 남서부에서는 Hopi족, Pueblo족, Navajo족과 같은 원주민들도 같은 생각을 가지고 있었다. (C) ❻ 900년 동안, 그들은 태양 에너지를 이용하여 그리스인들이 그랬던 것처럼 집에 햇빛과 열을 공급해 왔다.

해설

주어진 글은 그리스에서 집들이 태양 에너지를 이용하기 가장 좋은 방향인 남쪽으로 향하도록 건설했다는 내용이다. 그 결과로 햇볕이 창문을 통해 들어와 그리스 사람들의 집이 겨울 내내 따뜻해졌다는 내용의 (B)가 이어진 후 미국 남서부의 원주민들도 같은 생각을 갖고 있었다라는 것을 예로 드는 (A)가 오고 그리스 사람들처럼 태양 에너지를 사용하여 900년 동안 집에 햇빛과 열을 공급했다는 내용의 (C)가 마지막에 오는 흐름으로 배열하는 것이 적절하다. 따라서 이어질 글의 순서로 가장 적절한 것은 ② (B)-(A)-(C)이다.

오답 노트

① (A)-(C)-(B) ➡ (B)에 그리스인들에 대한 설명이 있는데, 그리스에서 태양 에너지를 이용한 건축을 시작했다는 주어진 글 다음에 바로 미국 남서부 원주민들에 관한 내용이 이어지는 흐름은 부자연스럽다.
③ (B)-(C)-(A), ④ (C)-(A)-(B), ⑤ (C)-(B)-(A) ➡ (C)는 그리스인들처럼 집에 햇빛과 열을 공급해 왔다는 내용인데, 대명사 they로 받을 만한 것이 (B)나 주어진 글에 없다.

구문 해설

❸ So they built houses **facing** south.
facing은 현재분사로서 앞의 명사 houses를 후치 수식하고 있는데, houses와 facing 사이에 〈관계대명사+be동사〉 형태인 which were가 생략되었다고 볼 수 있다.

❻ For nine hundred years, they have used solar power **to provide sunlight and heat** to their homes just as the Greeks **did**.
to provide는 '목적'을 나타내는 to부정사의 부사적 용법으로 쓰였는데 provide 다음에 목적어 2개 sunlight과 heat가 and로 연결되어 있다. did는 대동사로 앞의 주절의 내용 used solar power to provide sunlight and heat to their homes를 받아 쓴 것이다.

More & More

1 미국 남서부 원주민들이 갖고 있었던 the same idea는 그리스인들이 집들을 남쪽 방향으로 지어 태양 에너지를 이용하여 집을 따뜻하게 유지했던 것과 같은 생각을 가리킨다.
2 그리스에서 태양 에너지 사용을 시작한 것은 약 2,500년 전이었다고 했으므로, 글의 내용과 일치하지 않는 것은 ① '900여 년 전에 그리스에서 처음 태양 에너지를 사용했다.'이다.

3

● 본문 122쪽

답 ⑤

❶An elderly carpenter / was ready to / retire. ❷He / told / his boss / of his retirement / to live a more leisurely life / with his family. ❸He / would miss / the paycheck / each week, / but / he / wanted / to retire. ❹The boss / was sorry / to see / his good worker / go / and / asked / if he could build just one more house / as a personal favor. ❺The carpenter / said yes, / but / over time / it / was / easy / to see / that his heart was not / in his work. ❻He / used / poor materials / and / didn't put / much time or effort / into his last work. ❼It / was / an unfortunate way / to end / his lifelong career. ❽When he finished his work, / his boss came / to check out the house. ❾Then / he / handed / the front-door key / to the worker / and / said, / "This / is / your house, / my gift to you."

나이 많은 어느 목수가 / ~할 준비가 되었다 / 은퇴할 / 그는 / 말했다 / 자신의 사장에게 / 그의 은퇴를 / 더 여유로운 삶을 살기 위해 / 가족과 함께 / 그는 / 잃게 될 것이다 / 급여를 / 매주 / 하지만 / 그는 / ~을 원했다 / 은퇴하기를 / 사장은 / 아쉬웠다 / ~을 보는 것 / 훌륭한 직원이 / 은퇴하는 것을 / 그래서 / 물어보았다 / 그가 집을 한 채만 더 지어 줄 수 있는지를 / 개인적인 부탁으로 / 그 목수는 / 그러겠다고 말했다 / 하지만 / 시간이 지날수록 / 그것은 / ~은 쉬웠다 / ~을 아는 것은 / 그의 진심이 없다는 것을 / 자신의 일에 / 그는 / 사용했다 / 형편없는 자재를 / 그리고 / ~을 쏟지 않았다 / 많은 시간이나 노력을 / 그의 마지막 작업에 / 그것은 ~이었다 / 유감스러운 방식 / ~을 마무리하는 / 그의 일생의 경력을 / 그가 그의 작업을 마무리 했을 때 / 그의 사장이 왔다 / 집을 확인하러 / 그리고는 / 그는 / 건네주었다 / 현관 열쇠를 / 목수에게 / 그리고 / 말했다, / 이 집은 / ~입니다 / 당신의 집 / 당신에게 주는 내 선물이죠

- be ready to: ~할 준비가 되다
- to live: to부정사의 부사적 용법(목적)
- to retire: to부정사의 명사적 용법
- see / his good worker / go: 지각동사+목적어+목적격보어
- if: 접 ~인지(명사절을 이끎)
- over time: 시간이 지나면서
- it: 가주어
- to see: 진주어
- that: 명사절을 이끄는 접속사
- to end: to부정사의 형용사적 용법
- When: 접 ~할 때(시간)
- to check out: to부정사의 부사적 용법(목적)
- your house, / my gift to you: 동격 관계

* paycheck: 봉급, 임금

글의 구조 분석

❶❷❸은퇴를 앞둔 목수와 그의 은퇴가 아쉬운 사장

↓

❹사장이 마지막으로 집 한 채만 더 지어달라고 요청

↓

❺❻❼사장의 부탁을 받아들이긴 했지만, 형편없는 건축자재를 사용하는 등 진심을 다하지 않은 목수

↓

❽❾작업이 완료된 집을 방문 후, 새 집의 열쇠를 목수에게 선물로 건네는 사장

해석

❶연로한 어느 목수가 은퇴할 준비가 되었다. ❷그는 자신의 사장에게 가족과 함께 더 여유로운 삶을 살기 위해 은퇴를 이야기했다. ❸그는 매주 받던 급여는 못 받겠지만, 은퇴를 원했다. ❹사장은 훌륭한 직원이 그만두는 것이 아쉬워서 개인적인 부탁으로 그가 집을 한 채만 더 지어 줄 수 있는지 물어보았다. ❺목수는 그러겠다고 대답했지만, 시간이 지날수록 자신의 일에 진심을 다하고 있지 않다는 것을 쉽게 알 수 있었다. ❻그는 형편없는 자재를 사용했고 그의 마지막 작업에 그다지 많은 시간이나 노력을 쏟지 않았다. ❼그것은 그가 일생의 경력을 마무리하는 방식으로는 바람직하지 않았다. ❽그가 작업을 마무리했을 때, 그의 사장이 집을 확인하러 왔다. ❾그 후 그는 현관 열쇠를 목수에게 주며 "이 집은 당신에게 주는 선물입니다."라고 말했다.

해설

①, ②, ③, ④는 은퇴를 앞둔 나이 많은 목수를 가리키지만, ⑤는 새로 지은 집의 현관 열쇠를 목수에게 건네준 목수의 사장을 가리킨다.

오답 노트

① ➡ 가족과 함께 여유로운 삶을 살기 위해 건축업을 그만두겠다는 사람은 나이 많은 목수이다.

② ➡ 사장의 개인적인 부탁으로 마지막 집을 짓게 될 사람은 나이 많은 목수이다.

③ ➡ 집을 지으며 진심을 다하지 않은 사람은 나이 많은 목수이다.

④ ➡ 새 집을 짓는 것을 마무리한 사람은 나이 많은 목수이다.

구문 해설

❹The boss was sorry to see his good worker go and asked **if** he could build just one more house as a personal favor.

접속사 if는 '~인지'라는 의미로 명사절을 이끌며 if가 이끄는 명사절은 동사 asked의 목적어로 사용되었다.

❺The carpenter said yes, but over time **it** was easy **to see** that his heart was not in his work.

it은 형식상의 주어(가주어)이고, to부정사 이하는 내용상의 주어(진주어)이다. to부정사는 문장의 주어 자리에 올 수 있지만, to부정사의 내용이 긴 경우에는 이를 대신하여 가주어 it을 주어 자리에 두고, 진주어인 to부정사구를 문장 뒤로 보내 〈가주어-진주어〉 구문으로 쓴다.

More & More

1 '왜 그 목수가 자신의 일생의 경력을 마무리한 방식이 불행했는가?'의 질문에 대한 대답은, 본문에서 목수가 사장이 부탁한 마지막 집이 자신을 위한 것인지 모르고 좋지 못한 재료를 쓰고 노력을 기울이지 않는다는 내용을 통해 알 수 있다. 대답은 '그는 사장이 그가 지은 집을 그에게 줄 거라고 예상하지 못했다.'가 되어야 하므로 빈칸에는 give him the house가 알맞다.

2 목수는 사장에게 마지막으로 부탁 받은 일에 대해 끝까지 책임감을 갖고 임하지 않아서 자신이 선물로 받을 집을 형편없이 만들어 버리는 결과를 낳았다. 따라서 글의 주제로 적절한 것은 ② '무책임한 행동의 불행한 결과'이다.

• 본문 123쪽

답 ②

❶A large American hardware manufacturer / was invited / to introduce / its products / to a famous distributor / in Germany. ❷To make / the best possible impression, / the American company / sent / its most promising young executive, / Fred Wagner. ❸When Fred first met his German hosts, / he / shook hands firmly, / greeted / everyone / in German, / and even / bowed / the head / slightly / as Germans do. ❹Fred / began / his presentation / with a few humorous jokes. ❺However, / his presentation / was not very well received / by the German executives. ❻Although Fred thought / (that) he had studied the culture, / he / made / one mistake. ❼Fred / did not win / any favor / by telling jokes. ❽It / was viewed / as too informal and unprofessional / in a German business setting.

미국의 큰 하드웨어 제조업체가 / 초대를 받았다 / 소개를 해 달라는 / 자사의 제품을 / 유명한 배급 업체에 / 독일에 있는 / 만들기 위해 / 가능한 한 가장 좋은 인상을 / 그 미국 회사는 / ~을 보냈다 / 자사의 가장 유망한 젊은 임원인 / Fred Wagner를 / Fred가 / 독일인 주최자들을 처음 만났을 때 / 그는 / 굳게 악수를 했고 / 인사를 했으며 / 모두에게 / 독일어로 / 그리고 심지어 / 숙여 인사했다 / 고개를 / 살짝 / 독일인이 하는 것처럼 / Fred는 / 시작했다 / 그의 발표를 / 몇 가지 웃기는 농담으로 / 그러나 / 그의 발표는 / 그다지 잘 받아들여지지 않았다 / 독일의 임원들에게 / 비록 Fred가 ~을 생각했을지라도 / 그가 문화를 공부했다 / 그는 / 했다 / 한 가지 실수를 / Fred는 / 얻지 못했다 / 어떤 호감을 / 농담을 한 것으로 / 그것은 / ~으로 여겨졌다 / 너무 격식을 차리지 않고 비전문적인 것으로 / 독일의 비즈니스 상황에서는

- To make: to부정사의 부사적 용법(목적)
- young executive, / Fred Wagner: 동격의 콤마
- When: 접 ~할 때(시간)
- shake hands: 악수하다
- as: 접 ~하듯이
- a few: 수량형용사
- was not very well received: 수동태
- Although: 접 비록 ~일지라도(양보)
- by telling: by+동명사: ~함으로써
- It = telling jokes
- viewed as: ~으로 간주하다

➡ ❾This story / shows / that using (A) humor / in a business setting / can be considered / (B) inappropriate / in Germany.

이 이야기는 / ~을 보여 준다 / 유머를 사용하는 것이 / 비즈니스 상황에서 / 여겨질 수 있다 / 부적절하게 / 독일에서는

- that: 명사절을 이끄는 접속사

* distributor: 배급 업체

글의 구조 분석

❶❷미국 회사가 독일 회사에 좋은 인상을 주기 위해 가장 유망한 자사의 젊은 임원을 보냄

↓

❸❹초반에는 독일의 관습대로 했으나, 이후 편안한 분위기를 만들기 위해 농담을 섞어서 발표를 함

↓

❺그의 발표가 잘 받아들여지지 않았음

↓

❻독일 문화를 학습했다고 생각했으나 실수를 저지름

↓

❼❽독일 비즈니스 상황에서는 농담이 격식 없고 비전문적인 것으로 인식됨

해석

❶미국의 큰 하드웨어 제조업체가 독일의 유명한 배급 업체에 자사의 제품 소개를 해 달라는 초대를 받았다. ❷가능한 한 가장 좋은 인상을 주기 위해서 그 미국 회사는 자사의 가장 유망한 젊은 임원인 Fred Wagner를 보냈다. ❸Fred가 독일인 주최자들을 처음 만났을 때 그는 굳게 악수를 했고 모두에게 독일어로 인사를 했으며 심지어 독일인이 하는 것처럼 고개를 살짝 숙여 인사했다. ❹Fred는 몇 가지 웃기는 농담으로 자기의 발표를 시작했다. ❺그러나 그의 발표가 독일의 임원들에게 그다지 잘 받아들여지지 않았다. ❻비록 Fred는 자기가 문화에 관해서 미리 공부했다고 생각했지만 그는 한 가지 실수를 저질렀다. ❼Fred는 농담을 한 것으로는 어떤 호감도 얻지 못했다. ❽독일의 비즈니스 상황에서는 그것이 너무 격식을 차리지 않고 비전문적인 것으로 여겨졌다.
➡ ❾이 이야기는 비즈니스 상황에서 유머를 사용하는 것이 독일에서는 부적절하게 여겨질 수 있다는 것을 보여 준다.

해설

다른 나라에서 농담이 어떻게 받아들여지는가에 대한 내용의 글로, 독일에서는 비즈니스 상황에서 농담을 부정적으로 받아들인다고 설명했다. 따라서 요약문의 빈칸에 들어갈 말로 가장 적절한 것은 ② '유머–부적절한'이다.

구문 해설

❷**To make** the best possible impression, the American company sent its most promising young executive, Fred Wagner.
목적을 나타내는 to부정사의 부사적 용법으로 '~하기 위해서'라고 해석하며, in order to나 so as to로 대체 가능하다.

❹Fred began his presentation with **a few** humorous jokes.
a few/few(소수의)는 셀 수 있는 명사와 사용되고, a little/little(소량의)은 셀 수 없는 명사와 사용된다. a few와 a liitle은 긍정적 의미(조금 있다)이고, few와 little은 부정적 의미(거의 없다)이다.

UNIT 15

단서로 짐작하라!

CHECK BY CHECK

● 본문 127쪽

A ② B ④

A **해설** 》 이 글은 분홍색 소음이 잠드는 데 도움을 줄 수 있다는 것을 설명하고 있다. 빈칸 앞에서는 어떤 소음이 뇌를 자극시켜 깊은 잠을 방해한다고 했는데, 빈칸이 있는 문장은 역접을 나타내는 However로 시작하여 이와 반대되는 내용이 나올 것이라고 짐작할 수 있다. 따라서 빈칸에는 '뇌를 쉬게 해 준다'라는 내용이 적절하다.
해석 》 당신은 잠드는 데 어려움을 겪고 있는가? 분홍색 소음은 당신이 숙면을 하도록 도울 수 있다. 분홍색 소음은 우리가 들을 수 있는 모든 주파수로 이루어져 있지만, 그것의 에너지는 더 낮은 주파수에서 더 강렬하다. 자연은 분홍색 소음으로 가득 차 있다. 바스락거리는 나뭇잎 소리나 한결같은 빗소리, 바람 소리, 심장 박동 소리가 모두 분홍색 소음이다. 경적을 울리는 차 소리나 개가 짖는 소리 같은 몇몇 소음은 뇌를 자극하고 깊은 잠을 방해한다. 그러나 분홍색 소음은 귀에 "낮거나" "차분하게" 들려서 뇌가 긴장을 푸는 데 도움이 된다. 오늘 밤 자기 전에 분홍색 소음을 들어 보는 게 어떤가?

B **해설** 》 이 글은 심리 치료에 쓰이는 '관점 바꾸기(reframing)' 기술을 설명하고 있다. 초반부에 '관점 바꾸기'는 카메라 렌즈를 통해 볼 때 풍경이 가깝게 또는 멀리 보이는 것과 같은 원리라는 설명이 있고, 그 다음에 농구팀에 들어가지 못해 마음 상한 남자아이에게 관점을 바꾸어 상황을 긍정적으로 바라보게 하는 심리 치료의 예를 제시하고 있다. 따라서 '관점 바꾸기'의 뜻을 설명하는 첫 문장의 빈칸에는 '생각하는 방식'을 바꾸도록 돕는 기술이라는 내용이 적절하다.
해석 》 관점 바꾸기는 사람들이 생각하는 방식을 바꾸도록 돕기 위해 심리 치료에서 사용하는 기술이다. 그것은 카메라 렌즈를 통해 보는 것과 같다. 렌즈를 통해 본 모습은 더 가깝거나 더 멀어 보이는 풍경으로 바뀔 수 있다. 이러한 방식으로, 모습은 다르게 보일 뿐만 아니라 다르게 경험된다. 한 소년의 상황을 예로 들어 보자. 그는 농구팀에 들어가지 못해 마음이 상해 있다. 심리 치료사는 그에게 이렇게 물음으로써 그 소년이 자신의 실패를 바라보는 방식을 바꾸려고 애쓴다. "팀에 들어가지 못해서 얻게 되는 긍정적인 점에는 무엇이 있을까?" 그 소년은 여가 시간을 더 많이 갖게 될 것이고, 더 많이 연습해서 다음 해에 팀에 들어갈 수 있을 것이라고 말할 수 있다.

READING 1 ~ 수능유형

● 본문 128~131쪽

		More & More
1	④	1 fuel, alive, appearance 2 ③
2	②	1 광고가 선전하는 회사나 서비스의 부정적인 측면을 숨기거나 약화시키는 것 2 ④
3	①	1 성인이 만날 동물이나 성인이 동물을 만날 장소를 생각해 내는 것 2 ②
		Summing Up
수능유형	③	1 만화 2 웃게, 지혜 3 붙여라 4 공유해라

1

● 본문 128쪽

답 ④

〈주제문〉
❶Why / do we eat / food / at all? ❷One answer / is / obvious: / to stay alive.
(to부정사의 부사적 용법(목적))
왜 / 우리는 먹는가 / 음식을 / 도대체 / 한 가지 답은 / ~이다 분명한 / 살아가기 위해서

❸Food / is / a fuel / for our bodies. ❹It / keeps us / moving and working.
(It = food)
음식은 / ~이다 연료 / 우리의 몸을 위한 / 그것은 우리를 유지해 준다 / 움직이고 동작하게

❺The better / the quality of the food, / the better / our bodies work.
(The+비교급 ~, the+비교급 ...: 더 ~할수록 더 …하다)
더 좋을수록 / 음식의 질이 / 더 잘 / 우리 몸은 동작한다

❻But / is there / another answer? ❼Preparing and eating good food / is /
(동명사 주어)
하지만 있을까 / 또 다른 답이 / 좋은 음식을 준비하고 먹는 것은 / ~이다

the pleasure of life. ❽We / can get / great enjoyment / from the taste,
인생의 즐거움 / 우리는 얻을 수 있다 / 큰 즐거움을 / 맛과 외양,

appearance, and smell / of a well-cooked dish. ❾If we eat a well-prepared
(접 만약 ~한다면(조건))
냄새로부터 / 잘 조리된 요리의 / 우리가 잘 차려진 식사를 하면

meal / that looks good and delicious, / it / can be / a delightful experience.
(주격 관계대명사)
좋고 맛있어 보이는 / 그것은 될 수 있다 / 즐거운 경험이

글의 구조 분석

의문 제기
❶음식을 먹는 이유가 무엇인지 의문 제기

↓

이유 설명1
❷❸❹❺생존을 위한 에너지원으로서 음식을 섭취

↓

이유 설명2
❻❼❽❾음식을 먹는 또 다른 이유는 즐거움을 얻기 위한 것임

해석

❶우리는 도대체 왜 음식을 먹는가? ❷한 가지 답은 분명하다: 살아가기 위해서이다. ❸음식은 우리의 몸을 위한 연료이다. ❹그것은 우리가 계속 움직이고 동작하게 해 준다. ❺음식의 질이 더 좋을수록 우리 몸은 더 잘 동작한다. ❻하지만 또 다른 답이 있을까? ❼좋은 음식을 준비하고 먹는 것은 인생의 즐거움이다. ❽우리는 잘 조리된 요리의 맛과 외양, 냄새로부터 큰 즐거움을 얻을 수 있다. ❾좋고 맛있어 보이는 잘 차려진 식사를 하면 그것은 즐거운 경험이 될 수 있다.

해설

음식을 먹는 이유에 대해 전반부에서는 살아가기 위해서라고 했고, 후반부에서는 잘 차려진 식사를 하는 것이 즐거운 경험이 된다고 했다. 빈칸이 있는 문장은 후반부 내용을 소개하고 있으므로 좋은 음식을 차려서 먹는 것은 인생의 '즐거움'이라는 의미가 자연스럽다. 그러므로 빈칸에 가장 적절한 것은 ④ '즐거움'이다.

오답 노트

① 탄생, ③ 길이 ➡ 빈칸 바로 뒤의 of life와 연관 지어 답으로 혼동하도록 유도한 오답이다.
② 쓰레기 ➡ 음식을 준비하거나 식사 후 남는 음식 쓰레기를 연상하도록 유도했으나 글의 내용과 관련이 없다.
⑤ 질문 ➡ 첫 문장과 빈칸 앞 문장에 질문이 나오지만 음식을 준비해서 먹는 것과 질문은 관련이 없다.

구문 해설

❺**The better** the quality of the food, **the better** our bodies work.
비교급 관용 표현인 〈The+비교급 ~, the+비교급 ...〉이 쓰인 문장으로 '더 ~할수록 더 …하다'라는 의미를 나타낸다.

❼Preparing and eating good food **is** the pleasure of life.
Preparing and eating good food는 동명사 주어로, preparing과 eating이 and로 연결된 하나의 동작이기 때문에 단수 취급하여 단수 동사 is가 쓰였다.

❾**If** we **eat** a well-prepared meal **that looks** good and delicious, it can be a delightful experience.
If는 조건의 부사절을 이끄는 접속사로, '만약 ~한다면'의 의미이다. 미래의 일을 나타낼 때도 현재 시제로 쓰는 점에 유의한다. that은 주격 관계대명사로 선행사 a well-prepared meal을 수식하는 관계사절을 이끌고 있다. 선행사가 관계사절에서 주어 역할을 하므로 동사의 수를 주어와 일치하도록 looks로 썼다.

More & More

1 음식은 우리를 살아가게 하는 연료이며, 음식의 맛과 외양, 냄새가 우리에게 큰 즐거움을 준다고 했다. 따라서 빈칸에 알맞은 말은 각각 fuel, alive, appearance이다.
2 첫 문장 Why do we eat food at all?에서 음식을 섭취하는 이유가 무엇인지 질문을 던진 후 '몸이 활동하며 살아가기 위한 것'과 '먹는 즐거움을 누리는 것', 두 가지 답을 설명하고 있다. 따라서 글의 목적으로 가장 적절한 것은 ③ '음식을 섭취하는 이유를 설명하려고'이다.

2

• 본문 129쪽

답 ②

〈주제문〉
❶What / do advertising and map-making / have in common?
공통적으로 지니다
무엇을 광고를 하는 것과 지도를 만드는 것은 공통적으로 가지고 있는가?

❷Without doubt, / they both / share / the need / to communicate / a limited version / of the truth. ❸An advertisement / must create / an appealing image / and / a map / must present / a clear image. ❹However, / neither can meet / its goal / by telling or showing everything. ❺Ads / will cover up or play down / negative aspects / of the company or service / (that) they advertise. ❻In this way, / they / can compare / their products / with similar products / and / promote / their better features. ❼Likewise, / the map / must remove / details / that would be confusing.

(의심할 바 없이 / = advertising and map-making / 의심할 바 없이 그것들 둘 다 공통적으로 갖다 필요성을 전달해야 하는 / 제한된 형태를 진실의 광고는 ~해야 한다 만들어 내야 한다 / 매력적인 이미지를 그리고 지도는 제공해야 한다 명확한 이미지를 그러나 / 부정대명사 전 ~함으로써 어느 것도 달성할 수 없다 그것의 목적을 모든 것을 알려 주거나 보여 주는 것으로는 광고는 / 숨기거나 약화시킬 것이다 부정적인 면을 회사나 서비스의 등위접속사(혹은, 또는) / 그들이 선전하는 이런 식으로 그들은 비교할 수 있다 자사 제품을 / 유사한 제품과 그리고 홍보할 수 있다 더 나은 특징을 마찬가지로 지도는 / 제거해야 한다 세부 사항을 주격 관계대명사 혼란스러울 수 있는)

글의 구조 분석

질문을 통해 주제 제기
❶광고와 지도의 공통점을 묻는 질문

↓

답 제시
❷❸광고와 지도 모두 제한된 형태의 진실과 매력적이거나 명확한 이미지를 제공해야 함

↓

구체적 설명
❹❺❻❼광고와 지도 모두 일부를 제거하거나 약화시켜 목적 달성

해석

❶광고를 하는 것과 지도를 만드는 것은 어떤 공통점을 가지는가? ❷의심할 바 없이, 그것들 둘 다 제한된 형태의 진실을 전달해야 하는 필요성을 공통적으로 지닌다. ❸광고는 매력적인 이미지를 만들어 내야 하고, 지도는 명확한 이미지를 제공해야 한다. ❹그러나 어느 것도 모든 것을 알려 주거나 보여 주는 것으로는 자기 목적을 달성할 수 없다. ❺광고는 선전하는 회사나 서비스의 부정적인 측면을 숨기거나 약화시킬 것이다. ❻이런 식으로, 그들은 자사 제품을 유사한 제품과 비교하고 더 나은 특징을 홍보할 수 있다. ❼마찬가지로 지도는 혼란스러울 수 있는 세부 사항을 제거해야 한다.

해설

광고나 지도 둘 다 제한된 형태의 진실을 전달해야 한다고 했다. 구체적으로 광고는 선전하는 회사나 서비스의 부정적인 측면을 숨기거나 약화시키고, 지도는 혼란스러울 수 있는 세부 사항을 없앤다고 했다. 이를 종합해 보면, 특정한 정보는 없애거나 숨기는 것임을 알 수 있다. 빈칸이 있는 문장이 부정문이므로 빈칸에는 반대되는 내용이 들어가야 한다. 따라서 빈칸에 들어갈 말로 가장 적절한 것은 ② '모든 것을 알려 주거나 보여 주기'이다.

오답 노트

① 정보의 양을 줄이기 ➡ 빈칸 뒤에 특정 정보를 숨기거나 없애야 한다는 내용이 나오므로 정보의 양을 줄여야 목표를 이룰 수 있는데, 부정문이므로 반대되는 내용이 된다.
③ 사람들의 목소리를 듣기 ➡ 사람들의 의견을 듣는다는 내용은 없다.
④ 시각적 이미지에만 의존하기 ➡ 빈칸 뒤에 시각적 이미지에 의존하는 것과 관련된 내용이 나오지 않으므로 적절하지 않다.
⑤ 모든 사람이 이용할 수 있게 하기 ➡ 광고나 지도 제작의 관점에서 설명하고 있으므로, 이용에 관한 내용은 빈칸에 적절하지 않다.

구문 해설

❹However, **neither** can meet its goal **by telling or showing** everything.
neither는 '(둘 중) 어느 것도 ...아니다'라는 의미의 부정대명사로 문장 전체가 부정문으로 해석된다. 〈by+동명사〉는 '~함으로써'라는 의미를 나타내며 2개의 동명사가 등위접속사 or로 연결되어 있고 공통의 목적어 everything을 취하고 있다.

❺Ads will cover up **or** play down negative aspects of the company **or** service they advertise.
첫 번째 or는 cover up과 play down을 병렬 구조로 연결하면서 negative aspects ~를 공통의 목적어로 취하고 있으며, 두 번째 or는 관계사절 they advertise의 수식을 공통으로 받고 있는 선행사 the company와 service를 연결하고 있다. they advertise 앞에는 목적격 관계대명사 that이 생략되어 있다.

❼Likewise, the map must remove details **that** would be confusing.
선행사 details를 주격 관계대명사 that이 이끄는 관계사절이 수식하고 있다.

More & More

1 In this way는 바로 앞 문장의 내용 '광고가 선전하는 회사나 서비스의 부정적인 측면을 숨기거나 약화시키는 것'을 의미한다.
2 첫 문장에서 광고를 하는 것과 지도를 만드는 것의 공통점이 무엇인지 질문한 다음 이에 대한 답을 설명하고 있으므로 글의 주제로 가장 적절한 것은 ④ '광고 제작과 지도 제작의 공통점'이다.

3

답 ①

〈주제문〉
❶A lovely technique / for helping children / create / their own, unique story, / is / to ask them / to help you / complete a story / before you tell it.
준사역동사 help+목적어+목적격보어(원형부정사)
to부정사의 명사적 용법(주격보어)
멋진 기법은 아이들을 돕기 위한 창작하도록 자신만의 독특한 이야기를 ~이다 그들에게 요청하는 것 여러분을 도와 달라고 이야기를 완성시키는 것을 여러분이 그것을 말하기 전에

❷I / usually use / a story / called St. Benno and the Frog. ❸In the original, / the saint / meets / a frog / in a marsh / and / tells it / to be quiet / in case it disturbs his prayers.
과거분사구
나는 보통 사용한다 이야기를 St. Benno and the Frog라고 불리는 원작에서는
tell+목적어+목적격보어(to부정사) ~할 경우에 대비해서
성자가 만난다 개구리를 늪에 사는 그리고 그것에게 말한다 조용히 하라고 혹시 그것이 그의 기도를 방해할 경우를 대비해서

❹Later, / he / regrets / this, / in case God was enjoying / listening to the sound / of the frog.
동명사(목적어)
나중에 그는 후회한다 이것을 혹시 신이 즐기고 있었을 수도 있으니 그 소리를 듣는 것을 그 개구리의

❺I / invite / children / to think of / different animals / for the saint / to meet / and / different places / for him / to meet them.
to부정사의 의미상 주어
to부정사의 의미상 주어 = animals
나는 초대한다 아이들을 ~대해 생각하도록 다양한 동물들 그 성자가 만날 그리고 다양한 장소들 그가 그 동물들을 만날

❻I then / tell / children / the story / including their own ideas.
전 ~을 포함하여
나는 그러고 나서 말한다 아이들에게 그 이야기를 그들 자신의 생각을 포함하여

❼It is a most effective way / of involving children / in creating stories / and / they / love / hearing / their ideas used.
동명사(전치사의 목적어)
동명사(전치사의 목적어)
그것은 매우 효과적인 방법이다 아이들을 참여시키는 이야기를 창작하는 데에 그리고 그들은 아주 좋아한다 듣는 것을 그들의 생각이 사용된 것을

* marsh: 늪

글의 구조 분석

주제문
❶아이들이 이야기를 창작하도록 돕는 방법은 그들에게 이야기를 완성하는 것을 도와 달라고 요청하는 것

↓

구체적 예시
❷❸❹❺❻글쓴이가 흔히 사용한 교수법의 예시(어떤 이야기의 원래 내용 대신 아이들이 상상한 내용을 넣어 들려줌)

↓

결론
❼자신의 생각을 넣어 이야기를 만드는 것은 아이들이 직접 이야기를 창작하게 하는 효과적인 방법

해석

❶아이들이 자신만의 독특한 이야기를 창작하도록 돕는 멋진 기법은 그들에게 여러분이 이야기를 들려주기 전에 그것을 완성하는 것을 도와 달라고 요청하는 것이다. ❷나는 보통 St. Benno and the Frog라고 불리는 이야기를 사용한다. ❸원작에서는 성자가 늪에 사는 개구리 한 마리를 만나서 자신의 기도를 방해할 수 있으니 개구리에게 조용히 하라고 말한다. ❹나중에 그는 신이 그 개구리의 소리를 듣는 것을 즐기고 있었을 수도 있으니 이렇게 말한 것을 후회한다. ❺나는 아이들에게 그 성자가 만날 여러 다른 동물과 그가 그 동물들을 만날 여러 다른 장소를 생각해 보라고 권한다. ❻그러고 나서 나는 아이들에게 그들 자신의 생각을 포함한 이야기를 들려준다. ❼그것은 아이들을 이야기를 창작하는 데에 참여시키는 매우 효과적인 방법이고, 그들은 자신의 생각이 사용된 것을 듣는 것을 아주 좋아한다.

해설

아이들이 직접 이야기를 창작하도록 만드는 방법에 대한 예시로 어떤 이야기의 원래 내용 대신 아이들이 상상한 내용을 넣어 이야기를 들려주면 아이들이 좋아한다고 하였으므로, 빈칸에 들어갈 말로 가장 적절한 것은 ① '여러분이 이야기를 들려주기 전에 그것을 완성하는 것을 도와 달라고'이다.

오답 노트

② 자신이 관심 있는 책을 골라 보라고 ➡ 본문에 언급되지 않았다.
③ 가능한 한 많은 서평을 읽어 보라고 ➡ 본문에 언급되지 않았다.
④ 이야기를 듣고 요약해서 써 보라고 ➡ 이야기를 듣고 이어질 내용을 생각해 보라고 했지 요약하여 써 보라는 내용은 본문에 언급되지 않았다.
⑤ 자신의 경험에 대한 그림을 그려 보라고 ➡ 경험에 대한 그림을 그리라는 내용은 본문에 언급되지 않았다.

구문 해설

❶A lovely technique for helping children create their own, unique story, is **to ask** them **to help** you **complete** a story before you tell it.
to ask는 명사적 용법으로 쓰여 주격보어의 역할을 하고 있다. ask는 5형식으로 쓰일 때 목적격보어로 to부정사만을 취하므로 to help가 왔다. help는 준사역동사이므로 목적격보어에 원형부정사인 complete가 왔다.

❺I invite children to think of different animals **for the saint** to meet and different places **for him** to meet them.
문장의 주어와 to부정사의 행위의 주체가 서로 다른 경우, to부정사의 행위의 주체를 밝히기 위해 일반적으로 〈for+목적격〉의 형태를 to부정사 앞에 쓴다. 문장의 주어는 I이지만 to meet의 주체는 각각 the saint와 him(= the saint)이다.

More & More

1 바로 앞 문장에서 아이들이 이야기를 만드는 데 참여하도록 만드는 예시로 '성인이 만날 동물이나 성인이 동물을 만날 장소를 생각해 내는 것'이 언급되어 있다.
2 아이들이 직접 이야기를 창작하도록 돕기 위해 원작의 내용을 대신할 것들을 생각해 보게 한다는 내용이다. 따라서 글의 제목으로 적절한 것은 ② '참여: 아이가 자신만의 이야기를 만드는 방법'이다.

답 ③

〈주제문〉 ❶Reading comics / is worthwhile. ❷It's / not just / because they will make you laugh / but / because they contain wisdom / about the nature of life. ❸*Charlie Brown* and *Blondie* / are / part of my morning routine / and / help / me / to start the day / with a smile. ❹When you read the comics section of the newspaper, / cut out / a cartoon / which makes you laugh. ❺Post / it / wherever you need it most, / such as on your refrigerator or at work / — so that / every time you see it, / you / will smile / and / feel / your spirit / lifted. ❻Share / your favorites / with your friends and family / so that / everyone can get a good laugh, / too. ❼Take / your comics / with you / when you go to visit sick friends / who can really use a good laugh.

(= comics; not just[only] *A* but (also) *B*: A뿐만 아니라 B도; = comics; 준사역동사+목적어+목적격보어(to부정사); 접 ~할 때(시간); 사역동사; 명령문; 주격 관계대명사; 목적어+목적격보어(원형부정사); = a cartoon; 복합관계부사: 어디든지 ~하는 곳에; ~과 같은; ~하기 위하여(목적); ~할 때마다 (= whenever); 과거분사; ~하기 위하여(목적); 접 ~할 때(시간))

만화를 읽는 것은 / 가치 있다 / 그것은 ~이다 / 만화가 여러분을 웃게 만들 뿐 아니라 / 지혜를 담고 있기 때문 / 삶의 본질에 관한 / 〈Charlie Brown〉과 〈Blondie〉는 / ~이다 / 나의 아침 일과의 일부 / 그리고 / 도와준다 / 내가 / 하루를 시작할 수 있게 / 미소로 / 당신이 신문의 만화란을 읽을 때 / 잘라 내라 / 만화를 / 여러분을 웃게 해 주는 / 붙여라 / 그것을 / 여러분이 가장 필요로 하는 곳 어디든지 / 냉장고나 직장과 같은 곳 / ~하기 위하여 / 여러분이 그것을 볼 때마다 / 여러분은 / 웃을 것이다 / 그리고 / 느낄 것이다 / 기분이 고양되는 것을 / 공유해라 / 여러분이 가장 좋아하는 것을 / 여러분의 친구와 가족과 함께 / ~하기 위하여 / 모두가 즐겁게 웃을 수 있다 / 또한 / 가져가라 / 여러분의 만화를 / 여러분과 함께 / 아픈 친구들을 방문하러 갈 때 / 큰 웃음을 진짜로 잘 활용할 수 있는

글의 구조 분석

주장 및 근거
❶❷웃게 만들 뿐만 아니라 삶의 본질에 관한 지혜를 담고 있기 때문에 만화를 읽는 것은 가치 있음

↓

예시
❸글쓴이가 미소로 하루를 시작할 수 있게 도와주는 〈Charlie Brown〉과 〈Blondie〉

↓

구체적인 활용 방안1
❹❺만화를 읽을 때, 그것을 잘라서 어디든 붙이고 자주 볼 것을 권유함

↓

구체적인 활용 방안2
❻❼좋아하는 만화를 친구들이나 가족들과 함께 공유하기를 권유함

해석

❶만화를 읽는 것은 가치 있다. ❷그것은 만화가 여러분을 웃게 만들기 때문일 뿐만 아니라 삶의 본질에 관한 지혜를 담고 있기 때문이다. ❸〈Charlie Brown〉과 〈Blondie〉는 나의 아침 일과의 일부이고 내가 미소로 하루를 시작할 수 있게 도와준다. ❹신문 만화란을 읽을 때, 여러분을 웃게 하는 만화를 잘라 내라. ❺그것을 볼 때마다 미소를 짓고 기분이 고양되는 것을 느낄 수 있도록 그것을 여러분이 가장 필요로 하는 곳, 냉장고든 직장에든, 어디든지 붙여라. ❻모든 사람들 역시 크게 웃을 수 있게 여러분이 가장 좋아하는 만화를 친구들과 가족과 공유해라. ❼크게 웃는 것을 정말 잘 활용할 수 있는 아픈 친구들을 방문하러 갈 때 여러분의 만화를 가지고 가라.

해설

③ When이 이끄는 부사절 다음에 주절이 이어져야 하는데 주절에 동사가 없으므로 cutting을 cut으로 고쳐 명령문으로 만들어야 어법에 맞는 문장이 된다.

오답 노트

① 상관접속사 not just[only] *A* but (also) *B*를 활용한 문장이므로 앞과 동일한 형태의 because로 이어지는 대등한 절이 오는 것은 어법상 맞다.
② 동사 help는 준사역동사로 목적격보어 자리에는 원형부정사와 to부정사를 둘 다 사용 가능하므로 to start는 어법상 맞다.
④ 정신이 고양되는 것이므로 수동의 관계일 때 쓰는 과거분사 lifted는 어법상 맞다.
⑤ 선행사 friends가 사람이고, 밑줄 친 부분 뒤에 주어가 빠진 불완전한 문장이 오므로 주격 관계대명사 who는 어법상 맞다.

구문 해설

❷It's **not just** because they will make you laugh **but** because they contain wisdom about the nature of life.
not just[only] *A* but (also) *B*는 'A뿐만 아니라 B도'라는 뜻이며, 둘 이상의 단어가 짝을 이루어 쓰이는 상관접속사이다. 이때 접속사의 뒤에 오는 말은 동일한 형태여야 하므로 각각 because로 시작하는 절이 왔다.

❺Post it **wherever** you need it most, such as on your refrigerator or at work — **so that every time** you see it, you will smile and feel your spirit lifted.
wherever는 복합관계부사로 '어디든지 ~하는 곳에'라는 뜻이다. so that은 '~하기 위하여'라는 뜻으로 목적을 나타낼 때 사용한다. every time은 시간의 부사절을 이끄는 표현으로 '~할 때마다'라는 의미이다.

memo

memo

memo

memo

중등 수능 독해

실전과 기출문제를 통해 어휘와 독해 원리를 익히며 단계별로 단련하는 수능 학습!

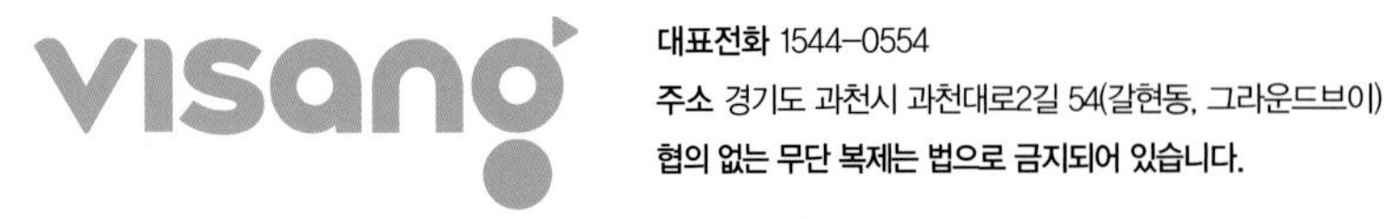
대표전화 1544-0554
주소 경기도 과천시 과천대로2길 54(갈현동, 그라운드브이)